CW00348101

le nouvel anglais sans peine

© Assimil 1978 ISBN : 2.7005.0075.X

méthode quotidienne
ASSiMiL

le nouvel anglais sans peine

par

Anthony Bulger

d'après l'œuvre originale de

A. Chérel

illustrations de J.-L. Goussé

ASSiMiL

13, rue Gay-Lussac, 94430 Chennevières-sur-Marne

Amsterdam - Düsseldorf - Lausanne - London
Madrid - Montréal - New York - Torino

MÉTHODES "ASSiMiL"

Volumes reliés, abondamment illustrés et enregistrés sur disques, bandes magnétiques ou cassettes

Série « Sans peine »

L'Allemand sans peine
L'Espagnol sans peine
L'Espéranto sans peine
Le Grec sans peine
L'Italien sans peine
Le Latin sans peine
Le Néerlandais sans peine
Le Portugais sans peine
Le Russe sans peine
Le Serbo-croate sans peine
L'Arabe sans peine Tome I
L'Arabe sans peine Tome II
et Livret de phonétique

Série « Perfectionnement »

La Pratique de l'Allemand
La Pratique de l'Anglais
La Pratique de l'Espagnol
La Pratique du Néerlandais

Histoires anglaises et américaines

Série « Direct »

Lets start
Let's get better
Let's learn French
Auf geht's
Es geht weiter

Série « Langues régionales »

Le Breton sans peine
Le Corse sans peine
L'Occitan sans peine

Série « ASSiMiL Loisirs »

La Guitare sans peine (cours en 2 cassettes et 24 fiches)
Lotolangue (existe en trois langues : anglais, allemand et espagnol)

Titre des enregistrements accompagnant cet ouvrage :

THE NEW ENGLISH WITHOUT TOIL

Introduction

POURQUOI UN « NOUVEL ANGLAIS SANS PEINE » ?

Nous sommes les premiers à le reconnaître, *l'Anglais sans peine* s'éloignait peu à peu de notre vie quotidienne. Il était certes toujours un atout essentiel pour l'acquisition de l'anglais traditionnel, littéraire ou scolaire, mais une bonne partie de son contenu n'était plus tellement d'actualité, tant pour le contexte que pour le langage courant.

QU'EST « LE NOUVEL ANGLAIS SANS PEINE » ?

La structure générale et le ton humoristique de *l'Anglais sans peine,* qui ont fait l'unanimité de millions de lecteurs, ont été conservés. La grammaire est introduite de la même façon et selon la même progression. La différence essentielle : le vocabulaire est tout à fait actuel et peut-être plus « utilitaire ».

COMMENT APPRENDRE « LE NOUVEL ANGLAIS SANS PEINE » ?

« La grammaire anglaise est facile, mais la prononciation est très compliquée ! » Cette phrase, si souvent entendue, a quelque chose de vrai, mais n'exagérons rien !

L'anglais est surtout une langue parlée, tandis que le français, lui, est plutôt une langue écrite. La prononciation anglaise diffère beaucoup des sons écrits, surtout dans les mots les plus courants. On a tendance, en apprenant une langue, à prononcer **tous les sons** très clairement : ceci ne doit pas être le cas pour l'anglais. Pour comprendre et se faire comprendre, l'intonation (les mots que l'on fait ressortir dans une phrase en les accentuant) est d'une importance extrême. Cette intonation est due en grande partie à l'accent tonique — ou le « stress » (dans un mot, l'une des syllabes est accentuée **au détriment du reste du mot**).

Prenons les mots : *tailor* et *sister.* dans les deux cas, c'est la première partie du mot que l'on fait entendre davantage : **tai**- (té) et **sis**-. Les « queues » de mots deviennent ce son sourd que nous représentons par « ë » ou « eu ». Donc, dans notre prononciation figurée, les mots s'écrivent **tél**eu et **sïs**teu. **Il n'y a pas de différence** entre le « e » et le « o » finals. Les deux perdent leur « valeur ».

Dans un mot plus long, cette particularité prend une dimension encore plus importante : le mot *ate* (le passé du verbe « manger ») se prononce normalement « ét » mais, lorsque cette particule est un suffixe, elle retrouve cette prononciation sourde. Par exemple : *doctorate* devient « **dok**tërët ».

Or, bien que les accents régionaux, en anglais, diffèrent énormément entre Londres, Edimbourg, New York et Melbourne (encore plus que le français entre Lille et Marseille), les accents toniques sont sensiblement **les mêmes.**

Il est quasiment impossible (et pas souhaitable) de donner de règles pour le placement de cet accent tonique; il est aussi extrêmement difficile de reproduire ces sons anglais fidèlement sans l'aide d'un alphabet phonétique très étendu : mais fiez-vous à notre prononciation figurée, dans laquelle nous avons essayé de reproduire le son du mot *dans sa phrase.* Ne répétez pas un mot isolé; répétez, avec cette aide, tout le groupe ou toute la phrase. (Parfois un mot s'écrira un peu différemment dans deux phrases différentes, tout comme en français, un mot comme « pas » se prononce différemment selon qu'il est suivi d'une consonne ou d'une voyelle).

Une phrase anglaise est presque une chanson : tous les petits mots — les auxiliaires, les articles — sont escamotés; les mots importants ressortent naturellement avec l'accentuation de la voix. C'est un peu la prononciation « argotique » française : « T'as pas d'pain? V'la, y en a ».

A cause de ces rythmes, fidèlement reproduits sur les enregistrements, vous allez faire la connaissance de nos fameuses contractions... mais ne brûlons pas les étapes.

Tout en évitant l'alphabet phonétique, nous avons eu recours à quelques signes conventionnels pour reproduire, dans la mesure du possible, tous ces sons en français. Ils sont très simples. Voici les plus importants :

ë (ou **eu**) — le son le plus répandu — représente une voyelle ou une terminaison non accentuée. Il ne faut pas essayer de faire la distinction entre un **a** et un **o** non accentués, mais simplement de faire entendre ce son sourd et imprécis.

ï ou **î**. — Le **i** anglais est très bref : le son français est obtenu avec une diphtongue (deux voyelles ensemble). Nous écrivons ce dernier avec un accent circonflexe **î,** et le premier avec un tréma **ï**.

r. — Le **r** anglais est à peine prononcé au début et au milieu d'un mot, et jamais à la fin. Après une voyelle, il suffit d'allonger cette lettre.

Prononcez **sh** comme dans « chat » (ou dans *shopping*).

Que l'on apprenne une langue, à jouer d'un instrument de musique, ou une matière plutôt scolaire, tout s'assimile en lisant, *en oubliant,* en revoyant et en pratiquant plusieurs fois.

Nos leçons de révision mises à part, *la deuxième vague* vous fera pratiquer activement l'anglais.

Votre étude sera passive jusqu'à la 50e leçon; c'est-à-dire que vous écouterez, vous lirez à voix haute et vous ferez les petits exercices par écrit. Mais, à partir de la 51e leçon, vous reprendrez, en plus de votre leçon quotidienne, la leçon que nous vous indiquerons et que vous aurez déjà vue. Les deux sont liées de façon à pouvoir revoir les structures et les mots importants que vous aurez peut-être oubliés. C'est ainsi que vous apprendrez d'une façon naturelle et sans trop d'efforts.

Vous allez commencer ce livre par une leçon « zéro »..., c'est assez inhabituel!

Cette leçon était la première de *l'Anglais sans peine*, et commence par la phrase maintenant célèbre : *« My tailor is rich »*. C'est, pour nous, un rappel sentimental de notre *best-seller* (commençons à parler anglais!) et, pour vous, la meilleure introduction possible aux joies du *Nouvel Anglais sans peine*... Et il y en a!

N'oubliez pas que **votre étude doit être avant tout régulière.** Il vous faut **absolument** franchir le cap des trois premières semaines; après, rien ne pourra plus vous arrêter tant vos progrès vous seront évidents et agréables.

ET MAINTENANT... LET'S GO TO WORK!
(Allons au travail!)

Avant de commencer, lisez très attentivement les indications des pages précédentes, même si vous n'êtes pas un débutant.

1 — My t**a**ilor is rich.
2 — My t**a**ilor is not rich.
3 — Our d**o**ctor is good.
4 — Our d**o**ctor is not good.
5 — Your cigar**e**tte is f**in**ished.
6 — Your cigar**e**tte is not f**in**ished.
7 — My p**a**rents **(1)** are poor **(2)**.
8 — My p**a**rents are not poor.
9 — Our books are **in**teresting.
10 — Our books are not **in**teresting.
11 — Your fl**ow**ers are bea**u**tiful.
12 — Your fl**ow**ers are not bea**u**tiful.
13 My; our; your; book; books; good.

PRONUNCIATION (proneun'ciésh'n). — **1.** m**aï** **tée**'lë iz ritch. — **2.** m**aï** **tée**'lë iz not ritch. — **3.** **a**our **doc**të iz goùd. — **4.** **a**our **doc**të iz not goùd'. — **5.** your ciguë**rett** iz **fi**nish't. — **6.** your ciguë**rett'** iz not **fi**nish't. — **7.** m**aï** **pé**rën't's are pour. — **8.** m**aï** **pé**rën't's are not pour. — **9.** **a**our boùks' are **in**'terestigne. — **10.** **a**our boùks are not **in**'terestigne. — **11.** your **fla**ouëz are **bioù**tifoul. — **12.** your **fla**ouëz are not **bioù**tifoul. — **13.** m**aï**; **a**our; your; boùk; boùks'; goùd'.

Articulez bien toutes les consonnes, *prononcez, par exemple,* **pé**rën'ts' *comme s'il y avait* " **pé**rënnttss ", not *comme* " nott ", " boùks " *comme* " boukss "

Marquez nettement l'accent tonique!

Dans chaque leçon, le texte anglais et la **prononciation figurée** sont, en principe, sur la page de gauche (impaire), le français et **les notes** sont sur la **page de droite.**

1 Mon tailleur est riche. — **2** Mon tailleur n'est pas riche. — **3** Notre docteur est bon. — **4** Notre docteur n'est pas bon. — **5** Votre cigarette est finie. — **6** Votre cigarette n'est pas finie. — **7** Mes parents sont pauvres. — **8** Mes parents ne sont pas pauvres. — **9** Nos livres sont intéressants. — **10** Nos livres ne sont pas intéressants. — **11** Vos fleurs sont belles. — **12** Vos fleurs ne sont pas belles. — **13** Mon, ma, mes; notre, nos; votre, vos; livre; livres; bon (ou bons).

NOTES. — **(1)** L's du pluriel se prononce toujours.
(2) L'adjectif ne varie pas : *my, our, your;* signifient mon; ma ou mes; notre ou nos; votre ou vos.

First Lesson

Nous introduisons les contractions. Remarquez qu'il s'agit de l'anglais parlé. Le singulier **is** *devient —* **'s** *après un pronom et le pluriel* **are** *devient —* **'re.**

1 — You're an **ex**cellent **doc**tor. — Thank you, you're **ve**ry po**lite.**
2 — This is my **bro**ther John. — Hel**lo,** I'm **Da**vid.
3 — Oh **dear,** we're late a**gain.**
4 — It (**1**) **is**n't my fault. There **is**n't a clock in my house.
5 — This **is**n't very **dif**ficult. — Not at all. It's **ea**sy. (**2**)
6 — She **is**n't very **pre**tty. — No, but she's kind.
7 — I'm sure this is our house. — No, it **is**n't! (**3**) (**N. 3**)

8 I am; I'm - you are; you're.
9 it is; it's - he is; he's - we are; we're.
10 **is**n't; he **is**n't late.
11 aren't; we aren't po**lite.**

PRONUNCIATION (prëneunsï**ésh'n**)

1 yor ën **èk**sëlënt **do**ktë. fannk you yon **vè**rï pë**laït**. — **2** vïs iz maï **breu**vë djon. hè**lôh** aïm d**é**vïd. — **3** ôh **dî**ë ouîr lét ëg**ènn.** — **4** ït **ï**zënt maï fohlt. vair **i**zënt ë klok ïn maï haous. — **5** vïs **ï**zënt **vè**rï **dï**fïkëlt. not ët ohl. ïts **î**zï. — **6** shï **ï**zënt **vè**rï **prï**tï. nôh beut shîz kaïnd. — **7** aïm shour vïs iz aouë haous. nôh ït **ï**zënt.

8 aï amm; aïm - you ah; yor. — **9** ït ïz; ïts - hî ïz; hîz - ouî ah; ouîr. — **10** **ï**zënt; hî **z**ënt lét. — **11** ahnt; ouî ahnt pë**lait.**

Première leçon

1 Vous etes un excellent médecin. — Merci, vous êtes très poli.
2 Voici (Ceci est) mon frère, Jean. — Bonjour, je suis David.
3 Mon dieu, nous sommes encore [en] retard.
4 Ce n'est pas ma faute. Il n'y a pas [de] pendule dans ma maison.
5 Ceci n'est pas très difficile. — Pas du tout. C'est facile.
6 Elle n'est pas très jolie. — Non, mais elle est gentille.
7 Je suis sûr [que] (ceci est) c'est notre maison. — Non ce n'est pas [elle].

8 Je suis; je suis (*contracté*) - vous êtes; vous êtes (*contracté*).
9 C'est; c'est (*contracté*) - il est; il est (*contracté*) - nous sommes; nous sommes (*contracté*).
10 N'est pas; il n'est pas [en] retard.
11 Ne sont pas; nous ne sommes pas polis.

①

NOTES

(1) Outre les pronoms masculin et féminin (*he* et *she*) il y a le neutre *it* qui se rapporte aux choses et à la plupart des animaux. Pour le pluriel, il n'y a qu'un seul pronom *they* qui signifie ils ou elles.

(2) Dans la contraction *it's*, le *it's* est sibilant (ïts îzi).

(3) Notez bien la prononciation de *sure :* « shour ».

(N3) Signifie qu'il y a une note spéciale dans la révision de fin de semaine (leçons multiples de 7).

3 three (frî) (*v. p. 7, pron. de* th)

EXERCISES

1 He **is**n't very kind. — **2** It's my fault. — **3** He's an **ex**cellent **doc**tor. — **4** I'm sure he's your **bro**ther. — **5** Oh **dear**, we're late ag**ain**.

Fill in the missing words (fïll ïnn vë **mïss**ïng oueudz)

(*Remplissez les mots qui manquent*).

* Formes avec contractions.

1 *Elle est très jolie.*	*Elle n'est pas très jolie.*
She . . . very pretty.	She . . . . . . very pretty.
* She . . very	* She . . . . . very pretty.
2 *Nous sommes polis.*	*Nous ne sommes pas polis.*
We . . . polite.	We . . . . . . polite.
* We . . . polite.	* . . . . polite.
3 *Pas du tout. C'est facile.*	*Ce n'est pas du tout facile.*
. . . at all. It . . easy.	It . . not at all easy.
* Not at . . . . easy.	* . . . . not . . all easy.

Second Lesson

La lettre **h** *se prononce fortement, non pas en aspirant, mais en rejetant vivement l'air du fond de la gorge, comme quand on fait* H'm *pour s'éclaircir la voix.*

1 — Where (**1**) are you?
2 — We're **he**re, in the house.
3 — But where's (**2**) John?

PRONUNCIATION

1 ouère ah you? — **2** ouîr **hî**ë, ïn vë haous. — **3** beut ouairz djon?

4 *Bonjour, je suis John.*	*Bonjour, je ne suis pas Anne.*
Hello, . . . John.	Hello, I . . . . . . Anne.
* Hello . . . John.	* . . . . not Anne.

5 *Ceci n'est pas difficile.*	*C'est ma faute.*
This . . . . . difficult.	It . . . . . fault.
* . . . . difficult.	* . . . . my fault.

EXERCICES

1 Il n'est pas très gentil. — **2** C'est ma faute. — **3** Il est un excellent médecin. — **4** Je suis sûr (qu')il est votre frère. — **5** Mon dieu, nous sommes (en) retard encore.

Corrigé de l'exercice leçon 1.

1 is - is not / 's - pretty - isn't. — **2** are - are not / 're - We aren't. — **3** Not - is - is / all. It's - It's - at. — **4** I am - am not / I'm - Hello, I'm. — **5.** is not - is my / This isn't - It's.

Seconde leçon

1 Où êtes-vous?
2 Nous sommes ici, dans la maison.
3 Mais où est Jean.

NOTES

(1) Dans *where* le « W » se prononce comme s'il était après le « h ».

(2) Les contractions existent pour faciliter le parler, donc on n'abrège pas *where are* car ça serait maladroit, alors

4 — He's there, **ne**ar the trees.
5 — They're in the house but John **is**n't (**3**). He's **ne**ar the trees.
6 — Where are my cig**a**r**e**ttes? Are they on the **ta**ble?
7 — Yes they are. — And my **pa**per (**4**), where is it?
8 — It's there, on the chair (**5**).
9 — Where's my **pa**per? — Your **pa**per is there.
10 — It's **ne**ar the tele**vi**sion (**6**). — **Thank**-you. You're **ve**ry kind.

11 Where's John? Where are my cig**a**r**e**ttes?
12 **He**re; there; in; on;

— **4** hîz vair, **nî**ë vë trîz. — **5** vair ïn vë haous beut djon **ï**zënt. hîz **nî**ë vë trîz. — **6** ouair ah maï sïgë**rèts**? Ah vé onn vë tébël? — **7** yes vé ah. annd maï **pé**pë ouair ïz ït? — **8** ïts vair, onn vë tchair. — **9** ouairz maï **pé**pë? Yor **pé**pë ïz vair. — **10** ïts **nî**ë vë tèlï**vï**zhën. **fannk**you. Yor **vè**rï kaïnd. — **11** ouairz djon? ouair ah maï sïgë**rèts**? — **12** **hî**ë, vair, ïnn, önn.

EXERCISES

1 He's **ne**ar the house. — **2** Where are your **pa**pers? — **3** They're on the chair. — **4** Are they my cig**aret**tes? — **5** **Pe**ter is in the house but John **is**n't.

Fill in the missing words:

* Formes avec contractions.

1 *Ils sont près de la télévision.* — *Ils ne sont pas près de la t.v.*

. . . . near the television. — They . . . . near the television.

* . . . . near the tv. — * They . . . . . . near . . . television.

4 Il est là, près des (les) arbres.
5 Ils sont dans la maison, mais Jean n'[y] est pas. Il est près des (les) arbres.
6 Où sont mes cigarettes? Sont-elles sur la table?
7 Oui (elles sont). — Et mon journal où est-il?
8 Il est là, sur la chaise.
9 Où est mon journal? — Votre journal est là.
10 Il est près (de) la télévision. — Merci, vous êtes très gentil.
11 Où est Jean. Où sont mes cigarettes?
12 Ici; là; dans; sur.

NOTES (continued)

que *where's* coule naturellement. Vous vous ferez aux contractions facilement parce qu'elles sont naturelles.

(3) Voir leçon 1, n° (1).

(4) *Paper* (papier) signifie également *newspaper* (papier à nouvelles), donc « journal ».

(5) « ch » comme dans Tchad' « tchair ».

(6) « -sion » se prononce « zhën ». Les sons nasaux « on » « an » n'existent pas en anglais.

EXERCICES

1 Il est près (de) la maison. — **2** Où sont vos journaux? — **3** Ils sont sur la chaise. — **4** Sont-elles mes cigarettes? — **5** Pierre est dans la maison mais Jean n'[y] est pas.

2nd LESSON

2 *Où est le médecin?*
Where . . the doctor?
* . . . . the . . . . .?

Où sont mes journaux?
Where . . . my papers.
Where are . . . .

3 *Il est ici près des arbres.*
. . . . here, near the trees.
* He . . here . . . . the . . . . .

Nous ne sommes pas (en) retard.
We . . . . late.
* We . . . . . . late.

4 *Merci, vous êtes très gentil.*
Thankyou . . . . very kind.

Ce journal, il n'est pas très bon.
This paper, it . . . . . very good.

Third Lesson

Prononciation de « th ». — *Certaines personnes qui zézayent ou blèsent prononcent, sans le vouloir, les deux sons anglais du* th *dur et* th *doux au lieu de* z *et* s. *Cependant, ce n'est pas de* z *et* s *qu'il faut partir pour arriver au* th *pur. Les enfants anglais nous montrent la bonne*

1 — **He**re's the book. — Is it **in**teresting?
2 — Yes, it's **ve**ry **in**teresting.
3 — There are the **pa**pers. — Where are they?
4 — There, on the **book**-case (1). — **Thank**you.

PRONUNCIATION :

1 **Hî**ëz vë bouk. ïz ït **ïnn**trèstïng? — **2** yès ïts **vè**rï **ïnn**trèstïng. — **3** vair ah vë **pé**pëz. ouair ah vé? — **4** vair onn vë **bouk** kais. **fannk**you.

* Thankyou . . . . . . very . . . .

* . . . . paper, it . . . . . very good.

5 *Mon journal est sur la table.*

Mon journal n'est pas sur la table.

. . paper . . on the table.

. . paper . . . . . on the table.

* My paper is . . the table.

* . . paper . . . . . on . . . table.

Corrigé

1 They are - are not / They're - aren't - the. — **2** is - are / Where's - doctor - my papers. — **3** He is - are not / 's - near - trees - aren't. — **4** you are - is not / you're - kind - This - isn't. — **5** My - is - My - is not/on - My - isn't - the.

Ne négligez pas les numéros des pages et des leçons.

Troisième leçon

méthode : jusqu'à 4 ou 5 ans ils prononcent le th *doux comme* v *et le dur comme* f. *Faites comme eux, en adoptant le* v *et le* f *de notre prononciation figurée. Quand vous aurez entendu le* th *véritable, qui n'en diffère que peu, vous y passerez tout naturellement.*

1 Voici (ici est) le livre. — Est-il intéressant?
2 Oui, c'est très intéressant.
3 Voilà (là sont) les journaux. — Où sont-ils?
4 Là sur la bibliothèque. — Merci.

NOTES

(1) Dans un mot composé, l'accent tonique principal est sur le premier, c'est-à-dire sur *book,* (cf. *thankyou*). *Case* (kais) : valise, caisse; *book-case :* caisse à livres.

5 — **He**re's your tea, James. **Su**gar? — No, **thank**you.
6 — Milk? — Yes please (**2**).
7 — Ow! It's **ve**ry hot. — I'm **so**rry.
8 — Where's the **ash**tray? — **He**re, with my ciga**ret**tes.
9 — Where are the **mat**ches? — There, **near** your hand. — Thanks **ve**ry much (**3**).
10 — **He**re's your tea. **He**re are my ciga**ret**tes.
11 — There's the **ra**dio. There are (**4**) the **mat**ches.

12 It's hot. It **is**n't very **in**teresting.
13 Hand; **book**-case; **mat**ches.
14 Yes please. No, **thank**you.

— **5** **hî**ëz yor tî, djémz. **shou**gë?. nôh **fannk**you. — **6** mïlk? yès plîz. — **7** aou! ïts **vè**rï hott. aïm **so**rrï. — **8** ouairz vë **ash**tré? **hî**ë, oïv maï sïgë**rèts**. — **9** ouair ah vë **mat**chëz? vair **nî**ë yor hannd. fannks **vè**rï meutch. — **10** **hî**ëz yor tî. **hî**ë ah maï sïgë**rèts**. — **11** vairz vë **ré**diôh. vair ah vë **mat**chëz. — **12** ïts hott. ït **i**zënt **vè**rï **ïnn**trèstïng. — **13** hannd; **bouk**-kais; **mat**chëz. — **14** yès plîz; nôh **fannk**you.

EXERCISES

1 Milk in your tea? — **2** Yes please, it's **ve**ry hot. — **3** The **su**gar is **ne**ar your hand. — **4** Where? **He**re it is. — **5** The **mat**ches are on the **book**case. — **6** There's the **ash**tray and there are the ciga**ret**tes.

5 Voici (ici est) votre thé, James. Sucre? — Non merci.
6 Lait? — Oui [s'il vous] plaît.
7 Aïe! c'est très chaud. — Je suis désolé.
8 Où est le cendrier? — Ici avec mes cigarettes.
9 Où sont les allumettes? — Là près [de] votre main. — Merci (très) beaucoup.
10 Voici (ici est) votre thé. Voici (ici sont) mes cigarettes.
11 Voilà (là est) la radio. Voilà (là sont) les allumettes.

12 C'est chaud. Ce n'est pas très intéressant.
13 Main; bibliothèque, allumettes.
14 Oui (s'il vous) plaît. Non, merci.

NOTES (continued)

(**2**) *Please* (plîz) : plaire; s'il vous plaît.

(**3**) *Thanks* (merci) est plus cavalier que *thankyou.*

(**4**) Leçon 2, n° (2).

EXERCICES

1 (Du) lait dans votre thé? — **2** Oui S.V.P., il est très chaud. — **3** Le sucre est près (de) votre main. — **4** Où? Le voici (ici il est). — **5** Les allumettes sont sur la bibliothèque. — **6** Voilà (là) le cendrier et voici (là) [sont] les cigarettes.

Fill in the missing words:

* Formes avec contractions.

1 *Voici le livre.*

. . . . . . the book.

* . . . . the book.

Le sucre n'est pas ici.

The sugar . . . . . here.

* The sugar . . . . . here.

2 *Elle est avec votre frère.*

She . . with . . . .
brother

* . . . . . with your
. . . .

Il n'est pas ici.

He . . . . . here.

* He . . . .

3 *Où est votre médecin?*

Where . . your doctor?

* . . . . your . . . . . .?

Où sont les allumettes?

Where . . . the matches?

. . . . . are the
. . . . ?

Fourth Lesson

1 — This is my **sis**ter. — How old (**1**) is she?
2 — She's thir**teen**.
3 — This is our **gar**den. — Is it big? — Not **rea**lly.
4 — These are my **par**ents. — Are they old? — I'm not sure!

PRONUNCIATION :

1 vïs ïz maï **sïs**të. haou old ïz shî? — **2** shîz feu**tîn**. — **3** vïs ïz aouë **gah**d'n. ïz ît bïg. not **rîl**ï. — **4** vîz ah maï **pair**ënts. ah vé old. aïm not shour!

4 *Aïe! Il est très chaud.*

Ow! . . . . very . . .

* Ow! . . . . very hot.

Mon dieu, ce n'est pas très intéressant.

Oh dear, ...

very interesting.

* Oh . . . . it . . . . .

very . . . .

5 *Lait? Non merci.*

Milk? . . . .

Sucre? S'il vous plaît.

Sugar? . . . .

Corrigé

1 Here is - is not / Here's - isn't. — **2** is - your - is not / She's brother - isn't here. — **3** is - are / Where's - doctor - Where - matches. — **4** It is - hot - it is not / It's - dear - isn't - interesting. — **5** No, thankyou - Yes please.

Quatrième leçon

1 C'est (ceci est) ma sœur. — Quel âge a-t-elle? (combien vieille est-elle?)
2 Elle a (est) 13 ans.
3 Ceci est notre jardin. — Est-il grand? — Pas réellement.
4 Ce sont (ceux-ci sont) mes parents. — Sont-ils vieux? — Je n'en (ne) suis pas sûr!

NOTES

(1) Vous « êtes » votre âge en anglais : *I'm twenty* (20). *He's thirty* (30). Vous « êtes » aussi chaud ou froid : *I'm hot* (j'ai chaud); *she's cold* (elle a froid).

5 — This is our new car. It's a big red car (**2**).
6 — That is our **li**brary. It's a small **li**brary.
7 — Is this **Sta**tion (**3**) Street? — No, you're in Bridge Street (**N. 6**).
8 — **Sta**tion Street is **o**ver (**4**) there. — Where? — **Ne**ar those (**5**) shops.
9 An old car but a new bike.
10 Our **pa**rents are in the car.
11 A small house with a big **ga**rden.
12 — Hello, John. Where are your **pa**rents? — I'm not **re**ally sure.
13 — Per**haps** they are at the shops. Ah, **here** they are!

— **5** vïs ïz aouë niou kah. ïts ë big rèd kah. — **6 vat** ïz aouë **laï**brërï. ïts ë smohl **laï**brërï. — **7** ïz vïs **sté**shën strît? nôh yor ïn bridj strît. — **8 sté**shën strît ïz ôhvë vair. ouair? **nîë** vôhz shops. — **9** ën old kah beut ë niou baïk. — **10** aouë **pai**rënts ah in vë kah. — **11** ë smohl haous ouïv ë big gahd'n. — **12** hèl**ôh** djon. ouair ah yor **pai**rënts? aïm not **rî**lï shour. — **13** pë**hàps** vé ah vë shops. ah, **hîë**. vé ah!

EXERCISES

1 How old are you? — **2** Where is your new car? — **O**ver there. — **3** Is this your **li**brary? — **4** How old are they? — **5** I'm not sure. — **6** This is a big red car. — **7** Are these your **pa**rents?

5 C'est (ceci est) notre nouvelle voiture. C'est une grosse voiture rouge.
6 C'est (cela est) notre bibliothèque. C'est une petite bibliothèque.
7 Est-ce [la] rue [de la] Gare? — Non, vous êtes dans [la] rue [du] Pont.
8 [La] rue [de la] Gare est là-bas. — Où? — Près [de] ces magasins-là.
9 Une vieille voiture mais un vélo neuf.
10 Nos parents sont dans la voiture.
11 Une petite maison avec un grand jardin.
12 Bonjour, Jean. Où sont vos parents? — Je ne suis pas réellement sûr. [je n'en sais trop rien].
13 Peut-être [qu']ils sont aux magasins. Ah, les voici (ici ils sont)!

NOTES (continued)

(2) Les adjectifs précédent toujours les noms et sont invariables; donc, *a new car :* une voiture neuve; *new cars :* (des) voitures neuves.

(3) Attention à la prononciation « -shën ». Tous les noms qui se terminent en « -ion » sont accentués sur l'avant dernière syllabe.

(4) *Over* signifie également « terminé ». *The lesson is over :* la leçon est terminée. *Over there :* là-bas.

(5) *This,* pluriel *these. That,* pluriel *those.*

EXERCICES

1 Quel âge avez (êtes) vous? — **2** Où est votre nouvelle voiture? — Là-bas. — **3** Est-ce votre bibliothèque (pièce). — **4** Quel âge ont-(sont)-ils? — **5** Je n'en (ne) suis pas sûr. — **6** C'est une grande voiture rouge. — **7** Sont-ce vos parents?

Fill in the missing words :

* Formes avec contractions.

1 *C'est ma voiture.* — *Ce sont nos jardins.*

. . . . is . . car. — . . . . . are . . . gardens.

2 *Qu'est ce que c'est que ça?* — *Ce sont mes sœurs.*

. . . . is . . . . ? — . . . . . are . . sisters.

3 *Peut-être sont-ils aux magasins.* — *Je ne suis pas vraiment sûr.*

* Perhaps . . . . at the . . . . . — * . . . not . . . . . . sure.

4 *Ce sont mes cigarettes.* — *Ce sont vos allumettes.*

. . . . . are . . cigarettes. — . . . . . are . . . .

Fifth Lesson

1 — There's a good **pro**gramme on the television. There are **al**ways good **pro**grammes on (**1**) **Sat**urday.
2 — There are **al**ways friends in the house.
3 — Is **Mi**chael in his (**2**) room? — **Pro**bably, the door of his room is **o**pen.

PRONUNCIATION

1 vairz ë goud **prôh**gràm on vë tèlïvïzhën. vair ah **orl**ouéz goud **prôh**gramz on **sàt**ëdé. — 2 vair ah **orl**ouéz frenndz in vë haous. — 3 ïz **maï**kël in hïz roum? **pro**bëblï, vë doh ov hïz roum ïz **ôh**pën. —

5 *C'est une petite maison avec un grand jardin.*

* . . . a . . . . . house . . . . a . . . garden.

Corrigé

1 This - my - These - our. — 2 What - that? - Those - my. — 3 they're - shops - I'm - really. — 4 These - my - Those - your matches. — 5 It's - small - with - big.

N'oublions pas :

— *de prononcer toutes les consonnes de la prononciation figurée;*

— *de prononcer l'*i *très bref, sauf lorsqu'il a un accent circonflexe dans la prononciation figurée;*

— *de « rejeter » vivement l'*h*;*

— *et surtout d'élever la voix sur les syllabes en gras (accent tonique) au détriment du reste du mot.*

Cinquième leçon

1 Il y a une bonne émission (programme) à (sur) la télévision. Il y a toujours (de) bonnes émissions (sur) [le] samedi.
2 Il y a toujours (des) amis à (dans) la maison.
3 Michael est-il dans sa chambre? — Probablement. La porte de sa chambre est ouverte.

NOTES

(1) On est toujours « sur » un jour. *On Monday, were are open :* nous sommes ouverts le lundi. Les jours, ainsi que les mois prennent toujours une majuscule.

(2) Son, sa, ses, se disent *his* lorsque **le possesseur** est masculin et *her* lorsqu'il est féminin. On ne tient pas compte du genre de l'objet possédé. Le docteur, son

4 — **He**re is **Pe**ter and his (**3**) friend Anne.
5 — This is her **bro**ther Paul.
6 — Her **bro**ther is **ve**ry **cle**ver (**4**). He's an **ar**chitect.
7 — Yes, but his clothes are **te**rrible (**5**)!
8 — Yes, his **tai**lor **pro**bably **is**n't rich!
9 — Where are Jim and Steve?
10 — They aren't **he**re yet (**6**).
11. — Well, there's still time. They're **ve**ry rude, they're **al**ways late.
12 **cle**ver; **pro**bably; **o**pen.

4 **hîë** ïz **pîtë** annd hïz frènnd ann. — **5** vïs ïz hëu **breu**vë pohl. — **6** hëu **breu**vë ïz **vè**rï **klè**vë. hîz ën **ah**kïtèkt. — **7** yès, beut hïz klôhvz ah **tè**rïb'l! — **8** yès, hïz **té**lë **pro**bëblï **ï**zënt rïtch. — **9** ouair ah djïm annd stîv? — **10** vé ahnt **hî**ë yèt. — **11** ouèl, vairz stïll taïm. vair **vè**rï roud, vair **or**louéz lét. — **12** **klè**vë; **pro**bëblï; **ôh**pën.

EXERCISES

1 This is Anne. Her **bro**ther is a **doc**tor. — **2** This is a **te**rrible film. — **3** They're **al**ways late. It's **ve**ry rude. — **4** **Mi**chael **is**n't in his room. — **5** There **is**n't a clock in my house.

Fill in the missing words :

* Formes avec contractions.

1 *Elle est riche. Son frère est pauvre.*

* . . . . . rich. . . . brother . . poor.

2 *Ils ne sont pas encore ici. Il y a encore le temps.*

* They . . . . . . here . . . There's . . . . . time.

4 Voici Peter et son amie Anne.
5 Voici [ceci est] son frère Paul.
6 Son frère est très intelligent. Il est (un) architecte.
7 Oui, mais ses vêtements sont affreux!
8 Oui son tailleur n'est probablement pas riche!
9 Où sont Jim et Steve?
10 Ils ne sont pas encore ici.
11 Eh bien, il y a encore (le) temps. Ils sont très impolis; ils sont toujours en retard (tard).

12 intelligent; probablement; ouvert.

NOTES (continued)

jardin et sa maison : *the doctor, his garden and his house.* Ma sœur, son jardin et sa maison : *my sister, her garden and her house.*

(3) *His* parce que c'est l'amie d'un garçon.

(4) *Clever* a un sens plus étendu que « intelligent ». Il signifie plutôt « doué », « dégourdi ».

(5) *Clothes* (vêtements) n'a pas de singulier. Retenez-bien le sens péjoratif de *terrible* (affreux), alors que chez nous il est plutôt admiratif.

(6) « Encore » se dit *still* dans une phrase affirmative et *yet* dans une phrase négative.

EXERCICES

1 Ici (est) Anne. Son frère est (un) médecin. — **2** Ceci est un film épouvantable. — **3** Ils sont toujours (en) retard. C'est très impoli. — **4** Michel n'est pas dans sa chambre. — **5** Il n'y a pas d'(un) horloge dans ma maison.

3 *Il y a toujours des amis dans sa chambre.*

. . . . always . . . . in his/her * room.

4 *Voici John et son ami. Ils sont très gentils.*

* . . . . . . John and . . . friend. . . . . very . . . .

---

* *Avec « sa », nous ne connaissons pas le sexe de ladite personne, donc une traduction exacte n'est pas possible.*

Sixth Lesson

1 — Hel**lo**, how are you? — **Ve**ry well, thanks. And you?
2 — Oh, I'm al**right.** — What's the **ma**tter (**1**)?
3 — It's **Mon**day, the first day of the week; I'm **ne**ver (**2**) well on **Mon**day.
4 — Where's High Street please? — This is High Street. — Of course; thanks **ve**ry much.
5 — Is that your car? — No, my boss is still (**3**) **a**broad. It's his car.

PRONUNCIATION

1 hè**lôh** haou ah you? **vè**rï ouèl, fannks. annd you? — **2** ôh aïm orl**raït.** ouots vë **mà**të. — **3** ïts **meun**dé vë feust dé ov vë ouîk; aïm **nè**vë ouèl onn **meun**dé. — **4** ouairz haï strît plîz? vïs ïz haï strît. ov kohs; fannks **vè**rï meutch. — **5** ïz vat yor kah? nôh maï boss ïz stïll ëbrohd. ïts hïz kah.

5 *Il est probablement architecte. Il est très intelligent.*

* . . . . an architect. He's very . . . . . .

Corrigé

1 She's - Her - is. — **2** aren't - yet - still. — **3** There are - friends. — **4** Here's - his - They're - kind. — **5** He's probably - clever.

Ne vous entêtez pas à apprendre chaque leçon « à fond » avant de passer à la suivante; les « îlots de résistance » se trouveront débordés, et tomberont d'eux-mêmes. Laissez-nous vous guider.

Sixième leçon

1 Bonjour, comment allez (êtes) vous? — Très bien merci. Et vous?
2 Oh, ça va. — Qu'est-ce qu'il y a? (Quelle est la matière).
3 C'est lundi, le premier jour de la semaine; je [ne] suis jamais bien le (sur) lundi.
4 Où est High Street (Haute-Rue) [s'il vous] plaît? — Voici (ceci est) High Street. — Bien sûr; Merci (très) beaucoup.
5 Est-ce votre voiture? — Non, mon patron est encore (à) l'étranger. C'est sa voiture.

NOTES

(1) Deux mots très utiles : *alright* (ou *all right*) signifie « ça va » ou « assez bien ». C'est moins fort que *good* (bon) ou *fine* (très bien).
Matter : le sujet, la matière, le problème. *What's the matter :* qu'avez-vous? Quel est le problème?

(2) En anglais, comme en mathématiques, on ne met jamais deux négatifs. *He's never late :* il (n') est jamais en retard.

(3) Leçon 5, nº (6).

6 — What's that? — That is the cassette player and this is the cigarette lighter.
7 — Very nice (4). Is your boss often (5) abroad?
8 — Not often enough (6).
9 — Is his brother in (7) yet? — No, not yet.
10 — I'm well; we're tired; it's Monday again.
11 — Sugar? — No thankyou, this is enough.
12 — How is your sister? — Not very well.

— 6 ouots vat? vats vë kësèt plé-ë annd vats vë sïgërèt laïtë. — 7 vèrï naïs. iz yor boss ofën ëbrohd. — 8 not ofën ëneuf. — 9 iz hïz breuvë in yèt. nôh not yèt. — 10 aïm ouèl; ouîr taï-ëd; ïts meundé ëgèn. — 11 shougë. nôh fannkyou, vïs ïz ëneuf. — 12 haou ïz yor sïstë. not vèrï ouèl.

EXERCISES

1 How are your parents? — Not very well. — 2 My friends aren't in. — 3 Is that your car? — 4 No, this is my car. — 5 What's that? — 6 That's my cigarette lighter. — 7 They're in the house.

Fill in the missing words :

1 *Qu'est-ce que vous avez? — Je ne vais jamais bien le lundi.*

What's . . . . ? — . . . never well . . Monday.

2 *Êtes-vous fatigué? — Non, pas encore.*

. . . . . . tired? — No, ...

facilitez votre étude

avec les textes
de ce volume enregistrés
sur cassettes

ou disques

UN ESSAI GRATUIT
VOUS EST OFFERT

Extrait d'enregistrement de trois leçons de ce volume.

Expéditeur :

13, rue Gay-Lussac - B.P. 25
94430 CHENNEVIERES s/Marne

Destinataire : ______________________

____

____

VILLE ______________________

apprendre une langue étrangère avec le livre Assimil c'est facile et efficace

A l'aide d'un cours Assimil enregistré c'est encore plus facile et plus efficace

faites-en l'essai et jugez vous-même en demandant dès aujourd'hui le test gratuit

Ce bon devant servir d'étiquette d'envoi est à compléter, et à nous adresser sous enveloppe. Joindre 3 F. en timbres poste pour la France et D.O.M. ou équivalent en coupon réponse International pour l'Étranger.

Je suis intéressé (e) par votre offre gratuite que je désire recevoir **sans engagement de ma part.**

Sur disque ☐

Sur cassette ☐

Titre de votre livre : ____________________

Profession : ____________________

6 Qu'est-ce que c'est que ça? — Ça c'est le lecteur (joueur) de cassettes et ceci est l'allume-cigarettes.
7 Très joli. Votre patron, est-il souvent (à) l'étranger?
8 Pas assez souvent.
9 Son frère est-il encore chez lui? — Non pas encore.
10 Je suis (vais) bien; nous sommes fatigués; c'est à nouveau lundi.
11 Sucre? — Non merci, ça suffit. (ceci est assez).
12 Comment va (est) votre sœur? — Pas très bien.

NOTES (continued)

(4) Le mot à tout faire *nice* veut dire « bien », « gentil », « joli », etc.

(5) Notez la prononciation **o**fën.

(6) Notez la prononciation ë**neuf**.

(7) *In* (dans) veut dire « ici », « à la maison », « à son bureau ». *He's in :* il est là (chez lui). *She isn't in :* elle n'est pas là.

EXERCICES

1 Comment vont (sont) vos parents? — Pas très bien. — **2** Mes amis ne sont pas chez eux (dans). — **3** Est-ce votre voiture? — **4** Non ceci est ma voiture. — **5** Qu'est (ce que c'est que) ça? — **6** Ça (c')est mon briquet (allume-cigarettes). — **7** Ils sont dans la maison.

3 *Où sont mes cassettes? — Là-bas, près de la bibliothèque.*

. . . . my cassettes? — . . . . there . . . . the book-case.

4 *Est-ce que votre patron est souvent à l'étranger? — Pas assez souvent.*

. . your boss . . . . . abroad? — . . . often . . . . . .

Seventh Lesson

REVISIONS AND NOTES

(pron. rïvizhën annd nôts)

1 Relisez les notes suivantes, en vous reportant chaque fois au texte : 1re : (1); - 2e : (2), (5); (6); - 3e : (1); - 4e : (1), (1), (5); - 5e : (2), (6); - 6e : (2), (7).

2 Les contractions ne doivent pas vous affoler. Elles existent pour faciliter le parler. Vous vous rappelez sans doute : *I am = I'm; you are = you're; he is, she is = he's she's; we are = we're; they are = they're. Is not = isn't; are not = aren't.* En répétant à haute voix, vous vous y ferez et vous obtiendrez un anglais naturel.

3 Dans « Astérix chez les Bretons », les auteurs font parler leurs Britanniques ainsi : « Il fait très chaud n'est-il pas? » — « Il est ».

Quoique exagérée, c'est bien la formule anglaise pour poser une question : *It's hot, isn't it? — Yes it*

5 *Ceci est la rue de la Gare et cela est la rue du Pont.*

. . . . is . . . . Street and . . . . is . . . . . . Street.

Corrigé

1 the matter - I'm - on. — **2** Are you - not yet. — **3** Where are - Over - near. — **4** Is - often - Not - enough. — **5** This - Station - that - Bridge.

Septième leçon

is. She is nice isn't she? — Yes she is (la réponse n'est pas contractée parce que rien ne la suit).

4 Votre prononciation. — C'est surtout d'elle que nous nous préoccupons dans ces premières leçons. Nous ne saurions trop vous répéter de bien marquer l'accent tonique, au détriment des autres syllabes. Cet accent n'est pas régulier, alors retenez bien sa position pour chaque mot.

Les « s » du pluriel se prononcent dur comme « ç » après un son dur (t; f; k; p;) *parents, books, cigarettes,* etc., comme « z » dans les autres cas : *friends, cars, gardens.*

5 *He's in his house in Holland :* exercez vous à prononcer cette phrase (hîz in hïz haous in **hollë**nd) sans vous essoufler. N'oubliez jamais de prononcer le « h » (autrement vous ne ferez pas la différence entre *is* et *his*).

6 N'oubliez pas que le « i » en anglais est très bref et un peu assourdi; c'est la lettre « e » et les combinaisons « ee », « ea », qui ont le son de l'« i » français — *he, she, street, easy* — mais encore plus long.

7 Vous rappelez vous de la prononciation de *friend, often, enough, where, television, chair, eight, high, station?* Vous le trouverez au paragraphe 9 de la présente leçon.

Eighth (8th) Lesson

1 — Can I help you?

2 — Have you got (**1**) any tea?

3 — Of course. Do you want some (**1**)?

4 — Yes please. Give me two pounds (**2**). And a **pa**cket of **bis**cuits.

5 — Do you want some beans?

PRONUNCIATION

1 kannaï. — **2** enni tî? — **3** ov korss. dou iou ouont seum? — **4** tou paoundz ... eu **pa**kit ov **bï**skïts. — **5** seum bînz?

8 Prononciation figurée. — C'est un gilet de sauvetage qui vous fait flotter mais qui est bien encombrant. Nous l'allègerons au fur et à mesure que vous commencerez à nager. Il importe d'habituer votre œil au texte anglais et de vérifier simplement la prononciation. Si vous avez les enregistrements, ce problème n'existe pas.

9 frênnd, **o**fën; ë**neu**f, ouair, téli**vïzh**ën, tchair, ét, haï, **stésh**ën.

Nous vous rappelons que votre travail doit se borner pour le moment à comprendre le texte anglais, et à répéter à haute voix chaque paragraphe des leçons et exercices, aussitôt après l'avoir lu. Cette simple répétition, renouvelée chaque jour, vous permettra, peu à peu de vous assimiler la langue anglaise, c'est-à-dire de penser directement dans cette langue, sans traduction préalable.

Huitième leçon

1 Puis-je vous aider?
2 Avez-vous du thé?
3 Bien sûr. En voulez-vous?
4 Oui, (s'il vous) plaît. Donnez m'en (moi) deux livres. Et un paquet de biscuits.
5 Voulez-vous des haricots?

NOTES

(1) « Du, de la, des », dans le sens partitif (c'est-à-dire signifiant un peu d'une certaine quantité de ...) se disent *some* dans les phrases affirmatives et *any* dans les phrases négatives ou impliquant un doute. « Pas de » se dit d'habitude *no* (*I've got no bread,* je n'ai pas de pain). *Some* ne s'emploie **jamais** au négatif.

(2) *Pound* peut être la livre sterling ou la mesure 0,453 kg. Cette dernière s'abrège : *lb.*

6 — No thanks. We've got (**N. 1**) some at home (**3**).
7 — Well, some bread?
8 — Yes please. Two loaves. Oh, and half a pound of **bu**tter. That's all.
9 How much (**4**) is that?
10 — That's one pound **twen**ty.
11 — Oh **dear**, I've **on**ly got one pound.
12 — You can pay the rest next time.
13 — Thanks **ve**ry much. Good**bye.**
14 — Good**bye ma**dam (**5**).

— **7** seum bredd? — **8** tou lohvz. o end haf eu paound ov **beu**ttë. — **9** hau meutch iz dat? — **10** datts ouene paound **touen**ntï. — **11** o **dîeu**. — **12** kann pé... nekst taïm. — **14** **ma**deum.
N'oubliez pas de « rejeter » le **h** *comme « h'une, deux! h'une, deux! ».*

EXERCISES

1 Can I help you? — **2** Have you got any **bu**tter? — **3** Do you want some bread? — **4** He can pay next time. — **5** Give me some **mo**ney. — **6** She's **on**ly got two pounds.

Put in the missing word :

1 Have we got . . . sugar?

2 They haven't got . . . money.

3 We've got . . . . beans at home.

4 I want . . . . sugar in my coffee.

5 Well, do you want . . . . cigars?

6 . . . I help you, madam?

Renvois. — *Si, dans la leçon quotidienne, un mot ou une tournure de phrase ou un détail de prononciation persiste à vous échapper, faites un* **renvoi :** *soulignez le passage, puis tournez quelques pages du livre et inscrivez, en marge, le numéro de la page où se trouve la difficulté.*

6 Non, merci. Nous en avons à la maison.
7 Alors (bien) du pain?
8 Oui, (s'il vous) plaît. Deux miches. Oh, et une demi-livre de beurre. Ça c'est tout.
9 Combien ça fait (est ça)?
10 Ça fait (est) une livre vingt.
11 Ah, j'ai seulement une livre.
12 Vous pouvez payer le reste (la) prochaine fois.
13 Merci beaucoup. Au revoir.
14 Au revoir, Madame.

NOTES (continued)

(3) *Home,* est le foyer. *At home :* chez soi.

(4) *How much (money) :* combien d'argent.

(5) Les Anglais aiment moins les titres « Monsieur » et « Madame » et les évitent le plus possible. Ici, le vendeur est très poli! On emploie beaucoup plus facilement les prénoms en anglais. Ceci est dû peut-être, à l'absence du tutoiement.

EXERCICES

1 Puis-je vous aider? — **2** Avez-vous du beurre? — **3** Voulez-vous du pain? — **4** Il peut payer la prochaine fois. — **5** Donnez-moi de l'argent. — **6** Elle a seulement deux livres.

Corrigé

1 any. — **2** any. — **3** some. — **4** some. — **5** some. — **6** Can.

Quand vous retrouverez ce renvoi quelques jours plus tard, il est fort probable que la difficulté aura disparu, l'expression rebelle ayant été répétée dans les leçons suivantes; mais ce sera une utile précaution. En cas de persistance, faites un nouveau renvoi.

Ninth (9th) Lesson

1 — I've got some; I don't want any.
2 — Have you got any peas, please?
3 — Yes, I've got some big tins (**1**).

4 — Is **any**one (**2**) at home? I can **hear some**one (**3**).
5 — Yes it's me. I'm in the **kit**chen.
6 — Do you want(**4**) a cup of tea? — Yes please.
7 — Come in then.

8 — Have (**5**) a ciga**re**tte. — **Thank**you, I **ha**ven't got any.
9 — These are good! — Yes, they're **Tur**kish.
10 — I've got a pipe, but I pre**fer** ciga**re**ttes.
11 — A pipe **is**n't as **dan**gerous as ciga**ret**tes (**6**).
12 — I know... but it **is**n't as good!
13 — Have you got a light? (**7**). — Thanks.

PRONUNCIATION

1 seum ... ennï. — **2** ennï pîz. — **3** seum bïg tïnz. — **4** **enni**ouen. ... hïeu **seum**ouen. — **5** **kït**cheun. — **6** e keup ov tî. — **9** dé'eu **teu**kïsh. — **10** e païp ... prï**feu**. — **11** **dénd**jreus. — **13** ë laït.

NOTES

(1) Les « i » très brefs : bïg, tïnz; *tin :* l'étain, donc une boîte de conserves.

(2) Comme pour l'article partitif, *someone* (quelqu'un) s'emploie dans les phrases affirmatives et *anyone* dans les phrases négatives. « Personne » se dit *no-one* [nôh oueun].

(3) Les verbes de perception involontaire, *hear, see* (voir), sont précédés de *can* au présent.

(4) Forme interrogative, *Do you...* (est-ce que...) de tous les verbes, sauf les défectifs (*can*, etc.) et *to be* (être).

Neuvième leçon

1 J'en ai; je n'en veux pas.
2 Avez-vous des petits pois, s'il vous plaît?
3 Oui, j'ai quelques grandes boîtes.

4 Y-a-t-il quelqu'un (à la maison)? J'entends (puis-je entendre) quelqu'un.
5 Oui, c'est moi. Je suis dans la cuisine.
6 Voulez-vous une tasse de thé? — Oui, s.v.p.
7 Entrez donc.

8 Prenez (ayez) une cigarette. — Merci, je (n)'en ai pas.
9 Celles-ci sont bonnes! — Oui, elles sont turques.
10 J'ai une pipe, mais je préfère (les) cigarettes.
11 Une pipe n'est pas aussi dangereuse que (les) cigarettes.
12 Je sais, mais ce n'est pas aussi bon!
13 Avez-vous du feu? (une lumière). — Merci.

NOTES (continued)

(5) Forme impérative qui se dit en offrant quelque chose. Il a le sens de prenez..., tenez.

(6) Notez la formule *as... as* (aussi... que). On peut dire également, au négatif, so... as. *He is not so big as John :* il n'est pas aussi grand que Jean. Les petits mots tels *as, a, for,* sont souvent effacés dans la conversation. On entend « ë » au lieu de « a », « ëz » au lieu de « az », « fë » au lieu de « for ».

(7) Formule à retenir, la traduction de la formule française étant une invitation à l'incendie! *Light :* lumière.

EXERCISES

1 I don't want any, **than**kyou. — **2** **Some**one is in the **kit**chen. — **3** Does **an**yone want a ciga**rette**? — **4** We can see **some**one in the **gar**den. — **5** Come in.

Fill in the missing words :

1 *J'entends quelqu'un dans la salle-à-manger.*

I . . . hear . . . . in the . . . . . . room.

2 *Quelqu'un a-t-il du feu?*

Has . . . . . . got a . . . . . ?

3 *Nous n'en voulons pas*

We . . . . . want . . .

Tenth (10th) Lesson

On the telephone

1 — Hello. Who is this? Oh, good morning sir.
2 — No, he's not here. Have you got his **of**fice **num**ber?
3 — Wait a minute. Ah, it's four-two-six-eight (**1**).
4 — Ask for ex**ten**sion thirty five. It's a **plea**sure (**2**) Goodbye.

PRONUNCIATION

1 hou ïz dïs? — **2** hïz **oh**fïs **neum**beu. — **3** for-tou-sïks-éét. — **4** eks**tehn**sheun feuty faïv. itse **pleh**zheu.

4 *Elle préfère les cigarettes turques.*

She . . . . cigarettes.

5 *Est-ce que quelqu'un veut une tasse de thé?*

Does . . . . . . want a . . . of tea?

EXERCICES

1 Je n'en veux pas, merci. — **2** Quelqu'un est dans la cuisine. — **3** Est-ce que quelqu'un veut une cigarette? — **4** Nous voyons (pouvons voir) quelqu'un dans le jardin. — **5** Entrez (lorsque je suis dans la pièce).

Corrigé

1 I can hear someone in the dining room. — **2** Has anyone got a light? — **3** We don't want any. — **4** She prefers Turkish cigarettes — **5** Does anyone want a cup of tea?

Dixième leçon

Au (sur) le téléphone

1 Allô. Qui est-ce? Oh, bonjour Monsieur.
2 Non, il n'est pas ici. Avez-vous le numéro (de) son bureau?
3 Attendez une minute. Ah c'est 4268.
4 Demandez (pour) le poste 35. C'est un plaisir (je vous en prie). Au revoir.

NOTES

(1) Les numéros de téléphone, de chambre d'hôtel, etc. s'épellent quand ils dépassent la centaine.

(2) « Je vous en prie », « de rien », se dit très peu dans la conversation courante. Cette leçon comporte trois traductions de cette locution parce qu'il s'agit de situations plutôt formelles.

5 — Hello. Who? No, I'm sorry.
6 — You've got the wrong (**3**) **num**ber. That's al**right**. Goodbye.

---

7 — Have you got a **min**ute? This **sen**tence is very strange (**4**) :
8 "I'm fed up".
9 — It's an **id**iom, it means (**5**) "I am bored".
10 — Thankyou, that's very **kind** of you.
11 — Don't **men**tion it.

6 rong **neum**beu. dats ol**raït**. — **7** **min**net ... **sèhn**teunts ... stréndj. — **8** aïm fehdeup. — **9** en **ï**dïeum, ... mînz aï amm bohrd. — **10** verï **kaïnd** ov you. — **11** **mehn**sheun ...

EXERCISES

1 Is anyone in the office. — **2** Who is on the phone. — **3** These sentences are not very complicated. — **4** This is the wrong address. — **5** This word means « unhappy ». — **6** What do you mean?

Fill in the missing words :

1 *Vous êtes très gentil. Il n'y a pas de quoi.*

That's very . . . . of you. Don't . . . . it.

2 *Demandez M. Smith. Je m'excuse, il est au téléphone.*

Ask . . . Mr. Smith. I'm sorry. He's . . the phone.

5 Allô. Qui? Non, je suis désolé.
6 Vous avez le mauvais numéro. De rien. Au revoir.

---

7 Avez-vous une minute? Cette phrase est très étrange :
8 « *I'm fed up* ».
9 C'est un idiotisme, ça veut dire « je suis ennuyé ».
10 Merci, c'est très gentil (de vous).
11 Je vous en prie.

NOTES (continued)

(**3**) *Wrong* (rong) : faux. *The right number :* le bon (correct) numéro.

(**4**) Plusieurs mots français qui commencent en « et... » (du vieux français « est... ») peuvent être rendus en anglais en remplaçant le « e » par « s » : étable, *stable;* étrange, *strange;* étole, *stole.* Quand le « s » du vieux français est remplacé par un accent circonflexe, on peut le remettre pour trouver le mot anglais : mât, *mast;* forêt, *forest.*

(**5**) *To mean :* vouloir dire; *meaning :* signification.

EXERCICES

1. Y-a-t-il quelqu'un au (dans le) bureau? — **2** Qui est au (sur le) téléphone? — **3** Ces phrases ne sont pas très compliquées. — **4** C'est la mauvaise (tort) adresse. — **5** Ce mot veut dire « malheureux ». — **6** Que voulez-vous dire?

3 *Vous avez un faux numéro. Vous voulez le poste 38.*

You've got the . . . . You want . . . . thirty-eight.

4 *Avez-vous une minute? Je ne comprends pas cette expression.*

. . . . a minute? I . . . . this expression.

Eleventh (11th) Lesson

1 I play; we play; you play; he (or she) plays (**1**).
2 I speak; we speak; you speak; she (or he) speaks.
3 We play **ten**nis in the **mo**rning, and our **neigh**bours play in the **eve**ning.
4 They have a **ten**nis court in their **ga**rden.

5 — Do you want to play (**2**)? — Yes, but I **hav**en't got much time.
6 — Here's a **rac**ket for you; there are some balls in the **ga**rden.
7 — Are you **re**ady? **Ser**vice! Out!
8 — That's e**nough** for to**day**. I'm **tired** al**ready**.
9 — I know (**3**) **some**one who plays as **well** as you.

PRONUNCIATION

1 plé ... pléz. — **2** spîk ... spîks. — **3** **ten**nïss ... **né**beuz ... **î**vnïng. — **4** **ten**nïss-kort ... dé-eu. — **5** meutch taïm. — **6** **ra**kït ... bòrlz. — **7** **rè**ddï? **seu**vïss! aut. — **8** ï**neuf** (Notez le son f) ... aïm **taï**eud orl**rèd**dï. — **9** aï nô ... az**oue**laz.

5 *Oui mais qu'est-ce que cela veut dire?*

Yes, but what . . . . it . . . . ?

Corrigé

1. That's very kind of you. Don't mention it. — **2.** Ask for Mr. Smith. I'm sorry. He's on the phone. — **3** You've got the wrong number. You want extension 38. — **4** Have you got a minute? I don't understand this expression. — **5** Yes, but what does it mean?

Onzième leçon

1 Je joue; nous jouons; vous jouez; il (ou elle) joue.
2 Je parle; nous parlons; vous parlez; elle (ou il) parle.
3 Nous jouons [au] tennis (dans) le matin et nos voisins jouent (dans) le soir.
4 Ils ont un court (de) tennis dans leur jardin.

5 Voulez-vous jouer? — Oui, mais je n'ai pas beaucoup [de] temps.
6 Voici une raquette pour vous; il y a des balles dans le jardin.
7 Êtes-vous prêt? Service! (on dit en France : *play*) Out! (hors, dehors).
8 C'est suffisant pour aujourd'hui. Je suis déjà fatigué.
9 Je connais quelqu'un qui joue aussi bien que vous

NOTES

(1) Simplicité! La seule variation est l'« s » final à la troisième personne du singulier.

2) Comme vous l'avez vu, tous les verbes sauf les défectifs et être (parfois avoir) se conjuguent dans les formes interrogatives et négatives à l'aide de *do* qui veut dire « faire ». *Do you play? :* Jouez-vous? *Does she know? :* Sait-elle? Le négatif *do not* se contracte en *don't* et *does not* en *doesn't.*

(3) *Know :* connaître ou savoir. Il n'y a qu'un verbe en anglais.

10 — My **gir**lfriend speaks **Ru**ssian. Do you speak **Ru**ssian?
11 — Un**for**tunately no. Does she speak Greek, too?
12 — No, she **does**n't. Do you speak Greek?
13 — No, I don't, but I play **ten**nis well.
14 — Yes, you do (4). Too (5) well for me.

10 **geul**frènnd ... **reu**shen. — **11** eun**foh**tiouneutli. — **12** grîk. — **14** tou (son long).

EXERCISES

1 Where are your **neigh**bours? — They aren't here. — **2** Do you play as well as me? — No, I don't. — **3** She speaks three **lan**guages well. — **4** Does he play **foot**ball? — No, he **does**n't. — **5** Are the balls in the **gar**den? — Yes, they are. — **6** Is he **ti**red? — Yes he is.

Fill in the missing words :

1 Do they play tennis? — No . . . .

2 Does he know your brother? — No, unfortunately . . . .

3 Is he a businessman? — . . . he is.

4 Do we pay now? — Yes . . . . .

5 Is it their racket? — No it . . . . .

6 Do you speak English well? — . . . . . . (à vous de le dire).

10 Ma petite amie parle [le] russe. Parlez-vous le russe?
11 Malheureusement, non. Parle-t-elle [le] grec aussi?
12 Non (elle ne parle pas). Parlez-vous [le] grec?
13 Non (je ne parle pas), mais je joue bien [au] tennis.
14 Oui, c'est vrai. (Vous faites) trop bien pour moi.

NOTES (continued)

(**4**) La répétition de *do* donne une emphase à la réponse. Il a le sens de « effectivement » ou « c'est vrai ». *He plays well. — Yes he does!*

(**5**) *Too,* à la fin d'une phrase, veut dire « aussi » mais devant un adjectif ou un adverbe, il a le sens de « trop ».

EXERCICES

1 Où sont vos voisins?. — Ils ne sont pas ici. — **2** Jouez-vous aussi bien que moi? — Non (je ne fais pas). — **3** Elle parle bien trois langues. — **4** Joue-t-il (au) football? — Non (il n.f.p.). — **5** Les balles sont-elles dans le jardin? — Oui (elles sont). — **6** Est-il fatigué? — Oui (il est).

Corrigé

1 No they don't. — **2** No, unfortunately he doesn't. — **3** Yes he is. — **4** Yes we do. — **5** No it isn't. — **6** Yes, I do.

Twelfth (12th) **Lesson**

1 Do I play? do we play? do you play? do they play? does he (or does she) play?

2 I don't (do not) play; we don't play; you don't play; they don't play;

3 he (or she) **doe**sn't (does not) play.

4 I like cars but I don't like **mo**tor-bikes.

5 — Do you like **su**gar in your **co**ffee? — Yes please, and a **lit**tle (**1**) milk.

6 — She plays the pi**a**no (**N. 2**) but not **ve**ry well.

7 — **For**tunately, she **does**n't play the vio**lin**!

8 — Do you play **ru**gby? — Oh no, I'm too **old.**

9 — Can (**2**) I help you? — Do you sell socks?

10 Do you want **any**thing from the shop?

11 I have **some**thing im**por**tant to tell you.

12 — Do you play Bridge? — No, I don't.

13 — Well, **some**thing else per**haps? Po**ker?

14 — Yes, but I don't play for **mo**ney.

15 We play Bridge. She **does**n't play the vio**lin.**

PRONUNCIATION

1 deuz. — **2** dohnt. — **3** **deu**znt. — **4** kàhz **moh**te-baïks. — **5** lāïk **shou**gë. — **6** pi**a**no ... ouèl. — **7** **foh**tiouneutli ... vaïo**lïn**. — **8** **reu**gbï ... tou**ohld**. — **9** sehl socks. — **10** **enni**fing. — **11** **seum**fing im**pòh**tnt. — **12** Brïdj. — **13** **seum**fing èlss peu**happs**? **pòh**kë.

Douzième leçon

1 Est-ce que je joue? est-ce que nous jouons? est-ce que vous jouez? est-ce qu'ils (ou elles) jouent? est-ce qu'il (ou elle) joue?
2 Je ne joue pas; nous ne jouons pas; vous ne jouez pas; ils (ou elles) ne jouent pas.
3 il (ou elle) ne joue pas.
4 J'aime [les] voitures mais je n'aime pas [les] motos.

5 Aimez-vous le sucre dans votre café? — Oui s.v.p. et un peu (de) lait.
6 Elle joue du (le) piano mais pas très bien.
7 Heureusement, elle ne joue pas [du] (le) violon!
8 Est-ce que vous jouez (au) rugby? — Oh non, je suis trop vieux.
9 Puis-je vous aider? — Est-ce que vous vendez des chaussettes?
10 Est-ce que vous voulez quelque chose du magasin?
11 J'ai quelque chose [d']important à vous dire.
12 Est-ce que vous jouez (au) bridge? — Non (je ne joue pas).
13 Alors, quelque chose [d']autre peut-être? (Le) poker?
14 Oui, mais je ne joue pas pour [de l']argent.

15 Nous jouons [au] bridge. Elle ne joue pas [du] (le) violon.

NOTES

(1) *Little :* petit; *a little :* un peu de. *Have you got a little milk please?;* Avez-vous un peu de lait s.v.p.?

(2) *Can* (pouvoir) est un verbe défectif, donc, il ne se conjugue pas avec *do.*

EXERCISES

1 Do you play Bridge? — Yes, I do but not **ve**ry well. — 2 She **does**n't like milk in **co**ffee. — 3 We **ha**ven't got e**nough** time to play with you. — 4 They don't like **sho**pping on **Sa**turdays. — 5 Here is **some**thing for you. — 6 Have you got **any**thing to sell?

Put into the negative :

1 They play tennis very well.
2 We like him very much.
3 He has something to tell you.
4 I've got something to sell.
5 He is very happy.
6 She plays the violin.

Thirteenth (13th) Lesson

1 — Where do you live? — I live in **Lon**don.
2 — Do you like it? — Yes I like big **ci**ties. Do you?
3 — Not **rea**lly. I pre**fer** the **coun**try.
4 — How do you spend (1) your **eve**nings in the **coun**try?
5 — I read, I work in the **gar**den. My wife paints.
6 — Does she paint **por**traits?
7 — No, she paints the **bath**room and the hall.
8 — Does your wife like the **coun**try too?
9 — No, she pre**fers** ho**tels** in **Lon**don.

PRONUNCIATION

1 ouère .. lïv (le i très bref). — 2 **cï**tïz. — 3 not **rî**llï ... **keun**trï. — 4 haou ... **î**vnings. — 5 rîd ... ouèrk ... paints. — 6 **poh**tréts. — 7 **bah**freum ... hôrl. — 9 ho**telz**.

EXERCICES

1 Jouez-vous (au) bridge? — Oui (je fais), mais pas très bien. — **2** Elle n'aime pas (le) lait dans (le) café. — **3** Nous n'avons pas assez (de) temps (pour) jouer avec vous. — **4** Ils n'aiment pas (faire du) shopping le [sur] samedi. — **5** Voici (ici est) quelque chose pour vous. — **6** Avez-vous quelque chose à vendre?

Corrigé

1 They don't play tennis very well. — **2** We don't like him very much. — **3** He doesn't have anything to tell you. — **4** I haven't got anything to sell. — **5** He isn't very happy. — **6** She doesn't play the violin.

Treizième leçon

1 Où habitez-vous (vivez)? — J'habite (vis) (dans) à Londres.
2 L'aimez-vous? — Oui, j'aime [les] grandes villes. Et vous?
3 Pas vraiment. Je préfère la campagne.
4 Comment passez-vous (dépensez-vous) vos soirées à la (dans) campagne?
5 Je lis, je travaille dans le jardin. Ma femme peint.
6 Est-ce qu'elle peint [des] portraits?
7 Non, elle peint la salle de bains et l'entrée.
8 Est-ce que votre femme aime la campagne aussi?
9 Non, elle préfère (les) hôtels à Londres.

NOTES

(1) *To spend :* dépenser. On « dépense » le temps en anglais. *To spend your holidays in France :* passer ses vacances en France.

10 To read is the in**fi**nitive of the verb (**2**).
11 She likes to read **no**vels.
12 I pre**fer** to live in the **coun**try.
13 She **does**n't like to live in the **coun**try.
14 There is a lot of (**3**) work.

10 ïnfïnetif ov ... veub. — **11** **noh**vëlz. — **14** e lot ov ouèrk.

EXERCISES

1 How do you say "**por**trait" in French? — **2** Where does your **bro**ther live? — **3** Do you like **mo**dern **no**vels? — Not **re**ally. — **4** How are you and how is your wife? — **5** Where is your **girl**friend? — In a ho**tel** in **Lon**don.

Fill in the missing words :

1 *Préférez-vous habiter la ville ou la campagne?*

Do you prefer . . . . the town or . . the country?

2 *Combien cela fait, s'il vous plait?*

How . . . . is that, ... ?

3 *Il aime lire son journal et regarder travailler sa femme.*

He likes . . . . . . his paper and watch . . . wife work.

4 *Votre femme, aime-t-elle aussi la campagne?*

. . . . your wife like the country, . . . ?

5 *Elle n'aime pas habiter Londres*

She . . . . like to . . . . in London.

10 « Lire » est l'infinitif du verbe.
11 Elle aime lire [des] romans.
12 Je préfère habiter (vivre) à la (dans) campagne.
13 Elle n'aime pas habiter (vivre) à la (dans) campagne.
14 Il y a beaucoup de travail.

NOTES (continued)

(**2**) L'infinitif des verbes se forme avec *to;* lire : *to read;* acheter : *to buy;* être : *to be.*

(**3**) *A little :* un peu de...; *a lot of :* beaucoup de... Notez la prononciation de *of :* ov.

EXERCICES

1 Comment dites-vous « portrait » en français? — **2** Où habite votre frère? — **3** Aimez-vous les romans modernes? — Pas vraiment (réellement). — **4** Comment allez (êtes)-vous et comment va (est) votre femme? — **5** Où est votre petite-amie? — Dans un hôtel à (dans) Londres.

Corrigé

1 Do you prefer to live in the town or in the country? — **2** How much is that, please? — **3** He likes to read his paper and watch his wife work. — **4** Does your wife like the country, too? — **5** She doesn't like to live in London.

Quand un mot ou une tournure de phrase vous échappe, n'oubliez pas de faire un renvoi comme nous l'avons indiqué dans la leçon 8.

Fourteenth (14th) **Lesson**

REVISION AND NOTES

Notes à relire. — **8ᵉ** leçon : (1) - **9ᵉ** : (2), (5) - **10ᵉ** : (4) **11ᵉ** : (2), (4), (5) - **12ᵉ** : (1) - **13ᵉ** : (2).

1 Got. — Le passé du verbe *to get* (obtenir, devenir) est très usité idiomatiquement en anglais. Il n'y a pas de vraies règles pour son emploi mais ici il suffit de dire que, quand le verbe *to have* a son sens propre (c'est-à-dire quand ce n'est pas un auxiliaire), on ajoute *got* pour l'euphonie. En effet, l'idée de possession est répétée deux fois, mais l'oreille saisi le son dur du « g » plus facilement que le « h » et le « v » de *have.* Contentez-vous pour le présent de répéter et d'assimiler les phrases que nous vous donnons.

2 L'article défini. — C'est plutôt par l'exemple que par les explications grammaticales que vous comprendrez le comportement de ce petit mot. Pour l'instant sachez que :

a) on ne le met pas devant les choses prises dans un sens général : *I like tea* = le thé, en général;

b) on ne le met pas devant les jeux : *she plays tennis, we play football;*

Quatorzième leçon

c) on ne le met pas devant les titres ou les professions : le docteur Smith = *Doctor Smith;* le Prince Charles = *Prince Charles.*
Bref, quand la chose n'est pas **définie,** l'article est omis.

d) mais, par contre, il est mis devant les instruments musicaux : *she plays the guitar.*

3 Quelques « colles ». — C'est en faisant des fautes qu'on apprend à s'en corriger et vous n'y manquerez sans doute pas dans les phrases suivantes. Dans quelques semaines, elles vous paraîtront d'une facilité dérisoire, mais pour le moment chacune d'elle recèle un piège, sinon deux.

Provisoirement, contentez-vous de comparer ces phrases avec leur traduction au paragraphe 5. Quand vous aurez atteint la phase active de votre étude, c'est-à-dire au cours de votre « deuxième vague » (voir leçon 49), vous ferez **par écrit** la traduction du français en anglais.

1 Voici du thé, mais il n'y a pas de lait.
2 A-t-elle de l'argent? — Elle en a, mais pas beaucoup.
3 Elle ne parle pas aussi bien que son frère.
4 Ils ne sont pas encore ici. — Il y a encore le temps.
5 Avez-vous du feu? Je n'ai pas d'allumettes.
6 Comment allez-vous? — Pas très bien. Le lundi je ne vais jamais bien.
7 Anne a vingt ans, mais quel âge a sa sœur? Je ne suis pas sûr.
8 Jouez-vous au tennis? — Non, mais je joue du piano.

4 Le « th ». — Le « v » et le « f » de notre prononciation figurée sont, nous vous l'avons dit, approximatifs. Pour prononcer le « th » touchez de la langue vos incisives supérieures et essayez de dire « d » pour le « th » doux (*the, there, this*) et « t » pour le « th » dur (*three, thirteen*). Vous n'y parviendrez pas du premier coup. Mais vous y arriverez...

5 Traduction du paragraphe 3 :

1 *Here's some tea, but there's no milk.*
2 *Has she got any money? — She has got some but not much (a lot).*
3 *She doesn't speak as (so) well as her brother.*
4 *They aren't here yet. — There's still time.*
5 *Have you got a light? I haven't got any matches.*

Fifteenth (15th) Lesson

Let's meet David

1 Hello **(1)**, I'm **Da**vid **Wil**son. I live in a **su**burb of **Lon**don.

2 It's called **Ha**rrow. There's a **fa**mous school **he**re.

3 I work in **Lon**don. I'm a **jour**nalist on **(2)** the "**Dai**ly **(3)** Wail".

4 I **tra**vel to work by tube.

PRONUNCIATION :

1 **Dévid Ouïls'n** ... lïv (le i très court) ... **seu**beub. — **2** kôhld **Ha**rrô ... **fé**meus skoul. — **3** **djeu**nelïst ... **dé**lî ouél. — **4** **tra**veul ... tioub. —

6 *How are you? — Not very well. On Monday I'm never well.*
7 *Anne is twenty, but how old is her sister? I'm not sure.*
8 *Do you play tennis? — No, but I play the piano.*

Il y a forcément un peu de « flottement » dans votre anglais; la pratique quotidienne y remédiera vite. Surtout **pas d'interruption.** Continuez bien à étudier un quart d'heure par jour; faites-en une habitude (recommandation superflue si vous avez les enregistrements, car alors nous sommes sûrs que vous étudiez chaque jour!).

Quinzième leçon

Rencontrons David

1 Bonjour, je suis David Wilson. J'habite dans une banlieue de Londres.
2 Elle (s)'appelle (est appelée) Harrow. Il y a une école connue ici.
3 Je travaille à (dans) Londres. Je suis (un) journaliste au (sur le) « Cri quotidien ».
4 Je vais (voyage) au travail en (par) métro.

NOTES

(1) *Hello* est moins formel comme salutation. Autrement on dit : *Good morning* le matin, *Good afternoon* l'après-midi, et *Good evening* le soir. *Good night* se dit pour au revoir, « bonne nuit ».

(2) On dit également *with.*

(3) *Day :* jour; *daily :* quotidien. Beaucoup de grands journaux s'appellent « *Daily* » (*Daily Telegraph, Daily Express,* etc.).

5 I go (**4**) from the **sta**tion to the **o**ffice on foot (**5**) (**N. 1**).

6 — What is his name? — He's **Da**vid **Wi**lson.

7 — Where does he live? — He lives in **Har**-row.

8 — Does he **tra**vel to work by car?

9 — No, he takes the tube, he **does**n't take his car.

10 Hel**lo**, I'm **Da**vid **Wi**lson. I'm a **jour**nalist.

11 My wife's a **sec**retary.

12 We both (**6**) work in **Lon**don.

5 **sté**sheun ... foutt. — **6** ouatiz ... ném. — **8** baï **kah**. — **9** ték. — **11** maï ouaïfs e **sèk**rëtrï.

EXERCISES

1 This is Mr Smith. He's a **doc**tor. — **2** There are five **pe**ople on the tube this **mo**rning. — **3** Where do you live? — **4** I **al**ways **tra**vel by car.—
5 His wife's a **sec**retary and she lives in **Ha**rrow. —
6 We both work very hard.

Fill in the missing words :

1 Nous travaillons, tous les deux, pour un journal important.

We . . . . work . . an important . . . .

5 Je vais de la gare au bureau à (sur) pied.

6 Quel est son nom? — C'est (il est) David Wilson.
7 Où est-ce qu'il habite? — Il habite à (dans) Harrow.
8 Est-ce qu'il va (voyage) au travail en (par) voiture?
9 Non, il prend le métro, il ne prend pas sa voiture.

10 Bonjour, je suis D. W... Je suis (un) journaliste.
11 Ma femme est (une) secrétaire.
12 Nous travaillons tous les deux à (dans) Londres.

NOTES (continued)

(4) On dit *to travel* lorsqu'on emprunte un moyen de transport, autrement on dit comme ici : *to go.*

(5) Le « en » de « voyager en »... se traduit par *by.* Les pieds sont les exceptions (comme en français). On dit *on foot.* Le pluriel de *foot* est irrégulier : *feet.*

(6) *Both :* les deux, tous les deux. *I like them both :* j'aime les deux. Tous les trois, quatre, etc. serait : *I like all three; all four.*

THERE'S SOMETHING VERY STRANGE IN THE KITCHEN !

EXERCICES

1 Voici (ceci est) M. Smith. Il est (un) médecin. — **2** Il y a cinq personnes dans le métro ce matin. — **3** Où habitez-vous? — **4** Je voyage toujours en voiture. — **5** Sa femme est (une) secrétaire et elle habite (dans) Harrow. — **6** Nous travaillons tous les deux très dur.

2 *Il y a quelque chose de très étrange dans la cuisine.*

There is . . . . very . . . . in the kitchen.

3 *Ma femme voyage toujours en métro.*

. . wife always travels . . tube.

4 *Qui êtes-vous? Je m'appelle David et je suis journaliste.*

. . . are you? . . . David and . . . . journalist.

Sixteenth (16th) Lesson

1 — Where do you live? — I live in a **su**burb called **Ha**rrow.

2 — How do you go to work? — I take the tube **e**very **mo**rning.

3 — Why do you take the train? You've (**1**) got a car.

4 — There is too much (**2**) **tra**ffic and there are too **ma**ny **pe**ople (**3**).

5 And **pe**trol is too ex**pen**sive.

6 — When do you use your car? — At week**ends** (**4**).

PRONUNCIATION :

3 ouï ... trén. — **4** tou meuch **tra**ffik ... tou **me**hnï **pî**peul. — **5** **pè**treul ... eks**pèhn**sif. — **6** ouène dou you iouz ior kàh.

5 *Ils habitent une banlieue de Londres qui s'appelle Harrow.*

They live in a ...... of London ...... Harrow.

Corrigé

1 We both work on an important (news) paper. — **2** There is something very strange in the kitchen. — **3** My wife always travels by tube. — **4** Who are you? I'm David and I'm a journalist. — **5** They live in a suburb of London called Harrow.

Seizième leçon

1 Où habitez-vous? — J'habite dans une banlieue qui s'appelle (est appelée) Harrow.
2 Comment allez-vous au travail? — Je prends le métro tous les matins.
3 Pourquoi est-ce que vous prenez le train? Vous avez une voiture.
4 Il y a trop [de] circulation et (il y a) (*plur.*) trop [de] gens.
5 Et l'essence est trop chère.
6 Quand est-ce que vous utilisez votre voiture? — Le (aux) week-end.

NOTES

(1) *You've :* contraction de *you have. I've, we've,* etc. *He's* peut être *he is* ou *he has* selon le sens mais, suivi de *got,* c'est toujours *have.*

(2) *Much,* devant un nom collectif qui ne peut pas se compter (*traffic :* circulation) et *many,* devant un nom pluriel (*cars :* voitures).

(3) *People* [pîpeul] est le pluriel de *person.* On peut dire aussi *persons,* bien que ceci soit plutôt américain.

(4) *On Saturday* mais *at the weekend.* Ici *weekend* a un sens général (tous les week-ends), donc on supprime l'article.

7 We go to the **coun**try. We go to **Win**dsor quite **of**ten.

8 — I don't know **Win**dsor.

9 — I'm **go**ing there on **Sa**turday. Do you want to come?

10 — Yes please.

11 Too much **tra**ffic; too many cars.

12 Too much noise; too many **pe**ople.

7 tou **Ouin**dzeu kouaït **oh**feun. — **9** aïm **go**ing ... **sa**teudé ... keum. — **10** **tra**ffik. — **12** noïz ... **pî**peul.

EXERCISES

1 There are many cars in **Lon**don and they make much noise. — **2** This bike is too ex**pen**sive. Take **some**thing else. — **3** I'm **go**ing to **Par**is next week. — **4** How many ciga**ret**tes are in the **pa**cket? — **5** How much is this car? No, it's too ex**pen**sive.

Fill in the missing words :

1 Too . . . . cigarettes are bad for you.

2 She drinks too . . . . coffee.

3 . . . . people like London very . . . .

4 There are too . . . . people in my car.

5 That's kind of you. Thanks very . . . .

7 Nous allons à la campagne. Nous allons à Windsor assez souvent.
8 Je ne connais pas Windsor.

9 J'y vais (là) (sur) samedi. Voulez-vous venir?
10 Oui, s.v.p.
11 Trop [de] circulation; trop [de] voitures.
12 Trop [de] bruit; trop [de] gens.

EXERCICES

1 Il y a beaucoup de voitures dans Londres et elles font beaucoup de bruit. — **2** Ce vélo est trop cher. Prenez quelque chose d'autre. — **3** Je vais (je suis allant) à Paris (la) semaine prochaine. — **4** Combien de cigarettes y-a-t-il dans le paquet? — **5** Combien coûte (est) cette voiture? Non, elle est trop chère.

Corrigé

1 Too many cigarettes are bad for you. — **2** She drinks too much coffee. — **3** Many people like London very much. — **4** There are too many people in my car. — **5** That's kind of you. Thanks very much.

Seventeenth (17th) **Lesson**

1 — What time is your train? — At eight **thir**ty (**N. 2**).

2 — Well hurry up! It's eight fif**teen** al**rea**dy.

3 — Al**right**! Keep (**1**) **calm.**

4 — But **Da**vid, you're late.

5 — Don't shout. I can **hear** you.

6 Where are my shoes? — Here, with your **brief**-case.

7 — **Okay** (**2**). I'm **rea**dy. — At last (**3**)!

8 — What time is it now? — It's **twen**ty past eight.

9 — Right. I'm off. Bye **bye** (**4**) love. — Good**bye**!

10 It's now **twen**ty five past eight. **Da**vid is at the station.

11 He has his **pa**per **un**der his (**5**) **arm.**

PRONUNCIATION :

1 ouat taïm iz yor trén ... ait **feu**tï. — **2** ouèll **heu**rï eup ... ét fif**tîn** orl**rè**dï. — **3** orl-**raït**! kîp **kahm.** — **4** yor **lét.** — **5** shaut. — **6** shouz ... wid yor **brîf**-cais. — **8** **touen**tï pahst **ét.** — **9** aïm off. bai-**bai** leuv. — **10** de **sté**sheun. — **11** **pé**peu **eun**dë hiz**ahm.** —

NOTES

(**1**) *Keep :* garder, mais à l'impératif ça a le sens de restez, soyez, *Keep calm :* soyez calme, gardez votre calme.

Dix-septième leçon

1 (A) Quelle heure est ton train? — A 8 h 30.
2 Alors dépêche-toi! Il est déjà 8 h 15.
3 Ça va! Reste calme.
4 Mais David, tu es en retard.
5 Ne crie pas. Je t'entends (peux t'entendre).
6 Où sont mes chaussures? — Ici avec ta serviette.
7 O.K. Je suis prêt. — Enfin (à dernier)!
8 Quelle heure est-il maintenant? — Il est 8 h 20.
9 Bien. Je pars. Salut chérie. — Au revoir!

10 Il est maintenant 8 h 25; David est à la gare.
11 Il a son journal sous le (son) bras.

NOTES (continued)

(2) *Okay* (O. K.), locution internationale, vient d'un président des États-Unis qui, pour indiquer que tout allait bien, disait avec son accent du Sud : « *Orl Krect* » (*all correct*) d'où O.K.

(3) *Last :* dernier. *The last train :* le dernier train. *At last :* enfin. *To last :* durer. *The lesson lasts ten minutes :* la leçon dure 10 minutes.

(4) *Bye bye* est une locution familière qui vient de *good-bye*.

(5) Les parties du corps sont « personnalisées » en anglais. Sous le bras : *under his arm* (pour un homme), *under her arm* (pour une femme).

12 His **brief**-case is on the **plat**form and he is **wait**ing (**6**) for the eight **thir**ty train (**N. 3**).

13 "It's **ne**ver on time", he says im**pa**tiently.

14 What time is it? **Hu**rry up. — I'm off.

12 on de **plat**fohm. — **13** **nè**vë on taïm ... im**pé**sheuntlï.

EXERCISES

1 **Da**vid, please **hu**rry up. You're late. — **2** That man **Wil**son is **ne**ver on time. — **3** I'm **rea**dy to go. Right, I'm off. — **4** We are on a **plat**form in a **sta**tion in **Lon**don. — **5** He ar**ri**ves at the **sta**tion at **twen**ty past nine. — **6** Your **pa**per is **un**der the chair.

Translate with the help of the diagram in Lesson 21 (traduisez avec l'aide du schéma de la leçon 21) :

1 *Il est neuf heures vingt -cinq.*

2 *Quelle heure est-il? — Il est deux heures moins dix.*

3 *Je suis en retard. Il est déjà sept heures et demie.*

4 *Il arrive toujours à l'heure, à huit heures.*

5 *Il est maintenant onze heures moins le quart.*

Eighteenth (18th) Lesson

Husband and wife

1 On the train, **Da**vid reads his **pa**per.

2 He stands (**1**) be**cause** the train is full.

PRONUNCIATION :

hevzbënd ... ouaïf. — **1** rîdz. — **2** hî standz ... foul. —

12 Sa serviette est sur le quai et il attend (*forme progressive*) (pour) le train de 8 h 30.
13 « Il n'est jamais à (sur) l'heure », dit-il impatiemment.
14 Quelle heure-est-il? Dépêche-toi. — Je pars.

NOTES (continued)

(6) Quand une action est en train d'être faite, on emploie cette forme dite progressive. Elle se forme avec *to be* conjugué et le participe présent « *-ing* ». *I'm reading* (je suis en train de lire); *We're reading* (nous sommes en train de lire). L'idée de cette forme est d'une action qui se passe maintenant. Les verbes de perception involontaire, nous avons vu, n'ont pas cette forme et c'est pourquoi nous disons (ligne 5) : *can hear...*
Dans le texte français, nous indiquerons la forme progressive.

EXERCICES

1 David, je t'en prie, dépêche-toi. Tu es en retard. — **2** Cet homme Wilson (n')est jamais à l'heure. — **3** Je suis prêt (à) partir. Eh bien, je m'en vais. — **4** Nous sommes sur le quai de la station à (dans) Londres. — **5** Il arrive à la gare à neuf heures vingt. — **6** Votre journal est sous la chaise.

Corrigé

1 It is twenty five past nine. — **2** What time is it? — It is ten to two. — **3** I'm late. It is already half past seven. — **4** It (he) always arrives on time, at eight o'clock. — **5** It is now a quarter to eleven.

Dix-huitième leçon

Mari et femme

1 Dans (sur) le train, David lit son journal.
2 Il est debout parce que le train est plein.

NOTES

(1) *To stand :* se tenir, être debout. *Stand up! :* levez-vous (mettez-vous debout).

3 **Pe**ople that **tra**vel to work **ev**ery day are called "comm**u**ters".
4 The **jour**ney takes **twen**ty **min**utes and he has ten **min**utes to walk to the **o**ffice.
5 He **has**n't much time, so he walks quickly.
6 He cr**o**sses the **Ci**ty and a**rr**ives at (**2**) his **o**ffice.
7 He takes the lift to the fourth floor.
8 He goes to his desk (**3**) and sits down (**4**). He is on time.

9 His wife Joan w**a**shes the dishes (**5**) and leaves (**6**) the house at ten to nine.
10 Her **o**ffice is quite **ne**ar, so she **al**ways walks.
11 It takes her eight **min**utes to a**rr**ive at her **o**ffice.
12 She is a **sec**retary in an ac**cou**ntants firm.
13 At nine o'clock, both the **Wil**sons are w**or**king.

3 **e**vrï dé ... kemi**ou**teuz. — **4** dj**eu**nï téks ... ouôhk. — **5** ouôhks kouïklï. — **6** kr**o**ssïz ... **sïtî**. — **7** téks de lïft ... fôhf flôh. — **8** dauoun. — **9** ou**a**shïz de dïshïz ... lîvz (le i long). — **10** kouaït **nî**eu. — **12** **sè**krëtrï .... ëk**auo**ntënts feum. — **13** ou**eu**kïng.

NOTES (continued)

(**2**) Les verbes de mouvement sont suivis d'habitude de *to* (exception de *to go home,* aller chez soi). Mais « arriver » n'a plus de mouvement, alors on dit *at.*

EXERCISES

1 There are too many **pe**ople on the train, so she stands. — **2** They cross the hall and take the lift to the first floor. — **3** This **ex**ercise is quite **in**teresting.

3 [Les] gens qui voyagent pour travailler tous les jours sont appelés « commuters ».
4 Le voyage prend 20 minutes et il a 10 minutes pour aller (marcher) au bureau.
5 Il n'a pas beaucoup de temps, alors il marche rapidement.
6 Il traverse la City et arrive à son bureau.
7 Il prend l'ascenseur pour le quatrième étage.
8 Il va à son bureau et s'assied. Il est à l'heure.

9 Sa femme Joan fait (lave) la vaisselle et quitte la maison à 9 heures moins 10.
10 Son bureau est assez près, donc elle va toujours à pied.
11 Il lui faut (prend) 8 minutes pour arriver à son bureau.
12 Elle est (une) secrétaire dans une firme [de] comptables.
13 A 9 heures les deux Wilson sont en train de travailler (*prog.*).

NOTES (continued)

(**3**) *Desk :* bureau (meuble) pupitre. *Office :* bureau (pièce).

(**4**) *To sit down :* s'asseoir. *Sit down :* asseyez-vous.

(**5**) *A dish :* un couvert, une assiette. *To wash the dishes :* faire la vaisselle. *Dishwasher :* lave-vaisselle.

(**6**) Notez le « i » long (lîvz]. Ne pas confondre avec [lïvz], il habite.

EXERCICES

1 Il y a trop de monde (personnes) dans le train alors elle (voyage) debout. — **2** Ils traversent le vestibule et prennent l'ascenseur au premier étage. — **3** Cet exercice est assez intéressant. —

— **4** The **jour**ney to my **o**ffice takes ten **min**utes. — **5** I **al**ways **tra**vel by plane. — **6** Please wash the **dis**hes and **hu**rry up. We're late.

Fill in the missing words :

1 *Il arrive au bureau et il prend l'ascenseur jusqu'au quatrième étage.*

He arrives . . the office and . . . . . the lift . . the fourth . . . . .

2 *Il est debout dans le train mais sa serviette est sous un siège.*

He . . . . . . in the train but . . . brief-case is . . . . . a seat.

3 *Mon bureau est assez près de chez moi.*

My office is . . . . . near my . . . . .

Nineteenth (19th) Lesson

1 **A**nswer these **ques**tions **a**bout **(1)** **les**son eigh**teen**.

2 What does **Da**vid do **(2)** on the train?

3 Does he sit down?

PRONUNCIATION :

1 ahnseu dîz **kouest**cheunz ë**baut**. — **2** ouat deuz ... dou. — **3** sït dauoun. —

4 Le trajet (jusqu')à mon bureau prend 10 minutes. — **5** Je voyage toujours en avion. — **6** Veuillez faire la vaisselle et dépêchez-vous : nous sommes en retard.

Fill in the missing words (continued)

4 *Les « commuters » sont les gens qui prennent le train chaque jour.*

Commuters . . . people . . . . take the train

. . . . . day.

5 *Le voyage ne prend que vingt minutes*

The . . . . only . . . . . twenty minutes.

Corrigé

1 He arrives at the office and takes the lift to the fourth floor. — **2** He stands in the train but his brief-case is under a seat. — **3** My office is quite near my house. — **4** Commuters are people that take the train every day. — **5** The journey only takes twenty minutes.

Dix-neuvième leçon

1 Répondez [à] ces questions sur (au sujet de) la leçon 18.
2 Qu'est-ce que David fait dans (sur) le train?
3 Est-ce qu'il s'asseoit?

NOTES

(**1**) *About* a deux sens : (**a**) au sujet de : *this book is about Shakespeare* (ce livre est sur Shakespeare), *what is it about* (de quoi s'agit-il); (**b**) environ : *it was about seven thirty* (il était environ 7 h 30).

(**2**) Remarquez la formule *does* (l'auxiliaire), *do* (le verbe, il qualifie). *What do you do? :* Que faites-vous?

4 What are com**mu**ters?

5 How long does the **jour**ney take?

6 Does he walk **quick**ly? Why?

7 On what floor is his **o**ffice?

8 Does he ar**ri**ve on time?

9 What does his wife do with the **di**shes?

10 What time does she leave the house?

11 Is her **o**ffice **ne**ar or far?

12 Her **o**ffice is **ne**ar the house; it is close.

13 The shop **clo**ses (**3**) at six o'clock.

14 Please (**4**) sit down. — No, I pre**fer** to stand.

5 dj**eu**nï. — 6 ouôhk **kouïk**lï? ouaï. — 7 onn ouat flôh. — 9 **dï**shïz. — 11 **nî**eu or fâh. — 12 klôhs. — 13 **kloh**zïz (attention au z dans le verbe).

EXERCISES

1 Please **an**swer the **te**lephone. — 2 The church is close to the shops. You can walk there. — 3 **Hu**rry up, the shops close very **ear**ly. — 4 It is too far to walk. Take a **ta**xi. — 5 How far from **he**re is your **o**ffice?

Fill in the missing words :

1 *Les magasins sont trop loin de l'église.*

The . . . . . are too . . . from the church.

2 *Ce n'est pas loin. Vous pouvez y aller à pied.*

It's not . . . You . . . go there . . . . . .

4 Que sont [les] « commuters »?
5 Le voyage prend combien de temps? (combien long).
6 Est-ce qu'il marche rapidement? Pourquoi?
7 A (sur) quel étage est son bureau?
8 Est-ce qu'il arrive à (sur) l'heure?
9 Qu'est-ce que fait sa femme avec la vaisselle?
10 [A] quelle heure quitte-t-elle la maison?
11 Son bureau est-il près ou loin?
12 Son bureau est près (de) la maison; il est proche.
13 Le magasin ferme à 6 heures.
14 Veuillez (vous) asseoir s'il vous plaît. — Non, je préfère [rester] debout.

NOTES (continued)

(**3**) Notez la prononciation *close* (proche) : klôhs, et *to close* (fermer) : klôhz.

(**4**) Formule de politesse. Veuillez, je vous en prie. *Please answer my questions :* veuillez répondre (à) mes questions.

EXERCICES

1 Veuillez répondre (au) téléphone. — **2** L'église est près des magasins. Vous pouvez y aller à pied. — **3** Dépêchez-vous, les magasins ferment très tôt. — **4** C'est trop loin pour y aller à pied (p. y. marcher). Prenez un taxi. — **5** A quelle distance d'ici (combien loin) est votre bureau?

3 *Mais dépêchez-vous. Les magasins ferment à cinq heures.*

But . . . . The shops . . . . . at five . . . .

4 *Vous pouvez y aller en taxi, en bus ou à pied.*

You can go . . . . taxi, . . bus or . . foot.

Twentieth (20th) Lesson

1 — Have you got anyciga**re**ttes?
2 — Yes, what kind (**1**) do you want?
3 — Oh, **Tur**kish ones (**2**) please. — **He**re you are, sir.
4 — **Thank**you. How much is that? — **Fif**ty pence (**3**), please.

---

5 **Mo**ther. — My son's a **do**ctor of phi**lo**sophy.
6 **Neigh**bour. — Oh good. What kind of **ill**ness is "phi**lo**sophy"?

A bar**gain** (4)

7 — Do you want a **car**pet, sir? Here are some **beau**tiful **car**pets.
8 — How much is that **lit**tle one?

PRONUNCIATION :

1 sïgërets. — 2 ouat kaïnd. — 3 **Teu**kish ouenz ... **hîeu**. — 4 **fif**tï. — 5 **doh**kteu ov fïl**o**sofï. — 6 **né**beu ... ouat kaïnd ... **ïll**nëss (le i bref) e **bah**gïn. — 7 **kâh**pët ... **biou**tïfeul. — 9 **rî**eul orïe**hn**teul ... mag**nï**fïsnt

5 *Elle quitte la maison à neuf heures moins dix.*

She . . . . . . the house at . . . .

Corrigé

1 The shops are too far from the church. — 2 It's not far. You can go there on foot. — 3 But hurry up. The shops close at five o'clock. — 4 You can go there by taxi, by bus or on foot. — 5 She leaves the house at ten to nine.

Vingtième leçon

1 Avez-vous des cigarettes?
2 Oui, quelle sorte voulez-vous?
3 Oh des turques (unes) s'il vous plaît. — Voici Monsieur.
4 Merci. Combien est-ce? — 50 pence s'il vous plaît.

---

5 *Mère.* — Mon fils est (un) docteur en (de) philosophie.
6 *Voisin.* — Ah bon. Quelle sorte de maladie est [la] philosophie?

Une bonne affaire

7 Est-ce que vous voulez un tapis, Monsieur? Voici de beaux tapis.
8 Combien coûte (est) ce petit-là? (petit un).

NOTES

(1) *Kind :* gentil ou sorte. *He's a kind man* (il est un homme gentil). *What kind of carpet is that?* (Quelle sorte de tapis est-ce?).

(2) Pour éviter la répétition du nom, l'on met *one* au singulier (ligne 8) et *ones* au pluriel.

(3) *Pence* est le pluriel de *penny* et s'abrège en *p.* Il y a 100 pence dans une livre [£].

(4) *Bargain :* une occasion, une bonne affaire. Il y a le verbe *to bargain :* marchander.

9 — It is a **re**al Ori**e**ntal **car**pet sir. It is magn**ifi**cent. It costs **fi**fty pounds.
10 — R**idic**ulous! That's **much** too **dear**.
11 — Well, make me an **of**fer.
12 — **Fi**fty pence; and not one **pen**ny more.
13 — What? **Fi**fty pence for this **re**al **Tur**kish **car**pet? Well, take it sir, it's yours.

... kohsts. — **10** rïdïkiouleus ... **meutch** tou **dîeu**. — **11** ën**oh**feu. — **12** pènns ... **peh**nnï. — **13** its yôrz.

EXERCISES

1 I want a new car — and a good one. — **2** What kind of car do you want? — **3** One of these, per**haps**? — **4** Oh no, they are much too **dear**. — **5** I like this one — and it's not too ex**pen**sive.

Fill in the missing words :

1 *Ça me plaît : je veux une de celles-là.*

I . . . . it : I . . . . one of those . . . .

2 *Quel genre de tapis voulez-vous, Monsieur?*

What . . . . of carpet . . you . . . . sir?

3 *Avez-vous des nouvelles voitures cette semaine?*

. . . . you got . . . new cars . . . . week?

4 *Oui, nous en avons, mais elles sont beaucoup trop chères pour vous.*

Yes, we've got . . . ., but they . . . much too . . . . for you.

9 C'est un véritable tapis oriental, Monsieur. Il est magnifique. Il coûte 50 livres.
10 (C'est) ridicule ! C'est beaucoup trop cher.
11 Alors, donnez-moi (faites-moi) une offre.
12 50 pence; et pas un penny (de) plus.
13 Quoi? 50 pence pour ce véritable tapis turc? Alors, prenez-le monsieur, il est à vous.

5 *Combien cela fait s.v.p.? Ça coûte 32 livres et 23 pence.*

. . . . is that please? It . . . .-. . .

pounds and . . . . . .-. . . . . pence.

EXERCICES

1 Je veux une nouvelle voiture — et une bonne (une). — **2** Quel genre de voiture voulez-vous? **3** Une de celles-ci, peut-être? **4** Mais non, elles sont beaucoup trop chères. — **5** J'aime celle-ci, et elle n'est pas trop chère.

Corrigé

1 I like it: I want one of those ones. — **2** What kind of carpet do you want, sir. — **3** Have you got any new cars this week? — **4** Yes, we've got some, but they're much too dear (expensive) for you. — **5** How much is that, please? It costs thirty-two pounds and twenty-three pence.

Étudiez à haute voix aussi souvent que possible, en marquant toujours bien l'accent tonique.

20th LESSON.

Twenty-first (21st) Lesson

RÉVISIONS AND NOTES

Notes à relire.— **15e** leçon : (1) - **16e** : (1), (2) - **17e** : (3), (5), (6), - **18e** : (2), (6) - **19e** : (2), (4) - **20e** : (2).

1 Foot. — Il y a une dizaine de noms dont le pluriel est irrégulier. Les plus importants sont *man* (homme) : men; *woman* (femme) : women; *child* (enfant) : children; *tooth* (dent) : teeth, et bien sûr, *foot* pied) : *feet.*

2 L'heure :

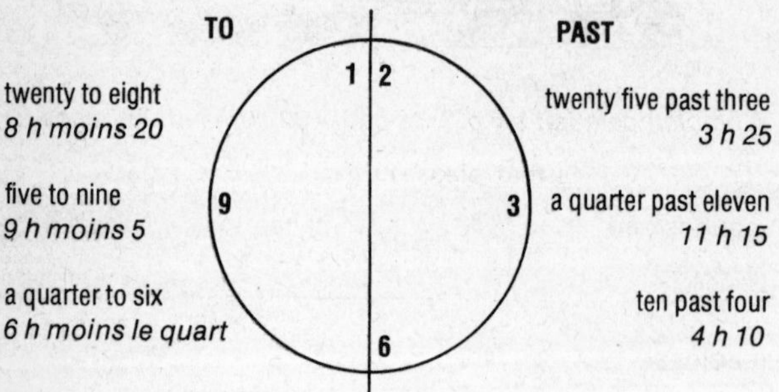

Avant l'heure se dit *to;* après l'heure se dit *past* (on peut dire aussi : *three twenty five, nine fifteen,* etc.). L'heure juste se dit *o'clock* (contraction de *of the clock*). L'horloge à 24 heures n'étant pas usitée, *ten past four* veut dire et 4 h 10 et 16 h 10 (il faut demander s'il s'agit du matin ou du soir). **En écrivant** on peut mettre *a.m.* (latin : *ante meridian*) pour le matin et *p.m.* (*post meridian*) pour l'après-midi.

3 La forme progressive ajoute une nuance au verbe. Si l'action est habituelle, on utilise le présent sim-

Vingt et unième leçon

ple : *I work in an office* (je travaille dans un bureau); mais si nous sommes en train de travailler, l'on dit : *I'm working hard at the moment* (je travaille dur en ce moment).

Comparez : *What does she do :* quelle est sa profession.
What is she doing : qu'est-elle en train de faire.

4 Écrivez en anglais (deuxième vague) :

1 Il va à Londres en métro mais il va à son bureau à pied.
2 Il y a trop de voitures et trop de circulation.
3 Quelle heure est-il. Il est huit heures vingt! Déjà! Je pars.
4 Il a sa serviette à la main.
5 Qu'est ce qu'ils font? Ils attendent le train.
6 Est-ce que les magasins sont près? Oui, mais dépêche-toi. Ils ferment à 5 h 30.
7 Quelle sorte de voiture voulez-vous? Une voiture rapide.

5 Traduction

1 *He travels to London by tube but he goes to his office on foot.*

2 *There are too many cars and too much traffic.*
3 *What time is it? It's twenty past eight (eight twenty). Already? I'm off.*
4 *He has (he's got) his brief case in his hand.*
5 *What are they doing? They're waiting for the train.*

Twenty-second (22nd) Lesson

At the weekend

1 At the week**e**nd, **pe**ople **u**sually do not work.

2 On **Sun**day, **ev**erything is **clo**sed ex**cept** the **ci**nemas and a few shops.

3 Few **pe**ople (**1**) leave **Lon**don, but many go to the parks.

4 There are many parks in **Lon**don and there is much grass (**2**).

5 In the parks, you can walk **any**where (**3**) (ex**cept** on the lakes).

6 At the week**end**, there is **al**ways too **l**ittle time and too **much** to **do**.

PRONUNCIATION :

1 ouikhènd ... **iou**zhëlï. — **2** **seun**dé, **è**vrïfïng ... klôhzd ek**sept** ... **si**-nëmâ ... e fiou. — **3** lîv ... meni ... pâhks. — **4** meutch grâhss. — **5** **è**nïouère ... léks. — **6** tou **meutch** të **dou** (le deuxième « to » étant réduit). —

6 *Are the shops near (close). Yes, but hurry up. They close at half past five.*
7 *What kind of car do you want? A fast one.*

Notez bien en tête de cette leçon, comment se dit vingt et unième : vingt première.

Vingt-deuxième leçon

Le (au) week-end

1 Le (au) week-end, [les] gens ne travaillent pas généralement.
2 Le (sur) dimanche, tout est fermé sauf les cinémas et quelques magasins.
3 Peu [de] gens quittent Londres, mais beaucoup vont dans les (aux) parcs.
4 Il y a beaucoup de parcs à (dans) Londres et il y a beaucoup [d'] herbe.
5 Dans les parcs, vous pouvez marcher partout (sauf sur les lacs).
6 Le (au) week-end, il y a toujours trop peu de temps et trop à faire.

NOTES

(1) Rappelons que *people* est le pluriel de *person.* On dit *people are...*

(2) Pour exprimer « beaucoup de... » et « peu de... », il importe de savoir si le nom dont on parle est singulier ou pluriel. Beaucoup de parcs : *many parks;* beaucoup d'herbe : *much grass.* De même, peu de gens : *few people;* peu de temps : *little time.*

(3) *Anywhere :* n'importe où; *somewhere :* quelque part.

7 **Foot**ball is very **pop**ular and many **pe**ople go and watch (**4**) **mat**ches on **Sa**turday.

8 You can **al**so go to the **ci**nema or the **thea**tre;

9 or **sim**ply walk through the streets;

10 but on **Mon**day, you go back to work.

11 **Sun**day; **Mon**day; **Tues**day; **Wed**nesday; **Thurs**day; **Fri**day; **Sa**turday.

12 On **Sa**turday; at the week**end**; in Oc**to**ber.

7 **pop**ioulë. — **8 ôhl**so ... **fî**eute. — **9 sïmm**plï ... frou. — **11 seun**dé; **meun**dé; **tiouz**dé; **ouènz**dé; **feuz**dé; **fraï**dé; **sat**teudé. — **12** ok**toh**bë.

EXERCISES

1 There are very few **pe**ople at the match. — **2** That is why there is **li**ttle noise. — **3** I can see him through the **win**dow. — **4** **Ev**eryone **he**re is a **doc**tor, ex**cept** **Pe**ter who is a **jour**nalist. — **5** In **En**gland, many shops close on **Wed**nesday after**noon.**

Fill in the missing word :

1 *Le dimanche peu de gens vont aux magasins parce qu'ils sont fermés.*

. . Sunday, . . . people go . . the shops . . . . they . . . .

2 *Nous avons très peu de temps : le concert commence à 8 h précises.*

We've . . . very . . . . . . time : the concert begins . . 8 . . . .

7 [Le] football est très populaire, et beaucoup de gens vont voir (vont et surveillent) des matches le (sur) samedi.
8 Vous pouvez aller aussi au cinéma ou au (le) théâtre;
9 ou simplement [vous] promener dans (à travers) les rues;
10 mais le (sur) lundi, vous retournez au travail.

11 lundi; mardi; mercredi; jeudi; vendredi; samedi.
12 Le (sur) samedi; au week-end; en (dans) octobre.

NOTES (continued)

(4) *To watch :* surveiller; mais l'on dit : *to watch the TV or a film,* car ceux-ci ont du mouvement. *To look at* (regarder) indique une action plus brève.

EXERCICES

1 Il y a très peu de gens au match. — **2** C'est pourquoi il y a peu de bruit. — **3** Je le voix (peux v.) à travers la fenêt'e. — **4** Tout le monde (chaque un) isi est (un) médecin, sauf Peter qui est (un) journaliste. — **5** En Angleterre, beaucoup de magasins ferment le (sur) mercredi après-midi.

22nd LESSON

3 *Il y a trop peu de gâteaux, nous sommes huit à table.*

There are . . . . cakes, we . . . eight . . . table.

4 *Mon anniversaire est le 28 octobre, c'est un jeudi.*

My birthday is the . . . . of October, . . a . . . .

Twenty-third (23rd) Lesson

Can (N. 1) I help you?

1 — **Mu**mmy, can I have some sweets (**1**)?
2 — You can, but you may (**2**) not.
3 — Oh! **Mu**mmy, may I have some sweets?
4 — Of course, **dea**r, help your**self** (**3**).

---

5 — Can I help you?
6 — Yes please. I want a map of **Lon**don.
7 — Do you like this one? It's **ve**ry **de**tailed.
8 — Yes, that's fine (**4**). How much is it?
9 — Well, it costs **twen**ty pence, but you can have it for fif**teen** pence.

PRONUNCIATION :

1 **meu**mmï ... souîts. — **2** may (le -lle de « groseille »). — **4** ov kôhs, **dî**eu, hèlp yô**sèlf**. — **6** ë mapp ov. — **7** **dî**téld. — **8** faïn. — **9** kohsts ... pènns. —

5 *Il y a peu de circulation et peu de piétons.*

There is . . . . . . traffic and . . . pedestrians.

Corrigé

1 On Sunday, few people go to the shops because they're closed. — **2** We've got very little time : the concert begins at 8 exactly. — **3** There are too few cakes: we are eight at table. — **4** My birthday is the twenty eight of October, on a Thursday. — **5** There is little traffic and few pedestrians.

Vingt-troisième leçon

Puis-je vous aider?

1 Maman, est-ce que je peux avoir des bonbons?
2 Tu peux mais tu n'as pas le droit.
3 Ah! Maman, puis-je avoir des bonbons?
4 Bien sûr, chéri, sers-toi.

---

5 Puis-je vous aider?
6 Oui, s'il vous plaît. Je veux une carte de Londres.
7 Est-ce que vous aimez celle-ci? (Cette une) elle est très détaillée.
8 Oui, ça c'est parfait. C'est combien?
9 Eh bien, elle coûte 20 p, mais vous pouvez l'avoir pour 15 p.

NOTES

(1) *Sweet* (comme adjectif) : doux, sucré. *A sweet wine :* un vin doux. *Sweet* (le nom) : un bonbon ou dessert.

(2) *Can :* pouvoir. *May* (qui se conjugue sans *do*) : être autorisé. On demande la permission : *May I take a sweet* (puis-je prendre un bonbon)?

(3) *Yourself :* vous-même. *He does it himself :* il le fait lui-même (*self :* soi). *Help yourself :* servez-vous. Le pluriel est *selves* = *ourselves* (nous-mêmes).

(4) *Fine* (locution un peu familière) : très bien; parfait.

10 — Where can I find a **tel**ephone?
11 — You can find one at the **end** of the street.

12 — May I ask you **some**thing (5)? — Of course.
13 — Can you tell me the time? My watch **does**n't work.
14 — **Cer**tainly, it's ex**a**ctly two o'clock.

10 **tè**lïfôhn. — **11** dïèndov de strît. — **12** **seum**fïng. — **13** maï ouotch ... ouèuk. — **14** egz**a**ktlï.

EXERCISES

1 May I take a cake? — Of course. Help yourself. — **2** I'm **so**rry, I can't help you. — **3** He goes home at the end of the day. — **4** This **ra**dio **does**n't work. — **5** May we leave at **se**ven o'clock? — **6** No you may not. You can leave at nine o'clock like **ev**eryone.

Translate these expressions

1 *Servez-vous (sers-toi).*

. . . .

2 *Oui, c'est parfait.*

. . . .

3 *Ma montre ne marche pas.*

My watch . . . .

4 *Puis-je vous demander?*

. . . . you?

10 Où est-ce que je peux trouver un téléphone?
11 Vous pouvez [en] trouver un au bout de la rue.

---

12 Puis-je vous demander quelque chose? — Bien sûr.
13 Pouvez-vous me dire l'heure? Ma montre ne marche (travaille) pas.
14 Certainement, il est exactement 2 h.

NOTES (continued)

(5) Pas *anything* puisqu'il s'agit de quelque chose de précis (*any* ayant la notion de doute).

5 *Bien sûr! Huit heures pile.*

Of . . . . . .! Eight o'clock . . . .

6 *Je pars.*

I'm . . .

EXERCISES

1 Puis-je prendre un gâteaux? — Bien sûr. Servez-vous. — **2** Je suis désolé, je ne peux vous aider. — **3** Il rentre chez lui à la fin de la journée. — **4** Cette radio ne marche pas (travaille pas). — **5** Pouvons-nous partir à 7 heures? — **6** Non, vous ne pouvez pas. Vous pouvez partir à 9 heures comme tout le monde.

Corrigé

1 Help yourself. — **2** Yes, that's fine. — **3** doesn't work. — **4** May I ask. — **5** course ... exactly. — **6** I'm off.

Twenty-fourth (24th) Lesson

An unwelcome (1) conversation

1 — Excuse me, may I sit down?

2 — Please do. — Thanks very much.

3 Ah that's better! My name's Brian Sellers. — Oh, very interesting.

4 — Yes, I work in London. Do you work in London too?

5 — Yes, I do. — Have a cigarette.

6 — No, thankyou. This is a non-smoking compartment.

7 — Oh, do you mind (2) if I smoke? — Yes, I do!

8 — I'm cold. Are you cold too? — No, I'm not (N. 2).

9 — Oh, you have a paper. I don't like reading. I prefer talking (3).

10 — Yes, I see. — No, you hear. Ha! ha! ha!

11 — Goodbye sir. — Oh! goodbye.

12 Do you mind if I smoke? Mind your head.

13 He's cold; he's hot; he's unlucky.

PRONUNCIATION :

1 ekskiouzmî. — 2 plîz dou. — 3 dats bèttë ... ïntrèstïng. — 6 non-smôkïng këmpahtmënt. — 7 dou you maïnd. — 8 aïm kôhld. — 9 rîdîng ... tôhkïng. — 10 hîeu. — 12 maïnd yor hèdd. — 13 eunleukï. (N'oubliez pas d'aspirer les h, même si vous exagérez).

Vingt-quatrième leçon

Une conversation désagréable

1 Excusez-moi, puis-je m'asseoir?
2 Je vous en prie (faites). — Merci bien.
3 Ah ça va (est) mieux! Mon nom est B. S. — Ah, très intéressant.
4 Oui, je travaille à (dans) Londres. Vous travaillez à (dans) Londres aussi?
5 Oui, je (travaille). — Prenez (ayez) une cigarette.
6 Non, merci. Ceci est un compartiment non-fumeur (fumant).
7 Oh, cela vous ennuie si je fume? — Oui, (ça m'ennuie)!
8 J'ai (suis) froid. Avez-(êtes)-vous froid aussi? — Non (je n'ai pas).
9 Ah, vous avez un journal. Je n'aime pas lire. Je préfère parler (parlant).
10 Oui, je vois. — Non, vous entendez. Ha! ha! ha!
11 Au revoir Monsieur. — Oh! au revoir.

12 Cela vous ennuie si je fume? Attention à votre tête.
13 Il a froid; il a chaud; il n'a pas de chance.

NOTES

(1) *Welcome :* bienvenue (*well come*), *You're welcome :* vous êtes le bienvenu (aux U.S.A. : je vous en prie, de rien). *Unwelcome :* mal venu, non sollicité; donc désagréable.

(2) *The mind :* l'esprit, *to mind* c'est avoir des objections, être gêné par... *Mind!* (à l'impératif) : attention!

(3) *Reading, talking,* sont les participes présents et remplacent l'infinitif en français. Fumer est dangereux : *smoking is dangerous. No spitting :* defense de cracher. C'est un peu déroutant au début, mais notez le quand vous le rencontrerez. L'habitude viendra vite!

Si vous avez les enregistrements, écoutez bien le ton de la voix du deuxième monsieur. Imitez-le.

EXERCISES

1 Ex**cuse** me, I'm cold. May I close the **win**dow? — 2 Have a **beer**. — No thanks. I don't drink. — **3** Do you mind if I take your wife to the **con**cert? — **4** No, please do. I don't want to go. — **5** Come in. You are most **wel**come.

Fill in the missing words :

1 *Cela vous ennuyerait-il si je fume?*

. . you . . . . if I smoke?

2 *Puis-je fermer la fenêtre. Ma femme a froid.*

. . . I close the window. . . wife . . cold.

3 *Entrez. Prenez quelque chose à boire. Vous êtes le bien-venu.*

Come . . . . . . something . . drink. You are . . . .

4 *Elle n'aime pas la lecture, elle préfère parler.*

She . . . . like . . . . she prefers . . . .

Twenty-fifth (25th) Lesson

A polite conversation

1 **Da**vid and his wife are at a **par**ty. **Da**vid is **tal**king to a tall (1), good-**loo**king **wo**man.

PRONUNCIATION :

1 ouaïf ... **pâh** tï ... tôhl ... goud-**lou**kïng **ouo**mën.

5 *Vous avez de la chance. Je ne peux pas y aller ce soir.*

You're . . . . . I . . . . . go this . . . .

EXERCICES

1 Excusez-moi j'ai (suis) froid. Puis-je fermer la fenêtre? — **2** Prenez (ayez) une bière. — Non merci. Je ne bois pas. — **3** Cela vous ennuie si j'accompagne (prends) votre femme au concert? — **4** Non, allez-y (veuillez faire). Je ne veux pas (y) aller. — **5** Entrez. Vous êtes le (plus) bienvenu.

Corrigé

1 Do - mind. — **2** May - My - is. — **3** in. - Have - to - welcome. — **4** doesn't - reading - talking. — **5** lucky - can't - evening.

Vingt-cinquième leçon

Une conversation polie

1 D. et sa femme sont à une soirée. D. parle (*prog.*) à une grande belle femme (bon regardant).

NOTES

(1) *Tall :* grand en hauteur, haut de. *He's five feet tall :* il est haut (de) 5 pieds (1 pied = 0,30 mètres). *He's very tall :* il est très grand.

2 — Hel**lo**, my name's **Da**vid **Wil**son. — I'm **Su**san Price.

3 What do you do, **Da**vid? — I'm a **jour**nalist.

4 — Oh, how **in**teresting. Do you write for the "Times"?

5 — No. I work on the "**Dai**ly Wail", but I hope to change soon.

6 And what **about** you? — Oh, I'm an **au**thor.

7 I'm **wri**ting a book about **Bri**tish **pai**nters.

8 — Have we got any? — Don't be **si**lly (**2**). Of course we have

9 **pe**ople like **Con**stable (**3**), **Tur**ner (**4**) and **so** on (**5**).

10 But it's **ta**king a long time be**cause** the infor**ma**tion (**6**) is difficult to find.

11 — May I read it when it's **fi**nished? — With **plea**sure.

12 — Oh **dear**, my wife's **loo**king at me. I had **be**tter go.

13 — What do you do? — I'm an **au**thor.

14 — What are you **do**ing? — I'm **lea**rning **En**glish.

4 **ïn**trèsstïng ... raït. — **5** tchéndj soun. — **6** ouat ë**baut** you ... **ôh**feu. — **7** **brï**tïsh **pén**teuz. — **8** **sï**lli. — **9** **keun**steubël ... **teu**në end **sôh** on. — **10** ïnfë**mé**shën ... **dï**ffïkeult ... faïnd. — **11** **fï**nïsht? — ouïv **plè**zhë. — **12** mai uoaïfs ... aï hadd **bè**të gôh. — **13** ouat do you dou (le deuxième « do » prend le « stress »). — **14** **leu**nîng.

2 Bonsoir, mon nom est D. W. — Je suis S. P.
3 Que faites-vous D. ? — Je suis (un) journaliste.
4 Oh, que c'est intéressant (comment intéressant). Est-ce que vous écrivez pour le « Times » ?
5 Non, je travaille pour (sur) le « Daily Wail » mais j'espère changer bientôt.
6 Et vous (quoi au sujet de vous)? — Oh, je suis (un) auteur.
7 J'écris (*prog.*) un livre sur [les] peintres britanniques.
8 En avons-nous? — Ne soyez pas bête. Bien sûr (nous avons).
9 [des] gens comme Constable, Turner, etc.
10 Mais ça prend (*prog.*) (un) longtemps parce que les renseignements sont (est) difficiles [à] trouver.
11 Puis-je le lire quand c'est terminé? — Avec plaisir.
12 Oh là là! ma femme me regarde (*prog.*). Il vaut mieux (j'avais meilleur) partir.

13 Que faîtes-vous? — Je suis (un) auteur.
14 Que faîtes-vous? (*prog.*) — J'apprends (l')anglais (*prog.*).

(**2**) *Silly :* bête, stupide, n'est pas péjoratif. Le contraire est *sensible* [sènnsibël] : raisonnable.

(**3**) John Constable (1776-1837) : un grand paysagiste.

(**4**) Joseph Turner (1775-1851) : un peintre passionné par la nature. Il s'est fait lier au mât d'un bateau pour pouvoir mieux peindre un orage.

(**5**) *And so on :* et ainsi de suite. On dit également *etcetera.*

(**6**) *Information* est toujours singulier.

EXERCISES

1 Are you **wri**ting a book? — Yes I am. — **2** You had **be**tter ask my wife. — **3** He is **dri**ving his car and **si**nging. — **4** What are you **do**ing? — I'm **do**ing an **ex**ercise. — **5** When he comes, tell him I want to see him.

Fill in the missing words :

1 *Fumez-vous? — Oui...*

Do you smoke? — Yes, . . .

2 *Êtes-vous en train de fumer?*

Are you smoking? — No, ...

3 *Est-elle belle?*

Is she good-looking? — Yes, ...

4 *Aimez-vous Constable?*

Do you like Constable? — No, ...

Twenty-sixth (26th) Lesson

1 — Can you lend me five pounds?
2 — But I don't know you!
3 — That's ex**a**ctly why I'm **a**sking you.

---

4 **Tea***cher*. — Jane, why do you **al**ways come to (**N. 3**) school with **di**rty hands?
5 *Jane.* — Well, miss, I **have**n't got any **o**thers.

PRONUNCIATION :

1 lènnd mï. — **2** **dôh**nt nô. — **3** egz**a**ktlï ... aïm **ah**skïng. — **4** **tî**tchë. djén ... **ôh**louéz ... **deu**tï hannz. — **5** ouèl mïss ... **eu**vëz. —

5 *Est-elle en train de lire le journal?*

Is she reading the paper? — Yes, ...

EXERCICES

1 Écrivez-vous (e. v. écrivant) un livre (en ce moment)? — Oui (je suis). — **2** Il vaut mieux (v. aviez meilleur) demander (à) ma femme. — **3** Il est en train de conduire sa voiture et de chanter (il est conduisant et chantant). — **4** Qu'êtes-vous en train de faire (faisant)? — Je fais un exercice. — **5** Quand il viendra (vient) dites-lui (que) je veux le voir (voir lui).

Corrigé

1 I do. — **2** I am not. — **3** she is. — **4** I do not. — **5** she is.

La progression de notre méthode est graduée de façon à aplanir les difficultés, en ne les introduisant que peu à peu. Ne soyez pas étonné si vous rencontrez une tournure deux ou trois fois avant de trouver l'explication : quand elle viendra, vous serez déjà familier avec la tournure en question. Laissez-nous vous guider, ainsi votre travail se fera sans peine.

Vingt-sixième leçon

1 Pouvez-vous me prêter 5 livres?
2 Mais, je ne vous connais pas!
3 C'est exactement pourquoi je vous (le) demande (*prog.*)

---

4 *Professeur.* — Jeanne, Pourquoi viens-tu toujours à l'école avec [des] mains sales?
5 *Jeanne.* — Eh bien, Mademoiselle je (n'en) ai pas d'autres.

N'oubliez pas :
Il faut prononcer les consonnes énergiquement.

At the concert

6 — This piece is a **sym**phony by **Mo**zart. I suppose it is **some**thing new.
7 — What! Don't you know that **Mo**zart is dead?
8 — Ex**cuse** me, I **ne**ver read the **pa**pers.

---

9 — He **ne**ver talks to me — Don't **e**ver (**1**) say that!
10 Say : he **al**ways talks to **o**ther **peo**ple.

A ner**vous pas**senger

11 — I'm scared of the **wa**ter. — Don't be **sil**ly,
12 **peo**ple **ne**ver drown in these **wa**ters.
13 — Are you sure, young man? — Of course I am,
14 the sharks **ne**ver let **any**body (**2**) drown.

6 pîs ... **sîm**feunï baï **mô**tzaht ... sëp**ôhz** ... niou. — **7** dèdd. — **8** **nè**vë rîd. — **9** **è**vë. — **10** **ô**veu **pî**peul.
neuvëss **pas**sëndjë. — **11** aïm skaird ov de **oua**të ... **sïl**lï. — **12** draoun ... vîz. — **13** shoh, ieung mann. — **14** shahks ... lètt **è**nïbodï draoun.

EXERCISES

1 My son **ne**ver says **thank**you. — **2** I'm not scared of sharks, but I **ne**ver want to meet one. — **3** My **fa**ther lets me use his car at the week**end**. — **4** Let me help you **ma**dam. — **5** Lend me your **hand**kerchief, this film is **ve**ry sad.

Au concert

6 Ce morceau est une symphonie de (par) Mozart. Je suppose [que] c'est quelque chose [de] nouveau.
7 Quoi! Ne savez-vous pas que Mozart est mort?
8 Excusez-moi, je (ne) lis jamais les journaux.

---

9 Il (ne) me parle jamais. — Ne dîtes jamais çà!
10 Dîtes : il parle toujours à [d']autres gens.

Un passager nerveux

11 J'ai peur de l'eau. — Ne soyez pas ridicule,
12 (les) gens (ne se) noient jamais dans ces eaux.
13 Êtes-vous sûr jeune homme? — Bien sûr (je suis),
14 les requins [ne] laissent jamais personne (se) noyer.

NOTES

(**1**) *Never : not ever. He doesn't ever give me money* ou *he never gives me money.*

(**2**) Rappelons que *someone* ou *somebody* sont employés dans une phrase positive; *anyone* ou *anybody* dans une phrase interrogative ou négative. *Body :* corps, cadavre.

EXERCICES

1 Mon fils (ne) dit jamais merci. — **2** Je n'ai pas peur des requins, mais je (ne) veux jamais (en) rencontrer un. — **3** Mon père me laisse (utiliser) sa voiture le week-end. — **4** Permettez-moi de (laissez-moi) vous aider, Madame. — **5** Prête-moi ton mouchoir, ce film est très triste.

Fill in the missing words :

1 *Elles n'arrivent jamais à l'heure.*

They . . . . . arrive . . . . . .

2 *Ne dis jamais ça devant ta mère!*

Don't . . . . say . . . . in front of . . . . mother!

3 *Je suis désolé mais je ne lis jamais les journaux.*

I'm . . . . . but I . . . . the papers.

Twenty-seventh (27th) Lesson

Some idioms

1 Here are some **i**dioms. We al**re**ady know some of them.
2 Please close the **win**dow, my wife is cold
3 You are very **lu**cky to have a **char**ming wife.
4 I don't want to swim. I'm scared of fish (**1**), esp**e**cially sharks.
5 You are right, it's very hot out**side** but I'm not hot.
6 I'm **go**ing to bed. I'm **ve**ry **slee**py and it's late.

PRONUNCIATION:

1 seum ïdieumz ... ohl**rè**ddi nô. — **2** klôhz. — **3** **leu**kï ... **tchah**mïng. — **4** souïm ... fïsh, ësp**èsh**lï. — **5** yor raït ... aout**saïd** ... hòt (n'oubliez pas d'aspirer). — **6** **gô**-ïng tou bèdd ... **slî**pï.

4 *Pouvez-vous me prêter 5 livres? Je n'ai pas d'argent.*

. . . you . . . . me five . . . . . .? I haven't got

. . . .

5 *Je ne peux pas vous laisser la voiture samedi.*

I can't . . . you use the car . . . .

Corrigé

1 never - on time. — **2** ever - that - your. — **3** sorry - never read. — **4** Can. - lend - pounds - any money. — **5** let - on - Saturday.

Vingt-septième leçon

Des idiotismes

1 Voici quelques expressions idiomatiques (idiotismes). Nous [en] connaissons déjà quelques-unes.
2 Fermez la fenêtre s'il vous plaît, ma femme a froid (est froide).
3 Vous avez beaucoup de chance (vous êtes très chanceux) [d']avoir une femme charmante.
4 Je ne veux pas nager. J'ai peur des poissons, surtout [des] requins.
5 Vous avez raison (êtes droit), il fait (est) très chaud dehors mais je n'ai pas (suis pas) chaud.
6 Je vais au lit (*prog.*). J'ai très sommeil (suis très sommeil) et il est tard.

NOTES

(1) Le pluriel de *fish* (poisson) est *fish*. L'on trouve parfois *fishes* ce qui est plus littéraire.

7 You're **wrong**, to**day** is the twenty-fifth and not the twen**ty**-sixth.
8 Come close to the **fi**re, you're **ve**ry cold.
9 You're right, I'm **freez**ing (**2**). I **have**n't got a coat and it's **snow**ing.
10 She's scared of **gho**sts and I'm a**fraid** of the dark.
11 I'm a**fraid** (**3**) I can't come, I have an im**por**tant ap**poin**tment.
12 **Ne**ver mind (**4**). You can come on **Fri**day in**stead**.
13 The months of the **year** are: **Jan**uary (**5**) **Feb**ruary; March; **A**pril; May; June;
14 Ju**ly**; **Au**gust; Sep**tem**ber; Oc**to**ber; No**vem**ber; De**cem**ber.

7 yor **ronng** ... toue**nn**tï fïf ... toue**nn**tï-sïksf. — **8** klôhs ... **fa**ïeu. — **9** **frî**zïng ... kôht ... **snô**hïng. — **10** skèrd ... **gôh**sts ... ë**fréd** ... dâhk. — **11** ë**poïn**tmënt. — **12** **nè**vë maïnd ... ïn**stèd**. — **13** meunfs ... **yï**eu ... **djan**iouèrï; **fèb**iouèrï; mâhtch; **é**prîl; mé; djoun. — **14** djou**laï**; **oh**gëust; sep**tèm**bë; ok**tôh**bë; noh**vèm**bë; dï**sèm**bë.

EXERCISES

1 I'm not too hot, **thank**you. — **2** Go to bed, you're **ve**ry sleepy. — No, I'm not. — **3** In De**cem**ber, the **weath**er is **o**ften **free**zing. — **4** I can't **hear** you. — **Ne**ver mind, it's not im**por**tant. — **5** The shop is close to the farm, but it **clo**ses at five o'clock ex**act**ly.

7 Vous avez tort (êtes faux), aujourd'hui c'est le 25 et pas le 26.
8 Venez près du feu, vous avez (êtes) très froid.
9 En effet (vous êtes droit), je gèle. Je n'ai pas de (un) manteau et il neige (*prog.*).
10 Elle a peur des fantômes et je suis effrayé par [l]'obscurité.
11 Je regrette (je crains) [mais] je ne peux pas venir, j'ai un rendez-vous important.
12 Cela ne fait rien. Vous pouvez venir (sur) vendredi à la place.
13 Les mois de l'année sont : janvier; février; mars; avril; mai; juin;
14 juillet; août; septembre; octobre; novembre; décembre.

NOTES (continued)

(**2**) *To freeze :* geler; *a freezer :* congélateur. *I'm freezing* est familier pour *I'm cold.*

(**3**) *To be afraid :* être effrayé, mais aussi regretter dans le sens « j'ai bien peur ». *I'm afraid he's dead:* j'ai bien peur (qu')il soit mort.

(**4**) Du verbe *to mind* [voir leçon 24 (**2**)], qui veut dire être gêné par; le contraire : ne vous tracassez pas, ça ne fait rien.

(**5**) Les mois, les jours de la semaine et les noms de pays (nationalité et langue) prennent toujours une majuscule.

EXERCICES

1 Je n'ai (suis) pas trop chaud, merci. — **2** Va te coucher (au lit) tu as (est) très sommeil. — Non (je n'ai pas sommeil). — **3** En décembre, il gèle (le temps est gelant) souvent. — **4** Je ne vous entends pas (peux pas). — Ça ne fait rien. Ce n'est pas important. — **5** Le magasin est près de la ferme, mais il ferme à 5 heures pile.

Translate:

1 *Tu as toujours tort.*

You . . . always . . . . .

2 *L'enfant n'a pas sommeil.*

The child . . . .

3 *Je regrette mais je ne peux venir.*

I'm . . . . . . I . . . .

4 *Nous avons peur du noir.*

We . . . . of the . . . .

Twenty-eighth (28th) Lesson

REVISIONS AND NOTES

Notes à relire. — 21ᵉ leçon : (2), (3) - **24ᵉ** : (2), (3) - **25ᵉ** : (1), (6) - **26ᵉ** : (2) - **27ᵉ** : (3), (4), (5).

1 Après *can, may,* l'infinitif perd la particule *to. I can go, you may talk. Can* et *may* ne prennent pas de « s » à la 3ᵉ personne du singulier : *he can, she may.*

2 Retenez bien les expressions très courantes qui utilisent « être » au lieu d'« avoir » ! Nous avons déjà vu *I'm hot* (j'ai chaud); *she's cold* (elle a froid); *you're lucky* (vous avez de la chance); *to be right* (avoir raison); *to be wrong* (avoir tort). En voici d'autres :

he's hungry [heungri] : il a faim;
we're thirsty [feusti] : nous avons soif;
I'm sleepy [slîpi] : j'ai sommeil.

5 *Ça ne fait rien. Venez demain.*

. . . . Come tomorrow

6 *Tu sais, il a raison*

You know, ...

Corrigé

1 are - wrong. — **2** is not sleepy. — **3** afraid - can't come. — **4** are scared (*ou* afraid) - dark. — **5** Never mind. — **6** he is right.

Vingt-huitième leçon

3 From ... to. — « de », quand il indique la provenance, l'origine, est *from* et non *of.* La porte de ma chambre : *the door of my room,* mais, je viens de ma chambre : *I come from my room.*

WHEN A MAN HAS MUCH MONEY,
HE HAS MANY FRIENDS.

Comme nous l'avons vu « à » se dit *to* et non *at* quand il y a l'idée de mouvement, évolution ou changement. Il est à la poste : *he's at the post-office.* Il va à la poste : *he goes to the post-office.*

Il est important de retenir la postposition avec le verbe, car, plus tard, nous allons voir comment, en changeant de postposition, nous pouvons changer le sens du verbe (en français, c'est le préfixe : tenir, retenir, détenir).

4 Much ... many. — *When a man has* **much** *money, he has* **many** *friends.*

Twenty ninth (29th) Lesson

1 Let's (**1**) meet our friends the **Wi**lsons (**2**) a**gain**.

2 At the **o**ffice, **Da**vid has a lot (**3**) of work.

3 He re**cei**ves calls from **pe**ople who phone to **o**ffer him infor**ma**tion.

4 If he can, he goes **out** to see them,

5 but if he is too **bu**sy (**4**), he sends a **co**llea-gue.

6 Be**cause** his is a **dai**ly **pa**per, the a**mount** (**5**) of work is huge.

PRONUNCIATION :

1 lèts mît ... frèndz ... ë**gèn**. — 3 rësivz kohlz ... hou fôhn. — 4 gohz**aut** ... sî. — 5 **bï**zzî ... **koh**lîg. — 6 hîzïz ... **dé**lï ... ë**maount** ... hioudj.

5 The. — *I like wine but not the wine he gives me :* j'aime le vin (en général) mais pas le vin (particulier) (qu')il me donne.

6 Retenez : *Never mind :* ne vous tracassez pas. *I'm freezing :* je gèle. *I'm afraid I'm late : je crains d'être (que je suis) en retard.* Vous avez raison : *you're right. Do you mind if I smoke? :* Cela vous ennuie que (si) je fume? *I haven't got a coat :* je n'ai pas de (un) manteau.

Vingt-neuvième leçon

1 Retrouvons (rencontrons) nos amis les Wilson (à nouveau).
2 Au bureau, D. a beaucoup (un lot de) travail.
3 Il reçoit des appels de gens qui téléphonent pour lui offrir [des] renseignement(s).
4 S'il peut, il sort les voir,
5 mais s'il est trop occupé, il envoie un collègue.
6 Parce que son journal (le sien) est un journal quotidien, la quantité (montant) de travail est énorme.

NOTES

(**1**) Première personne du pluriel à l'impératif, *let us* (laissons-nous), devient *let's* (on connaît en français *let's go!*).

(**2**) Les noms de famille se mettent au pluriel, comme si nous disions « les Duponts ».

(**3**) Expression très utile qui remplace *much* ou *many* (le verbe cependant change selon que c'est pluriel ou singulier) :
There's a lot of noise *There are a lot of people.*
A lot : beaucoup.

(**4**) *Busy* (**b**izî) : occupé; *business* (biznëss) : occupation, les affaires; *businessman :* un homme d'affaires.

(**5**) *Amount :* total, montant; ici : la quantité.

7 At her **o**ffice, Joan types her **bo**ss's (6) **le**tters and **a**nswers the phone.

8 She only works **par**t-time, so she goes home (7) at half past twelve.

9 Then she does the house**work**, be**cause** they **can**not a**fford** (9) a "help".

10 When she **fi**nishes, she makes a cup of tea and reads a maga**zine.**

11 Then she starts pre**pa**ring **Da**vid's **din**ner.

12 David **u**sually ar**rives** home **about** half-past six,

13 but **some**times he works late and does not ar**rive** home unt**il** (**N. 1**) nine o'clock.

7 djôhn taïps ... **bo**ssïz ... **ahn**seuz. — 8 **paht**-taïm ... hâf. — 9 haus-**oueuk** ... ë**ffôhd.** — 10 magë**zîn.** — 11 stahts ... **dé**vïdz **dï**në. — 12 **iou**zhëlï. — 13 eun**tïl.**

EXERCISES

1 Our **neigh**bours have a huge dog. — 2 If you are too **bu**sy, I can come back to**mor**row. — 3 **Da**vid's wife, Joan, is a **sec**retary. — 4 We can't a**fford** a new car this **year.** — 5 She **fin**ishes her work and starts **rea**ding a maga**zine.**

7 A son bureau, J. tape les lettres de son patron et répond au (le) téléphone.
8 Elle travaille seulement [à] mi-temps, donc elle rentre chez elle à 12 h 30.
9 Puis elle fait le ménage, parce qu'ils ne peuvent pas se payer une femme de ménage (une aide).
10 Quand elle termine, elle fait une tasse de thé et lit un magazine.
11 Puis elle commence [à] préparer (préparant) le dîner de D.
12 D. arrive chez lui d'habitude [à] environ 6 h 30.
13 mais quelques fois il travaille tard et n'arrive pas chez lui avant (jusqu'à) 9 heures.

NOTES (continued)

(6) **En ajoutant « 's » à un nom on indique la possession.** *David's wife* est comme « David sa femme », c'est-à-dire la femme de David. Chaque fois que le possesseur est un être animé, on emploie cet « 's » au lieu de *of the.* Le livre de ma sœur : *my sister's book* (ma sœur son livre); une vie de chien : *a dog's life* (un chien de vie); le fils de son patron : *his boss's son.*
Mais quand du, de la, des, se rapporte à un objet inanimé, ils se disent *of the.* La première page du livre : *the first page of the book;* la fin du mois : *the end of the month.*

(7) Pas de postposition avec cette expression : *to go home.*

(8) *To afford :* se permettre, avoir les moyens de... *We can't afford a new car :* nous ne pouvons nous permettre une nouvelle voiture.

EXERCICES

1 Nos voisins ont un chien énorme. — **2** Si vous êtes trop occupé, je peux revenir demain. — **3** La femme de David, Joan, est (une) secrétaire. — **4** Nous ne pouvons nous permettre une nouvelle voiture cette année. — **5** Elle termine son travail et commence à lire (lisant) une revue.

Fill in the missing words:

1 *La mère de David s'appelle également Mme Wilson.*

. . . . mother is . . . . . . Mrs Wilson . . .

2 *Je prends la voiture d'un ami aujourd'hui : la mienne ne marche pas.*

I'm taking a . . . . car today: mine . . . .

3 *Il travaille jusqu'à neuf heures le vendredi.*

He works . . . . . nine o'clock . . . .

Thirtieth (30th) **Lesson**

1 — Hel**lo**, Joan, is **Da**vid in?
2 — No I'm a**fraid** not. He **is**n't home yet.
3 — Is he still **wor**king?
4 — Yes; **Some**times he works un**til** nine.
5 — Oh well, I can't wait.
6 Tell him there's a darts match at the pub (**1**) to**night**.
7 — What time? — **About** half-past eight.
8 — If he's back in **time** (**2**), **I'll** (**3**) tell him.
9 — Thanks. Bye Joan. — Good**bye** Pete.

PRONUNCIATION:

1 ïz **dé**vidïn. — **2** ëf**réd** ... iètt. — **3** stïll (le i très bref). — **4** eun**tïl**. — **6** ë dâhts match ... peub të**naït**. — **8** in **taïm**. — **9** pït.

4 *Le travail de Joan n'est pas très intéressant*

. . . . . . job . . . .

5 *Ils ne peuvent pas se permettre une femme de ménage.*

They . . . . a 'help'.

Corrigé

1 David's - called - too. — **2** friend's - does not work. — **3** until - on Friday. — **4** Joan's - is not very interesting. — **5** cannot afford.

Trentième leçon

1 Bonjour J. Est-ce que D. est là (dans)?
2 Non, je regrette, il n'est pas encore [à la] maison.
3 Est-ce qu'il travaille (*prog.*) encore?
4 Oui, quelquefois il travaille jusqu'à 9 heures.
5 Eh bien, je ne peux pas attendre.
6 Dîtes-lui [qu]'il y a un match [de] fléchettes au pub ce soir (cette nuit).
7 [A] quelle heure? — Environ 8 h 30.
8 S'il est de retour à temps, je [le] lui dirai.
9 Merci. Salut Joan. — Au revoir Pete.

NOTES

(**1**) *Pub* est la contraction de *public house* et équivaut au « bistrot » français. Ils n'ouvrent pas l'après-midi et ferment à environ 23 heures. C'est dur la vie...
(**2**) *On time* (sur temps) : à l'heure; *in time* (dans le temps) : à temps.
(**3**) Contraction du futur *will*. S'ajoute à toutes les personnes. Le « s » disparaît à la troisième personne du singulier du verbe.

10 **Hu**rry up! I'm not **re**ady yet.
11 Are you still **wai**ting to **ma**rry a million**aire**?
12 He **al**ways asks for **mo**ney and I **ne**ver have any.
13 I can still re**mem**ber (**4**) a few words of **Ger**man.
14 Tell him **about** the match when (**5**) he comes in.

10 **rè**ddï iètt. — **11** **ma**rrï ... million**air**. — **13** ri**mèm**bë ... fiou oueudz ... **djeu**mën.

EXERCISES

1 Is your **hus**band in, Mrs **Wil**son? — **2** She is still **wai**ting for you at the **sta**tion. — **3** He is **al**ways back at nine o'clock. — **4** When he comes in he is **o**ften tired. — **5** Walk to the end of the road and turn left.

Fill in the missing words :

1 *Il est toujours très occupé et n'a jamais de temps de libre.*

He is . . . . . . very . . . . and never has . . . free time.

2 *Vous ne pouvez pas entrer, Monsieur, il est toujours en ligne.*

You can't . . . . sir, he is . . . . the phone.

3 *Elle n'est pas encore de retour.*

She isn't . . . .

4 *Quand il reviendra je lui demanderai.*

When he . . . . I will ask him.

10 Dépêchez-vous! Je ne suis pas encore prêt.
11 Attendez-vous toujours [d']épouser un millionnaire?
12 Il demande toujours de (pour) l'argent et je [n']en ai jamais.
13 Je [me] rappelle (peux rappeller) encore quelques mots d'allemand.
14 Dites-lui au sujet du match quand il rentrera (entre).

NOTES (continued)

(4) *To remember:* se rappeller (sans postposition). *To remind :* rappeller à quelqu'un.

(5) On n'emploie le futur après *when* que quand il s'agit d'une question.

5 *Madame n'est pas encore prête. Vous pouvez l'attendre ici.*

Madam is not . . . . You can . . . . her here.

EXERCICES

1 Est-ce que votre mari est là (dans) Madame Wilson? — **2** Elle vous attend toujours à la gare. — **3** Il est toujours de retour à 9 h. — **4** Quand il arrive (vient dans) il est souvent fatigué. — **5** Marchez jusqu'au bout de la rue et tournez à gauche.

Corrigé

1 always - busy - any. — **2** go in - still on. — **3** back yet. — **4** comes back (in). — **5** ready yet - wait for.

Thirty-first (31st) Lesson

Eating

1 **Some**times, **Da**vid and Joan go out to eat.
2 There are **ve**ry few (1) **En**glish **res**taurants where they live (**N. 3**).
3 Most of them (2) are **ei**ther **In**dian or Chi**nese**, with a few **Ita**lian ones.
4 They like **In**dian food, though Joan finds it very hot.
5 The **meals** are quite cheap and there is a lot to eat.
6 They eat **cur**ry (3) and rice and fruit (4) — and Joan drinks a lot of **wa**ter.
7 You can find **En**glish food in pubs, as **well** as **beer**, but they shut quite **ear**ly.

8 — Hel**lo dar**ling. — Hel**lo** love (5).
9 Do you want to go out to a **res**taurant to**night**?

PRONUNCIATION :

2 ïnglïsh **rès**trohnts ... lïv (le i très bref n'est-ce-pas?). — 3 **aï**veu ïndiën ... tchaï**nîz** ... — 4 foud, vôh ... faïndz — 5 kuoaït tchîp. — 6 **keu**rï ... raïs ... frout. — 7 azou**è**laz **bî**eu ... sheut ... **eu**lï. — 8 **dah**lïng ... leuv.

NOTES

(1) *Few :* peu; *there are few people :* il y a peu de gens. *A few :* quelques, pas beaucoup; *there are a few apples :* il y a quelques pommes. Au singulier, on dit *little* (sans article indéfini). Il y a un peu de temps : *there is little time.*

Trente et unième leçon

Manger (mangeant)

1 Quelques fois D. et J. sortent [pour] manger.
2 Il y a très peu [de] restaurants anglais où ils habitent.
3 La plupart d'entre eux sont ou indiens ou chinois, avec quelques italiens (uns).
4 Ils aiment [la] nourriture indienne, bien que J. la trouve très forte (chaude).
5 Les repas sont assez bon marché et il y a beaucoup [à] manger.
6 Ils mangent [du] curry, (et) [du] riz et [des] fruits — et J. boit beaucoup d'eau.
7 Vous pouvez trouver [de la] nourriture anglaise dans [les] pubs, aussi bien que [de la] bière, mais ils ferment assez tôt.

8 Bonjour chéri. — Bonjour [mon] amour.
9 Veux-tu (sortir) aller au (à un) restaurant ce soir?

I LIKE HIM, THOUGH HE MAKES A LOT OF NOISE

NOTES (continued)

(2) *Most :* la plupart; *most of them :* la plupart d'entre eux.

(3) Le *curry* (ou *carri*) est le plat national indien : un ragoût fait avec une quinzaine d'épices (le mot vient du *Tamil :* sauce). Les restaurants indiens d'Angleterre équivalent aux restaurants chinois de Paris.

(4) *Fruit* [frout], comme « information », est toujours singulier.

(5) N'ayant pas de tutoiement, les Anglais se servent beaucoup plus des petits noms affectueux tels *darling, love, duck* (canard!).

10 — No. I've cooked a roast. We're **go**ing (**6**) to eat in.
11 — **Okay, I**'ll go and buy (**7**) some **wine** at the **off**-licence (**8**).
12 — Yes, but don't stop to play darts.
13 — No. The darts match (**N. 4**) was last night.

10 koukt ... rôhst. — **11** seum **ouaïn** ... **off**laïsënts. — **13** ouoz lahst.

EXERCISES

1 You can take **ei**ther the steak or the fish. — **2** There are many **tou**rists in **Lon**don. Most of them are **Ger**man. — **3** I like him, though he makes a lot of noise. — **4** **Yes**terday was **Wed**nesday. — **5** I'll go and buy some **cho**colate.

Fill in the missing words :

1 *Bien qu'il soit tard, j'ai envie de sortir.*

. . . . . . it is late, I . . . . to go out.

2 *Il y a très peu de restaurants chinois dans ma ville.*

There . . . very . . . Chinese restaurants in my . . . .

3 *On peut trouver de la nourriture aussi bien que des boissons.*

. . . can find food . . . . drinks.

10 Non, j'ai fait (cuisiné) un rôti. Nous allons manger à la maison (dans).
11 D'accord, j'irai acheter du vin à l'off-licence.
12 Oui, mais ne [t']arrête pas pour jouer [aux] fléchettes.
13 Non, le match [de] fléchettes était hier soir (dernière nuit).

NOTES (continued)

(**6**) Ici le présent progressif a l'idée du futur immédiat : *We're going to London tomorrow* (nous allons à Londres demain).

(**7**) Notez la formule pour traduire deux infinitifs : il veut venir voir : *he wants to come* **and** *see* (la répétition de *to* serait maladroite).

(**8**) *Off-licence :* licence (un permis). *Driving-licence :* permis de conduire. L'*off-licence* est la partie du pub ou l'on achète de la boisson à emporter.

---

4 *Mon mari boit beaucoup de bière, peut-être trop.*

My . . . . drinks a . . . . . beer, perhaps . . . .

5 *Il y a beaucoup de restaurants et la plupart sont chinois.*

There are . . . . restaurants and . . . . are . . . .

EXERCICES

1 Vous pouvez prendre ou le steak ou le poisson. — **2** Il y a beaucoup de touristes à (dans) Londres. La plupart (d'eux) sont (des) Allemands. — **3** Je l'aime, bien qu'il fasse (fait) beaucoup de bruit. — **4** On était mercredi hier (hier était m.). — **5** J'irai acheter (et ach.) du chocolat.

Corrigé

1 Though - want. — **2** are - few - town. — **3** you - as well as. — **4** husband - lot of - too much. — **5** many - most of them - Chinese.

Thirty-second (32nd) **Lesson**

1 Here are some **sen**tences with the verbs of the last few **les**sons:
2 Joan types (**1**) **let**ters all **mor**ning.
3 **Da**vid re**ceives** a call from a friend.
4 Joan cooks (**2**) at home if she is not too **ti**red.
5 — Is your **hus**band still **wor**king?
6 — Yes, he is not home yet.
7 Wait for him, he's ext**reme**ly **bu**sy.
8 The phone (**3**) is **ring**ing. **A**nswer it, please.
9 His wife works **full**-time,
10 but he only works **part**-time.
11. I can't af**ford** a new car. **They**'re too ex**pen**sive.
12 — Let's go out to a **res**taurant to**night**.
13 — No thanks, I'm not **hun**gry,
14 but I **am** (**4**) **thir**sty: let's go to the pub.

PRONUNCIATION

1 **sèn**teunsëz ... lâhst. — 2 taïps ... **moh**ning. — 3 rësîvz ... frènnd. — 4 kouks ... **taï**eud. — 7 ekstrîmlï **bï**zî. — 8 **ahn**seu. — 9 **foul**-taïm. — 11 ë**fohd** ... eks**pèn**sïf. — 12 **rès**trohnt. — 13 **heun**grï. — 14 (remarquez le stress sur **am**) **feus**tï.

Trente-deuxième leçon

1 Voici quelques phrases avec les verbes des dernières (quelques) leçons.
2 J. tape [des] lettres toute [la] matinée.
3 D. reçoit un appel d'un ami.
4 J. fait la cuisine (cuit) à (la) maison si elle n'est pas trop fatiguée.
5 Est-ce que votre mari travaille (*prog.*) encore?
6 Oui, il n'est pas encore à la maison.
7 Attendez-le (pour lui), il est extrêmement occupé.
8 Le téléphone sonne (*prog.*). Répondez (le) s'il vous plaît.
9 Sa femme travaille [à] plein temps,
10 mais il ne travaille qu'[à] mi-temps.
11 Je ne peux pas [me] payer une nouvelle voiture. Elles sont trop chères.
12 Allons (sortons) au (à un) restaurant ce soir.
13 Non, merci, je n'ai pas (ne suis pas) faim,
14 mais j'ai soif; allons au pub.

NOTES

(1) *To type:* taper à la machine; *a typewriter* [taïpraïtë] : une machine à écrire; *a typist:* une dactylo.

(2) *To cook:* faire la cuisine; *a cook:* un cuisinier; *a cooker:* une cuisinière (appareil).

(3) *Phone* est la contraction de *telephone.* C'est aussi le verbe téléphoner.

(4) Ecoutez votre cassette ou disque : en appuyant sur *am*, on obtient le sens de : « Mais par contre, j'ai soif ».

Apprenez cette leçon de révision avec un soin particulier, et n'oubliez pas de faire de renvois si vous y trouvez des difficultés.

EXERCISES

1 They **ne**ver eat in a **res**taurant. — 2 His wife's **cook**ing is **ex**cellent. — 3 He is still **wai**ting for a call from his boss. — 4 We had **bet**ter buy a new car, the old one **does**n't work. — 5 **Lear**ning **En**glish is only a **part**-time job.

Fill in the missing words:

1 *Son mari a toujours faim et il mange toujours au restaurant.*

. . . husband . . always . . . . . . and he

. . . . . . eats in a restaurant.

2 *Je vais boire une bière, bien que je n'aie pas soif.*

I'm . . . . . to drink a beer . . . . . . I'm . . .

. . . .

3 *Allons voir David, s'il est chez lui.*

. . . . . go . . . see David, if he's . .

Thirty-third (33rd) Lesson

1 Mr **Mar**sden is **Da**vid's boss. He is the **ed**itor (1) of the **news**paper for which (2) **Da**vid works.

PRONUNCIATION

1 **mah**zdën ... **èdd**ïtë ... foh ouïtch.

4 *Il a toujours beaucoup à faire en février.*

He . . . . . . has a . . . . . . do . . . .

5 *En 1987; en avril; une réunion le 28.*

. . nineteen . . . .; . . April; a meeting . . the . . . .

EXERCICES

1 Ils [ne] mangent jamais dans un restaurant. — **2** La cuisine de sa femme est excellente. — **3** Il attend toujours un appel de son patron. — **4** Nous ferions mieux (avions meilleur) (d')acheter une nouvelle voiture, la vieille (une) ne marche pas. — **5** Apprendre (apprenant) l'anglais n'est qu'un travail à temps partiel.

Corrigé

1. Her - is - hungry - always. — **2.** going - though - not thirsty. — **3** Let's - and - in. — **4** always - lot to - in February. — **5** In - eighty-seven - in - on - twenty eighth.

Trente-troisième leçon

1 M. Marsden est le patron de D. Il est le rédacteur en chef du journal pour [le]quel travaille David.

NOTES

(1) *Editor* est un « faux ami » (un mot qui ressemble à son équivalent français mais qui a une autre signification); editor: *rédacteur en chef; publisher:* éditeur.

(2) Notez la prononciation de *which:* ouitch.

2 There are **ma**ny responsi**bi**lities in his job, but he en**joys** (**3**) it very much.

3 In his wife's o**pin**ion, there are too many responsi**bi**lities; she **ne**ver sees him!

4 She pre**fers** her son's job. He is a **bank** clerk and is home every day at six.

5 His job is not as well **paid** as his **fa**ther's (**4**), but he works less.

6 and the **ho**lidays are **be**tter.

7 In **En**gland, twice (**5**) a year, there is a day's (**6**) **ho**liday called a "Bank **Ho**liday".

8 — **I'll** be home late to**night**, **dear**. — Why?

9 — I've got a new **ar**ticle a**bout** tax**a**tion to pre**pare**.

10 — But you **al**ways go to the **of**fice **ear**ly and come home late!

11 — I can't **help** it. An **ed**itor's life, you know...

12 — And his wife's life...!

13 — **I'll** see you to**night**, love, Good**bye**.

2 rïspohnsë**bï**lïtîz ... djohb ... enndj**oïz**. — **3** ouaïfs ë**pï**nieun ... sîz. — **4** seunz ... **bàhnk** klahk. — **5** azouèl **péd**. — **7** **ïn**gleund, touais. — **9** **ah**tïkël ... tak**sé**shëun ... prîp**air**. — **11** aï kahnt **hel**lpït ... **èdd**ïtëz laïf.

2 Il y a beaucoup de responsabilités dans son travail, mais il l'aime beaucoup.
3 Dans l'opinion de sa femme (sa femme son opinion), il a trop de responsabilités; elle [ne] le voit jamais!
4 Elle préfère le travail de son fils (son fils son travail). Il est (un) employé de banque et il est chez lui tous les jours à 6 heures.
5 Son travail n'est pas aussi bien payé que celui de son père, mais il travaille moins
6 et les vacances sont meilleures.
7 En Angleterre, deux fois par (un) an, il y a une journée de vacances appellée (un) « Congé de Banque ».

8 Je serai à la maison tard ce soir, [ma] chère. — Pourquoi?
9 J'ai un nouvel article au sujet de la taxation à préparer.
10 Mais tu vas toujours au bureau tôt et tu reviens toujours tard à la maison!
11 Je n'y peux rien (peux pas l'aider). La vie d'un rédacteur, tu sais...
12 Et la vie de sa femme...!
13 Je te verrai ce soir mon amour, au revoir.

NOTES (continued)

(3) *To enjoy* (du vieux français « enjoier ») : trouver bon, trouver du plaisir à...; *he enjoys his work:* il aime son travail (il y trouve du plaisir).

(4) Sous-entendre *his father's job.* Nous avons déjà vu cette réticence, en anglais, à répéter un mot deux fois dans la même construction.

(5) *Once* (oueuns) : une fois; *twice:* deux fois; *three times:* trois fois, etc.

(6) Le possessif (*'s*) s'emploie avec les mots exprimant une durée de temps aussi bien qu'avec les noms d'êtres animés. Une année de travail : *a year's work;* une journée de congé : *a day's holiday;* une marche de 5 heures : *a five hour's walk.*

EXERCISES

1 He works less than his **fa**ther but is paid more. — 2 Her job is **be**tter than mine. — 3 Read the **ex**ercise twice and say it **aloud**. — 4 The **pa**per for which he works is called the "Star". — 5 His wife's o**pin**ion of him is not very good.

Fill in the missing words:

1 *La vie de cet homme est passionnante. Il est explorateur.*

That . . . . . life is fascinating. He's . . explorer.

2 *Deux fois par an, nous allons à Londres pour voir ma mère.*

. . . . . . year, we go . . London . . . .

mother.

3 *La société pour laquelle il travaille est établie à Douvres.*

The company . . . . he works is based . .

Dover.

Thirty-fourth (34th) Lesson

1 **We**'ll see you to**mo**rrow night at half-past **se**ven.

2 I've got **no**thing to do — and it makes me **ti**red.

3 Her **hus**band drinks too much — or that is her o**pin**ion.

4 *Son travail n'est pas aussi bien payé que le mien.*

His . . . is . . . . paid as . . . .

5 *Je serai de retour tard ce soir.*

. . . . be back . . . . this evening.

EXERCICES

1 Il travaille moins que son père mais [il] est payé plus. — **2** Son travail est meilleur que le mien. — **3** Lisez l'exercice deux fois et dites-le à haute voix. — **4** Le journal pour lequel il travaille s'appelle le « Star » (étoile). — **5** L'opinion de sa femme sur (de) lui n'est pas très bonne.

Corrigé

1 man's - an. — **2** Twice a - to - to see my. — **3** for which - in. — **4** job - not as well - mine. — **5** I'll - late.

A partir de maintenant, nous « allègerons » les crochets et parenthèses, les réservant aux cas très particuliers, vous devez être habitués aux tournures anglaises les plus courantes (cas possessif, etc.).

Trente-quatrième leçon

1 Nous vous verrons demain soir à 7 h 30.
2 Je n'ai rien à faire — et ça me fatigue (me fait fatigué).
3 Son mari boit trop — ou c'est son opinion.

PRONUNCIATION

1 **ouîl** sî (les i sont de même longueur). — **3** **heuz**bënd ... tou. —

4 His wife's **spen**ding **wor**ries him.
5 **You**'ll meet his son next week. He's **co**ming (**1**) to **vi**sit us.
6 His son's **re**cord-**pla**yer is much too **noi**sy.
7 My **daugh**ter **al**ways com**plains** that I work too much.
8 The man for whom (**2**) I work is **ve**ry mean. He **does**n't pay me e**nough**.
9 Please ex**cuse** me, it is not my fault.
10 I don't want to go home. May I come with you?
11 **Is** it **far** to the tube **sta**tion? — No, **about** five **min**utes' walk.
12 What is the **max**imum **pen**alty for **bi**gamy?
13 Two **mo**thers-in-law.

4 **ouèu**rïz. — 5 **ioul** ... **vï**zït; — 6 **rè**kohd-**plé**-eu ... **noï**zï. — 7 **dôh**teu ... këmp**lénz**. — 8 houm ... mîn ... ë**neuf**. — 9 fohlt. — 11 **ï**zït **fâh**. — 12 **màk**sïmeum **pè**naltï ... **bï**gëumï. — 13 **meu**vëz-ïn-lôh.

THE MAXIMUM PENALTY FOR BIGAMY IS TWO MOTHERS-IN-LAW.

EXERCISES

1 When he phones, **I**'ll tell him you are **here**. — 2 The man to whom she gives the **mo**ney is her **bro**ther. — 3 I live in **Ha**rrow, is it far? — No, ten **min**utes' walk. — 4 Don't **wo**rry, I'm sure **he**'ll come. — 5 My **mo**ther-in-law is **co**ming next **Tues**day.

4 Les dépenses de sa femme l'inquiètent.
5 Vous rencontrerez son fils la semaine prochaine. Il vient nous rendre visite.
6 Le tourne-disque de son fils est beaucoup trop bruyant.
7 Ma fille se plaint toujours que je travaille trop.
8 L'homme pour qui je travaille est très avare. Il ne me paie pas assez.
9 Veuillez m'excuser, ce n'est pas ma faute.
10 Je ne veux pas aller à la maison. Puis-je venir avec vous?
11 Est-ce que la station de métro est loin (est-il loin à) — Non, environ 5 minutes à pied (une marche de 5 minutes).
12 Quelle est la peine maximale pour bigamie?
13 Deux belles-mères.

NOTES

(1) *He is coming:* le présent progressif, avec l'idée du futur proche ou certain (voir en français : il vient la semaine prochaine **mais** il viendra s'il n'y a pas de grève).

(2) *For which* [leçon 33, n° (**2**)] : *pour lequel; for whom* (houm) : pour qui.

EXERCICES

1 Quand il téléphonera (téléphone) je lui dirai [que] vous êtes ici. — **2** L'homme auquel elle donne l'argent est son frère. — **3** J'habite (dans) Harrow, est-ce loin? — Non, dix minutes à pied (une marche de 10 m). — **4** Ne vous inquiétez pas, je suis sûr qu'il viendra. — **5** Ma belle-mère vient mardi prochain.

Fill in the missing words:

1 *C'est un voyage de deux heures en voiture.*

It is a . . . . drive . . car.

2 *La femme à qui elle parle ne l'écoute pas.*

The woman to . . . . she . . talking is not . . . . to . . .

3 *Je suis beaucoup trop occupé pour le voir.*

I . . . . to see . . .

Thirty-fifth (35th) Lesson

REVISIONS AND NOTES

Notes à relire. — **29e** leçon : (2), (5) - **30e** : (5) - **31e** : (1), (2), (7) - **33e** : (5), (6) - **34e** : (2), (3).

1 Until. — En parlant de **temps,** « jusqu'à » se traduit par *until* (ou *till*). Il travaille jusqu'à 9 heures : *He works until nine o'clock.* En parlant de distance, on dit *to.* Allez jusqu'au bout de la rue : *to go to the end of the road.*

2 On. — Le mot français n'a pas de traduction exacte. On le « personnalise » en le traduisant par *we, you, they;* ou, au sens général, *people;* ou, si ce n'est pas possible, on utilise la forme passive.

3 Expressions de quantité. — Elles changent si ce que l'on décrit est singulier ou pluriel.

4 *La personne pour qui elle travaille est le rédacteur en chef.*

The person ... . she works .. ...

......

5 *Veuillez m'excuser, je suis extrêmement fatiguée.*

.... me. I'm ....

.....

Corrigé

1 two hours' - by. — **2** whom - is - listening - her. — **3** am much too busy - him. — **4** for whom - is the editor. — **5** Please excuse — extremely tired.

Trente-cinquième leçon

Nous avons déjà vu : *much* et *many* (et leur remplaçant : *a lot of*).

Nous avons aussi *little* (peu) devant un nom singulier, et *few* devant un nom pluriel. *He has little money and few friends* (il a peu d'argent et peu d'amis). En mettant l'article indéfini devant ces mots, on obtient *a little* (un peu) : *I speak a little German* (je parle un peu l'allemand); et *few* (quelques) : *I know a few words of Spanish* (je connais quelques mots d'espagnol).

4 Les noms composés. — Nous avons vu déjà le génie de l'anglais : sa simplicité. Lorsque nous avons une locution, telle « match de fléchettes », le second mot est vraiment un adjectif (quelle sorte de match?). Alors, comme tous les adjectifs, on le met devant son nom : *darts-match*.

Ainsi *tooth-brush :* brosse à dents; *lorry-driver :* chauffeur de camion, etc.

Attention!!! Entre *a whisky bottle* (une bouteille à whisky) et *a bottle of whisky* (une bouteille de whisky), la différence pourrait être pénible.

5 Expressions à noter :

This restaurant is quite cheap: ce restaurant est assez bon marché.

Thirty-sixth (36th) Lesson

1 **Da**vid and Joan are **go**ing to the **Ma**rsden's for **di**nner.
2 They **arrive** at **se**ven **thir**ty and Mr **Ma**rsden **o**pens the door and in**vites** them in.
3 — Come (**N. 1**) into the **si**tting-room and sit down. What will (**1**) you have to drink?

PRONUNCIATION :

1 **mah**zdën. — **2 oh**pënz ... ïn**vaïts.** — **3** ouatouïlyou hav.

Go and buy some wine, please: allez acheter du vin s.v.p.
His job is better paid then his son's: son travail est mieux payé que celui de son fils.
The phone is ringing, answer it please: le téléphone sonne, répondez-y s.v.p.
The postman [pôstmën] *comes twice a day:* le facteur vient deux fois par jour.
Have some fruit: prenez des fruits.

Au bout de ces trente-cinq leçons, êtes-vous content de votre travail? Vos connaissances sont, sans doute, hésitantes et vagues par endroits; mais, tout en vous donnant chaque jour du nouveau, nous reviendrons constamment sur ce que vous avez déjà vu (surtout lors de la **deuxième vague,** *quand les exercices reprendront à la fois le nouveau de la journée et les points essentiels de la leçon revue). Ainsi la mise en place se fera d'elle-même. Ne doutez pas du succès final.*

Trente-sixième leçon

1 David et Joan vont chez les Marsden pour dîner.
2 Ils arrivent à 7 h 30 M. Marsden ouvre la porte et les invite [à entrer] (dans).
3 Venez dans le salon et asseyez-vous. Que voulez-vous boire (avoir à boire)?

NOTES

(1) *Will,* nous l'avons vu, est auxiliaire du futur. Il veut dire aussi « voulez-vous? ». *Will you help me? :* voulez-vous m'aider?

4 — A **whis**ky (**2**) for me. — Joan what will you have?
5 — A **she**rry, if I may. Dry (**3**), please.
6 He serves the drinks and they all sit down.
7 Mrs **Ma**rsden comes down**stairs** (**N. 2**) and joins them.
8 The cook comes in and says: "**Din**ner is **re**ady". They go into the **di**ning-room.
9 The meal is **ex**cellent. They eat soup, lamb, fruit **sa**lad and cheese (**4**).
10 — You're very **lu**cky to have a cook, Mrs **Ma**rsden, says Joan.
11 — Yes. You see, I have so **li**ttle time to cook.
12 — So do **I** (**5**). But **Da**vid **does**n't earn e**nough mo**ney, so...
13 There is an em**ba**rassed **si**lence.
14 — Have a **bran**dy, says Mr **Ma**rsden.

4 **ouï**skï. — 5 **shè**rï ... draï. — 6 seuvz. — 7 daoun**stairz**. — 8 kouk ... **daï**nïng. — 9 **èks**ëlènt ... lamm, frout ... tchîz. — 12 sôdouaï ... eun. — 13 ëm**ba**rëst **saï**leuns.

4 Un whisky pour moi. — Joan que veux-tu?
5 Un Xérès, si je peux. Sec, s'il vous plaît.
6 Il sert les boissons et ils s'assoient tous.
7 Mme Marsden descend l'escalier et se joint à eux.
8 La cuisinière entre et dit : « le dîner est prêt ». Ils vont dans la salle-à-manger.
9 Le repas est excellent. Ils mangent de la soupe, de l'agneau, une salade de fruits et du fromage.
10 Vous avez beaucoup de chance (êtes très chanceux) d'avoir une cuisinière, Madame M., dit Joan.
11 Oui, Vous voyez, j'ai si peu de temps pour faire de la cuisine.
12 Moi aussi. Mais David ne gagne pas assez d'argent, alors...
13 Il y a un silence gêné.
14 Prenez (ayez) un cognac, dit. M. Marsden.

NOTES (continued)

(**2**) Seul le *whisky* écossais peut s'écrire sans « e ». En Irlande ou aux États-Unis (et maintenant au Japon), on doit l'écrire *whiskey*. Le mot vient du gaélique, pour « eau » (uisque).

(**3**) Dry : sec. Ici, c'est le vin sec (vin doux : *sweet wine*). Sec (c'est-à-dire sans eau, etc.) se dit *straight*. Humide : *wet*.

(**4**) On mange le fromage après le dessert en Angleterre.

(**5**) *So do I* (ainsi fais-je) : moi aussi. *I like whisky. So do I.* Lui aussi : *So does he, etc.*

Ne négligez pas les numéros des pages et des leçons.

EXERCISES

1 Come in and sit down. What will you have to drink? — **2** There is so much to do and so **li**ttle time. — **3** How much **mo**ney do you earn? — **4** Come and join us. — **5** She serves **di**nner at eight e**xac**tly.

Fill in the missing words :

1 *Entrez dans le salon. Asseyez-vous.*

Come . . . . the . . . . -. . . . Sit . . . .

2 *Elle descend l'escalier et vient dans la salle-à-manger.*

She . . . . and comes . . . .

the . . . . . . -room.

3 *Entrez, je vous prie. Je vous suivrai.*

. . . . please. . . . . . follow you.

Thirty-seventh (37th) Lesson

Directions

1 — Can you tell (**1**) me the way to the **Bri**tish Mu**se**um?

2 — Mmm... Let me **see**. Yes. Are you on foot?

PRONUNCIATION:

1 oué ... miou**zî**-ëm. — **2** lettmi **sî**.

4 *Il ouvre la porte et les invite à entrer.*

He . . . . and invites . . . . to . . . .

5 *Qu'est-ce que vous prenez à boire? Un vin blanc sec, s.v.p.*

What . . . . you . . . . to drink? A . . . . please.

EXERCICES

1 Entrez et asseyez-vous. Qu'est-ce que vous voulez (aurez à) boire? — **2** Il y a tellement [à] faire et si peu de temps. — **3** Combien d'argent gagnez-vous? — **4** Venez avec nous (joindre à nous). — **5** Elle sert [le] dîner à 8 heures pile.

Corrigé

1 into - sitting-room - down. — **2** comes downstairs - into - dining. — **3** Go in - I will. — **4** opens the door - them - come in. — **5** will - have - dry white wine.

Trente-septième leçon

Renseignements

1 Pouvez-vous m'indiquer (me dire) le chemin pour le British Museum?
2 Mmm... Voyons. Oui. Êtes-vous à pied?

NOTES

(1) *To tell* a plusieurs sens, notamment celui de raconter. *To tell* comporte l'idée de renseigner quelqu'un. Ici on le traduirait par « indiquer, expliquer ».

3 — Yes, I am. — Well, go up **Cha**ring Cross Road (2) and take **Sha**ftsbury **A**venue.
4 You come to New **O**xford Street. Er, then it's, er, just **o**pposite I think.
5 Yes, that's it, just **o**pposite is **Bloom**sbury Street. — **So**rry, say that ag**ain** (3)?
6 — Just **o**pposite, you've got **Bloom**sbury Street. Go down there and it's on your right.
7 You can't **miss** it.
8 — Thanks very much. — That's o**kay.**

---

9 — Have a**no**ther **be**er. — I don't want one, but have one your**self.**
10 — I **will.** I'm **ve**ry **thir**sty. — You're **al**ways **thir**sty.
11 — Per**haps** it's be**cause** I don't drink e**nough.**

A glu**tton**

12 (A **mo**ther to her son, **a**fter the sixth piece of cake):
13 — Tom, you **are** a **glu**tton. How can you eat so much?
14 — I don't know. It's just good luck.

3 go(w) eup **tchè**rrïng ... rôhd ... **shah**ftsbrï. — 4 niou **ohks**fëd ... **o**pë-sït. — 5 **bloum**zbrï ... 7 **mïss**ït. — 10 aïouïl

ë **gleu**tën. — 12 siks pîs.

Écoutez cette conversation « naturelle » avec les pauses, les hésitations, les « eu », etc. Vous n'avez pas trop de mal à comprendre, n'est-ce pas?

3 Oui (je suis). — Alors, montez Charing Cross Road et prenez Shaftsbury Avenue.
4 Vous arrivez (venez)) à New Oxford Street. Euh, puis c'est, euh, juste en face, je pense.
5 Oui, c'est ça, juste en face il y a (est) Bloomsbury Street. — Excusez-moi (désolé), pouvez-vous répéter ça (redites ça)?
6 Juste [en] face vous avez Bloomsbury Street. Descendez là et c'est sur votre droite.
7 Vous ne pouvez pas le rater.
8 Merci bien — De rien.

---

9 Prenez (ayez) une autre bière. — Je n'en veux pas, mais prenez-en une vous même.
10 Volontiers. J'ai très soif. — Vous avez toujours soif.
11 Peut-être que c'est parce que je ne bois pas assez.

Un glouton

12 (Une mère à son fils, après le sixième morceau de gâteau) :
13 Tom, tu es [vraiment] un glouton. Comment peux-tu manger tant?
14 Je ne sais pas. C'est seulement [la] (bonne) chance.

NOTES (continued)

(2) L'influence française : *Charing* est la déformation de « chère reine » (croix de la chère reine). La reine en question est Éléanor d'Aquitaine.

(3) Pour traduire le préfixe français « re », on ajoute normalement *again* au verbe : *come again* (revenez).

EXERCISES

1 Take the first street on the right. — 2 Turn left at the end of the road. — 3 It's only a **twen**ty **min**utes' walk to **Ox**ford Street. — 4 **So**rry, say that a**gain**. I can't **hear**. — 5 **Hu**rry up. Don't miss the train. — 6 **O**pposite the church you can see the school.

Fill in the missing words:

1 *Il y a tellement de bruit qu'il va se coucher.*

There is . . . . that he . . . . bed.

2 *Pouvez-vous m'indiquer le chemin pour aller au musée.*

Can you . . . . me . . . . the . . . . . .

3 *Remontez cette rue et c'est sur votre gauche.*

. . . . street and it's . . your . . . .

Thirty-eighth (38th) Lesson

At the Pub

1 **Da**vid and Pete are **pla**ying darts.
2 — I'm good (**1**), Pete, but I think you're **bet**ter.
3 — No, that's not true. Oh, **six**ty! per**haps** you're right.

PRONUNCIATION:

2 goud ... **b**ètë. — 3 trou.

4 *Êtes-vous à pied ou en voiture?*

Are you . . . . . . or . . a car?

5 *J'ai de la chance, je ne me perds jamais.*

. . . . I . . . . . get lost.

EXERCICES

1 Prenez la première rue sur la droite. — **2** Tournez [à] gauche à la fin de la rue. — **3** Il y a (c'est) seulement 20 minutes à pied (20 minutes de marche) jusqu'à (pour) Oxford St. — **4** Excusez-moi (désolé) répétez s.v.p. (redites ça). Je n'entends (peux) pas. — **5** Dépêchez-vous. Ne ratez pas le train. — **6** En face de l'église vous pouvez voir l'école.

Corrigé

1 so much noise - is going to. — **2** tell - the way to - museum. — **3** Go up this - on - left. — **4** on foot - in. — **5** I'm lucky - never.

Trente-huitième leçon

Au pub

1 David et Pete jouent (*prog.*) aux fléchettes.
2 Je suis bon, Pete, mais je crois (pense) que tu es meilleur.
3 Non, ce n'est pas vrai. Oh, 60! peut-être tu as raison.

NOTES

(1) Rappelons que *good* (bon) est adjectif et que *well* (bien) est adverbe. *How are you? — Very well* puisque *are* ici veut dire *are going :* allez-vous?

4 — Hey, look, you're **cl**o**ser** (**2**) than me. — Yes, but I'm short-**sig**hted (**3**).
5 — **That's** no ex**cuse.** You can see from **he**re.
6 — Yes but not **ve**ry well. **Any**way (**5**). I don't **al**ways win (**5**).
7 — But you can buy the drinks. You're **ri**cher than me.
8 — Al**right.** What do you want? — I want to win.

9 Pete is **r**icher than **Da**vid, but **Da**vid is **hap**pier.
10. I'm **bi**gger than you. — Yes but I'm more in**te**lligent.
11. How is your poor **fa**ther? — He's worse (**6**), I'm af**raid.**
12. This is the best way to go to the museum.
13. Close, **clo**ser, **clo**sest; rich, **ri**cher, **ri**chest;
14. good, **be**tter, best; more in**tel**ligent, most in**tel**ligent.

4 **klô**hsë ... shoht-**saï**ted. — **5** **vats** noh èks**kious.** — **6** **è**nïoué. — **7** yor **rï**tcheu van mî. — **8** ohl**raït** ... ouïn. — **9** **hà**ppië. — **10** môh. — **11** pôh ... ouèus ... ë**fréd.** — **12** oué.

NOTES (continued)

(**2**) *Close :* près, proche; *closer :* plus près. La plupart des adjectifs d'**une** ou de **deux** syllabes forment ainsi leur comparatif. On ajoute « -er » (*rich, richer*), sauf si l'adjectif se termine déjà en « e » où l'on ajoute simplement « -r ». Si l'adjectif se termine en « y » on le transforme en « i » : *happy* (heureux, content); *happier* (plus heureux, plus content). Pour le superlatif on ajoute « -est » : *happiest* (le plus heureux, le plus content).

4 Hé, regarde, tu es plus près que moi. — Oui mais je suis myope.
5 Ça n'est pas une excuse. Tu peux voir d'ici.
6 Oui, mais pas très bien. De toutes façons, je ne gagne pas toujours.
7 Mais tu peux payer (acheter) les boissons. Tu es plus riche que moi.
8 Ça va. Que veux-tu? — Je veux gagner.

9 Pete est plus riche que David, mais David est plus heureux.
10 Je suis plus grand que toi. — Oui, mais je suis plus intelligent.
11 Comment va (est) votre pauvre père? — Plus mal (il est pire), je crains.
12 Ceci est le meilleur chemin pour aller au musée.
13 Près, plus près, le plus près; riche, plus riche, le plus riche.
14 bon, meilleur, le meilleur, plus intelligent, le plus intelligent.

NOTES (continued)

Pour les mots plus longs on se sert de *more* (plus) et *the most* (le plus) pour le superlatif.
Après le comparatif, « que » se dit *than.*

(3) Le mot *myopic* existe mais il est très technique. Pour « presbyte », on dit *long-sighted.* De même, daltonien se dit *colour-blind* (aveugle aux couleurs) au lieu de *daltonist.*

(4) *Any* (n'importe quel) *way* (chemin) : de toutes façons, n'importe comment.

(5) *To win :* gagner un prix, un concours; *to earn :* gagner de l'argent.

(6) De même qu'en français, il y a quelques comparatifs et superlatifs irréguliers. On a déjà vu *good : better, best* (bon, meilleur, le meilleur). Le contraire est *bad : worse, the worst* (mauvais, pire, le pire).

Prononcez-vous toujours vigoureusement les consonnes?

EXERCISES

1 I'm afraid I can't see. I'm short-sighted. — 2 How is your poor daughter? — Much better. — 3 We've got no money at all. — 4 He always wins when we play Poker. — 5 She earns more money than her father.

Fill in the missing words:

1 *Le meilleur joueur gagnera le match.*

. . . . player will . . . the match.

2 *Il est plus riche mais elle est plus contente.*

He is . . . . . . but she is . . . .

3 *Vos yeux sont plus grands que votre estomac.*

Your . . . . are . . . . **your stomach.**

4 *Je n'ai pas d'argent et pas de problèmes.*

I've got . . money and . . problems.

Thirty-ninth (39th) Lesson

London

1 London is larger than Paris but smaller than New York.

5 *Il est le pire étudiant de la classe.*

He . . the . . . . . student . . the class.

I'M BAD BUT I THINK YOU'RE THE WORST

(38)

EXERCICES

1 Je regrette (j'ai peur) mais je ne peux pas voir. Je suis myope. — **2** Comment va (est) votre pauvre fille? — Beaucoup mieux. — **3** Nous n'avons pas d'argent du tout. — **4** Il gagne toujours quand nous jouons [au] poker. — **5** Elle gagne plus d'argent que son père.

Corrigé

1 The best - win. — **2** richer - happier. — **3** eyes - bigger than. — **4** no - no. — **5** is - worst - in.

Trente-neuvième leçon

Londres

1 Londres est plus grand que Paris mais plus petit que New York.

2 There are more than eight million inhabitants (1) in Greater London (2),

3 more than the populations of Scotland and Wales together.

4 Inner London is smaller. Here you find the "West End" with its theatres

5 and the City (3), which (4) is the financial centre of England.

6 It is also the oldest part of London and still has some ancient traditions.

7 For example, the Lord Mayor of London is mayor of the City only.

8 The most important (5) part of the City is the Stock Exchange

9 which is as important as the Bourse in Paris.

10 In almost every street, there is a beautiful church, often designed by Wren (6).

11 Among the places of interest to see are Trafalgar Square,

12 with its colony of pigeons and four bronze lions;

13 and the Houses of Parliament and Big Ben.

14 In fact, it is the bell and not the clock which is called Big Ben.

PRONUNCIATION

2 ïnhàbïteunts ... grétë. — 3. pöpiouléshen̈. — 4 ïnneu ... ouestènd ... fïëtëz. — 5 faïnansheul sèntë. — 6 énsheunt trëdïsheunz. — 7 forègzahmpël ... lohd méë. — 8 *stok* èkstchendj. — 10 tcheutch ... dïzaïnd baï rènn. — 11 ëmeung ... ïntrèst ... skouair. — 12 pïdjënz ... brohnz laï-ënz. — 13 hauzïzov pahlëmënt.

2 Il y a plus de 8 millions d'habitants dans le Grand Londres,
3 plus que les populations d'Ecosse et du Pays de Galles réunies ensemble.
4 « Inner London » (intérieur) est plus petit. Vous trouvez ici le West-End (bout Ouest) avec ses théâtres
5 et la City, qui est le centre financier de l'Angleterre.
6 C'est aussi la partie la plus vieille de Londres et elle a toujours ses anciennes traditions.
7 Par (pour) exemple, le Lord maire de Londres est maire de la City seulement.
8 La partie la plus importante de la City est le Stock-Exchange (Bourse)
9 qui est aussi important que la Bourse de Paris.
10 Dans presque chaque rue, il y a une belle église, souvent conçue par Wren.
11 Parmi les lieux intéressants (d'intérêt) à voir, il y a (sont) Trafalgar Square,
12 avec sa colonie de pigeons et quatre lions en bronze;
13 et les maisons du Parlement et Big Ben.
14 En fait, c'est la cloche et non l'horloge qui s'appelle Big Ben.

NOTES

(1) Un faux ami : *inhabitants* (habitants); *inhabited:* habité; uninhabited: *inhabité*.

(2) *Greater London:* Londres plus sa banlieue (comme le Grand Paris).

(3) *The City* est la capitale la plus petite du monde, 1 mille carré (259 hectares).

(4) « Qui » se dit *which* (ou *that*) d'une chose, et *who* (parfois *whom*) d'une personne.

(5) Attention : *important,* en anglais, n'a pas le sens de taille qu'on lui donne parfois en français. Pour « important » : un bâtiment important (fr.), on dirait : *large.*

(6) Christopher Wren (1632-1723), célèbre architecte qui a reconstruit la cathédrale de Saint-Paul après l'incendie de Londres (1666).

EXERCISES

1 Your **bro**ther-in-law and his friend are ar**ri**ving to**ge**ther. — **2** It is this **sen**tence which is the most **di**fficult. — **3** We have **co**ffee or tea. Which do you want? — **4** Which is the most **beau**tiful church in **Lon**don? — **5** She is a lib**ra**rian, not a **sec**retary.

Fill in the missing words:

1 *L'homme à qui vous parlez est un ancien ministre.*

The man . . . . . . you are . . . . is an ex-minister.

2 *Nous avons un ami qui joue merveilleusement du piano.*

We have a . . . . plays . . . . marvelously.

3 *Qui est-ce qui veut venir à Londres avec nous?*

. . . wants . . . . . . to London with . .?

4 *Lequel est plus intéressant, Londres ou Edimbourg?*

. . . . interesting, London . . . .?

The more the merrier: plus on est

5 *Nous ferions mieux de partir maintenant. Il est déjà tard.*

We . . . . now. It's . . . .

EXERCICES

1 Votre beau-frère et son ami arrivent ensemble. — **2** C'est cette phrase-ci qui est la plus difficile. — **3** Nous avons [du] café ou [du] thé. (Lequel) que voulez-vous? — **4** [La]quelle est l'église la plus belle de (dans) Londres? — **5** Elle est (une) bibliothécaire, pas (une) secrétaire.

Corrigé

1 to whom - talking. — **2** friend who - the piano. — **3** Who - to come - us. — **4** Which is more - or Edinburgh. — **5** had better leave - already late.

---

de fous plus on rit (*merry:* gai).

Fortieth (40th) Lesson

Useful expressions

1 Can I help you? — Yes, I'm **loo**king for...
2 Please sit down. You look (**1**) **ti**red.
3 Have a drink. What will you have?
4 Can you tell (**N. 3**) me the way to the town **cen**tre?
5 **Lon**don is **lar**ger than **Pa**ris but **sma**ller than New **York**.
6 Please come in. Make your**self** at home.
7 **So**rry, say that **again**.
8 I don't like **bee**troot. — No, **nei**ther (**2**) do **I**.
9 Can't you do **be**tter than that?
10 This **les**son is more **in**teresting than the first one.
11 I can't speak **Eng**lish **flu**ently yet, but I can under**stand** quite well.
12 Please speak a **li**ttle **slo**wer. Thanks.
13 How far is it from **Lon**don to **Ed**inburgh?
14 He won't (**3**) speak to you, he's in a bad mood.

PRONUNCIATION:

2 louk **taï**-ëd. — **4** taoun **sèn**të. — **5** **lah**djë ... **smôh**llë. — **6** mék yëh**sèlf**. — **7** ë**gén**. — **8** **bî**trout ... **naï**vë douaï. — **9** kahnt. — **11** **flou**ëntlï. — **12** **sloh**-ë. — **13** **èd**dïnbrë.

EXERCISES

1 No, sir, I'm **afraid** he's not in. — **2** Can you come back to**mo**rrow. — **3** I like **Tur**kish **co**ffee. — So do I. — **4** Un**for**tunately, there are no **ti**ckets for **Sa**turday.

Quarantième leçon

Des expressions utiles

1 Puis-je vous aider? — Oui, je cherche (pour)...
2 Veuillez vous asseoir. Vous avez l'air (regardez) fatigué.
3 Prenez un verre. Que voulez-vous (avoir)?
4 Pouvez-vous m'indiquer (dire) le chemin du centre de la ville?
5 Londres est plus grand que Paris, mais plus petit que New York.
6 Entrez s'il vous plaît. Faites comme chez vous. (faites vous-même).
7 Excusez-moi (désolé), répétez cela (redîtes).
8 Je n'aime pas la betterave. — Non moi non plus.
9 Ne pouvez-vous pas faire mieux que ça?
10 Cette leçon est plus intéressante que la première (une).
11 Je ne parle pas encore couramment l'anglais, mais je peux le comprendre assez bien.
12 Veuillez parler un peu plus lentement. Merci.
13 Quelle distance y-a-t-il (combien est-ce) de Londres à Edimbourg?
14 Il ne veut pas (ne parlera) vous parler. Il est de (dans une) mauvaise humeur.

NOTES

(1) *To look at :* regarder. *To look :* avoir l'air. *This meal looks nice :* ce repas à l'air bon.

(2) *Neither... nor :* ni... ni. *Neither John nor Peter speaks French :* ni Jean ni Pierre ne parlent français. *Neither do I :* moi non plus; *neither does she :* elle non plus. Ou... ou se dit : *either... or.*

(3) *Won't = will not* (n'oubliez pas que *will* a le sens de vouloir bien).

EXERCICE

1 Non, Monsieur, je regrette (je crains) il n'est pas là (dans). — **2** Pouvez-vous revenir demain? — **3** J'aime [le] café turc. — Moi aussi. — **4** Malheureusement, il n'y a pas [de] billets pour samedi.

— **5** We're **go**ing to see Pete. How far from here does he live?

Fill in the missing words:

1 *Je ne veux pas aller en Grèce en septembre. — Moi non plus.*

I . . . . to go . . Greece . . September. . . . . do I.

2 *Elle parle couramment l'anglais mais pas l'allemand.*

. . . speaks English . . . . but . . . .

3 *D'habitude, il va à son travail en voiture.*

. . . ., he . . . . to work.

4 *Malheureusement, nous allons chez ma mère pour dîner.*

. . . ., we are . . . . . to my . . . . for dinner.

Forty-first (41st) Lesson

Success

1 Pete and Dave are fishing:

Pete. — I've got a bite!

2 *Dave.* — Is it a trout?

3 *Pete.* — Ow, no! It's a wasp!

— **5** Nous allons voir Pete. A quelle distance (combien loin) d'ici habite-t-il?

5 *Je ne mange pas assez. — C'est le contraire, tu manges trop.*

I . . . . . eat . . . . . . It's the . . . . you eat . . . .

Corrigé

1 don't want - to - in - Neither. — **2** She - fluently - no German. — **3** Usually - drives. — **4** Unfortunately - going - mother's. — **5** don't enough - opposite - too much.

Quarante et unième leçon

Le succès

1 Pete et David sont à la pêche (en train de pêcher): *Pete.* — Ça mord! (j'ai une morsure).
2 *Dave.* — Est-ce une truite.
3 *Pete.* — Aïe non! C'est une guêpe!

PRONUNCIATION:

seuk**sèss**. — **1** baït. — **2** traout. — **3** aou ... ouosp

Innocence

4 Li*ttle girl.* — Please drink your tea, Mr Williams. I want to watch (1) you.

5 *Mr Williams.* — Of course my dear. But why?

6 Li*ttle girl* — Because Mummy says you drink like a fish!

A Scottish prayer

7 Heavenly Father, bless us
and keep (2) us all alive.
8 There are eight of us for dinner.
9 and there's only enough for five.

---

10 — What is the longest word in English? — I don't know.

11 — "Smiles", because there is a mile between the first and the last letter.

---

12 Keep quiet in the library. People are reading.

13 I don't want this old pullover. You can keep it.

innësënts. — 6 meumï sèz ... laïk.
pré-ë. — 7 hèvënlï ... kîp ... ë laïv. — 8 ét. — 9 ëneuf. — 11 smaïlz bïcoz ... maïl bïtouîn. — 12 kîp kouaïët ... laïbrërï. — 13 poulohvë ... kîp.

Exercez-vous à répéter chacune des quatre anecdotes. Elles sont courtes, et vous y arriverez assez aisément.

L'innocence

4 *Petite fille.* — S'il vous plaît, buvez votre thé M. Williams. Je veux vous regarder.
5 *M. Williams.* — Bien sûr ma chère. Mais pourquoi?
6 *Petite fille.* — Parce que Maman dit que vous buvez comme un poisson (comme un trou)!

Une prière écossaise

7 Père céleste, bénissez-nous et gardez-nous en vie.
8 Nous sommes huit (il y a huit de nous) à dîner.
9 et il y a assez seulement pour cinq.

---

10 Quel est le mot le plus long en anglais? — Je ne sais pas.
11 « Smiles » (sourires), parce qu'il y a un « mile » entre la première et la dernière lettre.

---

12 Gardez le silence (tranquille) dans la bibliothèque. Des gens lisent (*prog.*).
13 Je ne veux pas ce vieux pull. Vous pouvez le garder.

NOTES

(1) *To watch :* regarder, surveiller. *To watch television :* regarder la télévision. *A watch :* une montre.

(2) *To keep :* garder, conserver. *Keep quiet! :* Gardez le silence! *To keep left :* rester à, garder sa gauche. *To keep a promise :* tenir une promesse.

EXERCISES

1 Please keep **qui**et, there is too much noise. — **2** Stubbs, the famous **pai**nter, is still **alive**. — **3** There isn't e**nough** food for all of us. — **4** How many ki**lo**meters are there in a mile? — **5** She works in a **li**brary out**side** **Lon**don.

Fill in the missing words:

1 *Va à la librairie et achète-moi le nouveau roman de Greene.*

Go to the . . . . and buy . . the new . . . . .

by Greene.

2 *Quel est le mot le plus long en anglais? Je connais le plus court.*

. . . . is the . . . . word . . English. I

. . . .

3 *Donnez-m'en cinq. Vous pouvez garder le reste.*

. . . . me five. You can . . . . the rest.

Forty-second (42nd) Lesson

REVISIONS AND NOTES

Notes à relire : 36e leçon : (1), (4) - **37e :** (3) - **38e :** (2), (6) - **39e :** (4) - **40e :** (2).

1 To come and **to go.** — *to come :* venir, donc vers le centre de l'action et *to go :* aller, s'en éloigner.
She comes dowstairs : elle descend l'escalier (vers nous).

4 *Lorsque vous conduisez en Angleterre, il faut se rappeler : Tenir la gauche.*

. . . . you . . . . . in England, you must remember:

. . . .

5 *Il ne peut pas le vendre. Ça ne fait rien.*

He can't . . . . . . Never . . . .

EXERCICES

1 Taisez-vous (veuillez garder silence) s.v.p., il y a trop de bruit. — **2** Stubbs, le peintre connu, est encore vivant. — **3** Il n'y a pas assez [de] nourriture pour nous tous (tous de nous). — **4** Combien de kilomètres y a-t-il (sont-ils) dans un mile. — **5** Elle travaille dans une bibliothèque [en] dehors [de] Londres.

Corrigé

1 bookshop - me - novel. — **2** What - longest - in - know the shortest. — **3** Give - keep. — **4** When - drive - Keep left. — **5** sell it mind.

Quarante-deuxième leçon

She goes downstairs : elle descend l'escalier (et nous restons en haut).

Come in (entrez) indique que celui qui parle est dans la pièce. *Go in* veut dire que celui qui parle est avec celui à qui l'ordre est adressé.

Into a l'idée de mouvement (*to*) et d'entrer (*in*). *Go into :* entrer dans.

2 Verbes composés. — En changeant de postposition, on peut faire varier le sens du verbe : *come in :* entrer; *come down :* descendre; *come out :* sortir; *come back :* rentrer.

C'est cette postposition qui décide du sens, donc si un verbe a une postposition habituelle, retenez-la (par exemple : *to ask for*) ainsi vous saurez que tout changement de postposition indique un changement de sens.

3 To tell (raconter) a toujours le sens de renseigner. *Tell me about your job :* racontez-moi votre travail. *Tell him the truth :* dîtes-lui la vérité. *Tell me a story :* racontez-moi une histoire. **Il est toujours suivi d'un pronom** (*you, him, someone*).

To say (dire) est suivi d'habitude de *that. He says that he is tired :* il dit qu'il est fatigué. (prononciation de la troisième personne *says :* sèz).

To speak : (parler) : *we speak English.*

4 Expressions à retenir (voir aussi leçon 37) :

I don't like this film Neither do I : Je n'aime pas ce film. Moi non plus. *He drinks like a fish :* il boit comme un trou (un poisson).

There are four of us for dinner : nous sommes quatre pour le dîner.

Sorry, say that again : excusez-moi, répétez ça s'il vous plaît.
The museum is on your right : le musée est sur votre droite.

5 Quelques mesures. — 1 mile = 1,609 km - 1 foot = 0,30 cm - 1 pound = 0,45 kg - 1 pint= 0,56 litres - 1 acre = 0,40 hectare.

6 Écrire en anglais (deuxième vague). — Ne regardez pas le texte anglais avant de faire la traduction; il vaut mieux faire des fautes, et apprendre ainsi à s'en corriger.

1 Il est plus riche que moi, mais je suis plus heureux.
2 Elle vient mardi. A quelle heure? A 9 heures moins le quart.
3 Pouvez-vous m'indiquer le chemin pour l'église de Wren?
4 Londres est la ville la plus importante d'Angleterre. Combien d'habitants : y a-t-il?
5 Je veux quelque chose à boire. Que voulez-vous prendre?
6 Parmi les plus intéressants, Big Ben est le meilleur monument.

7 Traduction

1 *He's richer than me, but I'm happier.*
2 *She's coming* [*comes* ne convient pas ici, voir leçon 34, n° (**1**)] *on Tuesday. What time? At a quarter to nine.*
3 *Can you tell me the way to Wren's Church?*
4 *London is the largest city (town) in England. How many inhabitants are there?*
5 *I want something to drink. What will you have?*
6 *Among the most interesting, Big Ben is the best monument.*

Forthy-third (43rd) Lesson

The future

1 We will now look at the **fu**ture tense.
2 You form the **fu**ture by **pu**tting "will" in **front** of **nea**rly all our verbs (**1**).
3 For **in**stance (**2**), the verb "to dress", in the **fu**ture, be**comes** "I will dress; you will dress".
4 We conti**n**ue with the cont**rac**tion: "**we**'ll dress, **you**'ll dress, **they**'ll dress" (**3**).
5 You see, it's **ea**sy!
6 Let's look at some **sen**tences in the **fu**ture :
7 **I**'ll go to the **ci**nema to**night** if **you**'ll come with me.
8 You will learn **En**glish **quic**kly if you read a **les**son **e**very day.
9 The word "shall" is **main**ly **u**sed for sug**ges**tions : It's **rai**ning, **shall** we take a **ta**xi (**4**)?

PRONUNCIATION :

1 **fiou**tchë tenns. — 2 fôhm ... ouïl ïn**freun**tov ... veubz. — 3 fërïnnstëns ... bïkeumz ouïl drèss. — 4 këntïniou ... kën**trahk**shën : ouîl drèss; **you**-ël drèss; **vé**-ël drèss. — 5 ïtsîzï. — 7 **aï**-ël. — 8 iou ouïl ... rîd. — 9 **ménlï** ... sëd**jess**tchënz ... **shall**ouî ... **tak**sï. —

NOTES

(**1**) En effet, *will* se place devant l'infinitif sans *to* pour **tous les verbes** (donc jamais d'« s » à la troisième personne du singulier). Je serai : *I'll be*; il sera : *he'll be*.

Quarante-troisième leçon

Le futur

1 Nous regarderons maintenant (au) le temps futur.
2 Vous formez le futur en (par) mettant *will* devant presque tout nos verbes.
3 Par exemple, le verbe « s'habiller », au futur, devient « je m'habillerai, vous vous habillerez ».
4 Nous continuerons avec la contraction : « nous nous habillerons, vous vous habillerez, ils s'habilleront ».
5 Vous voyez c'est facile!
6 Regardons quelques phrases au futur :
7 J'irai au cinéma ce soir si vous venez (viendrez) avec moi.
8 Vous apprendrez l'anglais rapidement si vous lisez une leçon chaque jour.
9 Le mot *shall* est utilisé principalement pour les suggestions : il pleut (*prog.*), prendrons-nous un taxi? ».

NOTES (continued)

(2) *For instance :* for example.

(3) Notez la prononciation : aï-ël, you-ël; ouîl, vé-ël.

(4) Avant, *shall* était la première personne du singulier et du pluriel. On le trouve toujours dans le « vieil » anglais ou dans le parler « soigné » de certaines personnes. A cause des contractions, cette nuance a presque disparu. *Shall,* maintenant, veut dire : voulez-vous que (une offre polie), ou dois-je (demandant un conseil).

10 How much **mo**ney will you need (5)? Shall I give you some more (6)?
11 Will you give me some more **co**ffee, please?
12 How will you go to work? The tube's on strike. — I'll take my car.
13 Shall I phone the **o**ffice and tell them **you**'ll be **la**te?
14 I'll drive; **you**'ll be late; you will have **pro**blems.

10 **meu**nï ... nîd ... seum môh. — 12 tioubz on straïk. **a**ïël. — 13 fôhn ... **youl** bî **let**.

EXERCISES

1 **You**'ll need some more **mo**ney. — 2 Shall we go to see that new film to**night**? — 3 If they don't **hu**rry up **they**'ll be late. — 4 Will I need my **pa**ssport to go to **E**ngland? — 5 Who will come with me?

Fill in the missing words :

1 *Voulez-vous m'aider s.v.p., je ne comprends toujours pas.*

. . . . you help me . . . . . ., I . . . . . don't understand.

2 *Le métro sera en grève, vous feriez bien de prendre votre voiture.*

The tube . . . . . . on strike, you . . . . take . . . . car.

10 De combien d'argent aurez-vous besoin? Voulez-vous que je vous en donne davantage?
11 Voulez-vous me donner encore du café s'il vous plaît?
12 Comment irez-vous au travail? Le métro est en grève. — Je prendrai ma voiture.
13 Voulez-vous que je téléphone au bureau et leur dire que vous serez en retard?
14 Je conduirai; vous serez en retard; vous aurez des problèmes.

NOTES (continued)

(**5**) *To need :* avoir besoin de : *she needs help* (elle a besoin de l'aide).

(**6**) *Some more :* encore de, davantage. Vous en voulez encore? : *Do you want some more?* Donnez-moi davantage de renseignements : *give me some more information.* Ne... plus, se dit *no more. I want no more* ou *I don't want any more* (rappelez-vous : jamais deux négatifs).

EXERCICES

1 Vous aurez besoin [de] plus [d']argent. — **2** Et si nous allions (irons) voir ce nouveau film ce soir? — **3** S'ils ne se dépêchent pas ils seront en retard. — **4** Aurai-je besoin [de] mon passeport [pour] aller en Angleterre? — **5** Qui viendra avec moi?

---

3 *Vous voulez que je lui téléphone pour dire qu'on aura du retard?*

. . . . . I phone him to . . . . him we . . . . . .

late?

4 *Qu'est-ce que tu feras s'il n'est pas chez lui?*

What . . . . you . . if he . . . . ?

5 *Je cherche quelqu'un qui achètera ma maison.*

I . . . . for . . . . will buy . . . .

Forty-fourth (44th) Lesson

1. — Give me that **wal**let, it's mine.
2 — How do you know? — Well, it's not yours, and there are ten pounds in**side** (1) it.
3 — He **bo**rrows my things (2), but he **is**n't pleased when I **bo**rrow (N. 2) his.
4 — These **peo**ple are all friends of hers (3). They want to come to the **par**ty.
5 — What, all of them? — Well, per**haps** only a few of them.
6 — **Whe**re is my pen? — Here, you can use mine. — That's very kind of you.
7 — Whose is this **sports**-car? — It's theirs.
8 — I sup**pose** they are **ve**ry rich. — No, their house is **smal**ler than yours.
9 In fact, they live in a tent!

PRONUNCIATION

1 **ouo**let... maïn. — 2 yôhz ... paoundz ïn**saïd**. — 3 **bor**rôhz ... plîzd ... hïz. — 4 heuz ... **pâh**ti. — 5 oaot ... ë fiou. — 6 **ouè**rïz ... iouz maïn. — 7 houz ... **spohts**-kâh ... vehz. — 8 së**pôhz** ... rïtch ... **smoh**lë. — 9 tènnt.

Corrigé

1 Will - please - still. — **2** will be - had better - your. — **3** Shall - tell - will be. — **4** will - do - is not in. — **5** am looking - someone who - my house.

Quarante-quatrième leçon

1 Donnez-moi ce portefeuille, c'est le mien.
2 Comment [le] savez-vous? — Eh bien, ce n'est pas le vôtre et il y a 10 livres dedans.
3 Il emprunte mes affaires (choses) mais il n'est pas content quand je prends les siennes.
4 Ces gens sont tous des amis à elle (des siennes). Ils veulent venir à la soirée.
5 Quoi! tous (d'eux)? — Eh bien, peut-être seulement quelques-uns (d'eux).
6 Où est mon stylo? — Tenez (ici), vous pouvez utiliser le mien. — C'est très gentil à vous.
7 A qui est cette voiture de sport? — C'est la leur.
8 Je suppose qu'ils sont très riches. — Non, leur maison est plus petite que la vôtre.
9 En fait, ils vivent sous (dans) une tente!

NOTES

(1) *Inside:* dedans, à l'intérieur. *She is inside the house:* elle est dans la maison. *Outside:* dehors, à l'extérieur.

(2) *Thing:* chose. *Everything:* chaque chose, tout. *Nothing:* pas de chose, rien; le mot que l'on dit quand on ne connaît pas le mot juste. *What is that... thing?:* quelle est cette chose? *My things:* mes affaires.

(3) Notez la formule : *he's a friend of mine* [il est de mes amis (ami du mien)].

A **cy**nic

10 — So you're **go**ing to **ma**rry **Ha**rold. **What** is he **li**ke (4)?
11 — He's **ho**nest (5), kind, **gen**tle, sweet and **no**ble.
12 — And what are you **go**ing to eat?
13 — A **cy**nic is a **per**son who knows the price of **e**verything
14 **and the va**lue of **no**thing (**O**scar **Wi**lde).

e sïnïk. — **10 marrï harëld. ouatïz** hï **laïk.** — **11 ohnëst**, kaïnd, **djèntël**, souît ... **nôhbël.** — **13 peusën** ... praïs. — **14 valiou** ... **neufing.**

EXERCISES

1 Whose are these pens? — They're mine. — **2** I want to **bo**rrow one of your books. — **3** I'm pleased to know that you're **go**ing on **ho**liday. — **4** She still wants to **ma**rry a millio**naire.** — **5** He's **poo**rer than me. In fact, he has no **mo**ney! — **6 Thank**you, that's very kind of you.

Fill in the missing words:

1 *Ce n'est pas le vôtre, c'est le mien.*

It's . . . . , it's . . . .

2 *A qui est cette tente? — C'est la leur.*

. . . . . is this . . . . ? — It's . . . . . .

3 *Il n'emprunte pas le portefeuille, mais l'argent à l'intérieur!*

He . . . . the . . . . ., but the money . . . . !

Un cynique

10 Alors, tu vas te marier avec Harold. Comment est-il?
11 Il est honnête, gentil, doux et noble.
12 Et qu'est-ce que vous allez manger?

13 Un cynique est une personne qui connaît le prix de tout
14 et la valeur de rien (Oscar Wilde).

NOTES (continued)

(**4**) *What's he like:* comment est-il. *He's like his father:* il est comme son père.

(**5**) *Honest:* le « h » n'est pas aspiré, comme dans *hour!*

EXERCICES

1 A qui sont ces stylos? — Ils sont à moi (les miens). — **2** Je veux [vous] emprunter un de vos livres. — **3** Je suis content [de] savoir que vous allez en vacances. — **4** Elle veut toujours se marier [avec] un millionnaire. — **5** Il est plus pauvre que moi. En fait, il n'a pas d'argent! — **6** Merci, vous êtes très gentil (c'est très gentil de vous).

4 *Le prix et la valeur ne sont pas la même chose.*

. . . . . and . . . . not the same . . . . .

5 *Tu as une nouvelle voiture de sport. Comment est-elle?*

You've got a . . . . - . . . What's . . . . . . ?

Forty-fifth (45th) Lesson

Holiday plans

1 David and Joan are dis**cus**sing their plans.
2 — I think **we**'ll (**1**) go to **Bri**ghton next week**end**.
3 — But why? There's **no**thing to do at this time of the year.
4 — I know, but look- if the **wea**ther is **fine**, we can drive **along** the coast
5 and **vi**sit all those **li**ttle **vi**llages.
6 — Yes, but **Da**vid, er... My **mo**ther's **co**ming next week**end**.
7 — Damn (**2**)! But she **o**nly comes once a **year**.
8 — Yes, and it's **a**lways when we want to go **away**.
9 — You mean: when **you** want to go **away**.
10 — I'm **so**rry. — She's ar**ri**ving on **Fri**day
11 — Then **we**'ll take (**3**) her with us and **vi**sit the an**tique** shops.

PRONUNCIATION

1 dïs**keuss**ïng. — **2 ouîl** gôh ... **braï**tën. — **3 neu**fïng. — **4 ouè**vë ïz **faïn** ... ë**long** ve kôhst. — **5** vôhz ... **vï**llëdjïz. — **7** dàmm ... ouents. — **8 ôh**louéz ... ë**oué**. — **9** mîn. — **11** ann**tîk**.

Corrigé

1 not yours - mine. — **2** whose - tent - theirs. — **3** doesn't borrow wallet - inside it. — **4.** Price - value - are - thing. — **5** new sports-car - it like?

Quarante-cinquième leçon

Projets [de] vacances

1 David et Joan discutent (*prog.*) de leurs projets.
2 Je pense que nous irons à Brighton le week-end prochain.
3 Mais pourquoi? Il n'y a rien à faire à cette époque (temps) de l'année.
4 Je sais, mais regarde : si le temps est beau, nous pouvons conduire le long de la côte.
5 et visiter tous ces petits villages.
6 Oui, mais David, euh..., ma mère vient le week-end prochain.
7 Zut! Mais elle ne vient qu'une fois par an.
8 Oui, et c'est toujours quand nous voulons partir.
9 Tu veux dire : quand **tu** veux partir.
10 Excuse-moi. — Elle arrive (sur) vendredi
11 Alors nous l'emmènerons avec nous (et) visiter les boutiques d'antiquités.

NOTES

(1) Ici le présent progressif n'irait pas parce qu'il s'agit toujours de quelque chose d'incertain (je pense que).

(2) *Damn:* zut! (lit. : damner). Ce mot peut choquer encore, mais il est tout de même courant.

(3) *To take,* a parfois le sens de porter, emmener. Je porte des fleurs à ma tante : *I'm taking some flowers to my* Emmenez-moi avec vous : *take me with you.*

12 — **She**'ll **fee**l at home a**mong** all those old things.
13 — **Da**vid! Don't be **na**sty!
14 — **I**'ll meet her at the **sta**tion, then **we**'ll be **a**ble (**4**) to make our plans to**ge**ther.

12 fîël. — 13 nâhstï. — 14 stéshën ... ouîl bîébël.

EXERCISES

1 If you come to**mo**rrow, you will be **a**ble to help us. — 2 John feels at home in **Lon**don. — 3 Will you be **a**ble to lend me five pounds. — 4 All those **pe**ople are friends of mine. — 5 I will ask him the next time I see him.

Fill in the missing words:

1 *Joan, ne sois pas méchante! Elle est vraiment très gentille.*

Joan, don't . . . .! She is . . . . . . very . . . .

2 *Zut. Elle arrive à 7 heures et la voiture est encore au garage.*

Damn. She . . . . seven and the car . . . . the . . . . . .

12 Elle se sentira chez elle parmi toutes ces vieilles choses.
13 David! Ne sois pas méchant!
14 Je la retrouverai (rencontrerai) à la gare, puis nous pourrons faire nos projets ensemble.

NOTES (continued)

(**4**) L'infinitif de *can.* Je pourrai : *I'll be able to.*

---

3 *Il se sentira chez lui avec toutes ces antiquités.*

He . . . . at . . . . with . . . those . . . .

4 *A cette époque de l'année, nous sommes toujours en vacances.*

At . . . ., we are . . . . . . on holiday.

5 *Elle ne vient qu'une fois par an, je m'excuse, deux fois.*

She . . . . comes . . . . . year. I'm . . . . ., ...

EXERCICES

1 Si vous venez demain, vous pourrez nous aider. — **2** John se sent chez lui (à la maison) à Londres. — **3** Est-ce que vous pourrez me prêter £ 5. — **4** Tous ces gens sont des amis à moi (du mien). — **5** Je lui demanderai la prochaine fois [que] je le verrai (vois).

Corrigé

1 be nasty - really - nice. — **2** is arriving at - is still at - garage. — **3** will feel - home - all - antiques. — **4** this time of the year - always. — **5** only - once a - sorry twice.

Forty-sixth (46th) Lesson

1 Read this **le**sson as **u**sual then **an**swer the **ques**tions about the pre**ce**ding one.
2 What are **Da**vid and Joan **do**ing?
3 Where does **Da**vid want to go next week**end**?
4 Does he want to go to **Bi**rmingham?
5 Does he want to drive (**1**) to **Bri**ghton?
6 Who is ar**ri**ving next week**end**?
7 How **o**ften (**2**) does she come (**N. 3**)?
8 What will they do?
9 Do you think they will go by **train**?
10 Will the **wea**ther be fine?
11 Where will **Da**vid meet his **mo**ther-in-law?
12 When do **pe**ople take their **ho**lidays?
13 The four **sea**sons are: spring, **su**mmer, **au**tumn, **win**ter.

I WANT SOMETHING TO DRINK

PRONUNCIATION :

1 aziouzhel ... **ahn**së ... **kouès**tiënz ... prï**sî**dïng. — **3** deuz. — **4** të **beu**mïngëm. — **5** të **braï**tën. — **6** hou ... ërr**aï**vïng. — **7** **o**fën. — **9** baï **trén**. — **10** **ouè**vë ... faïn. — **11** ouair ouïl ... **meu**vë ïn lôh. — **12** ték veh. — **13** **sî**zëns ... **seu**më, **ôh**tëm, **ouïn**të.

Quarante-sixième leçon

1 Lisez cette leçon comme d'habitude puis répondez aux questions concernant la précédente.
2 Que font David et Joan (*prog.*)?
3 Où David veut-il aller le week-end prochain?
4 Veut-il aller à Birmingham?
5 Veut-il conduire jusqu'à Brighton?
6 Qui arrive (*prog.*) le week-end prochain?
7 Combien de fois (combien souvent) vient-elle?
8 Que feront-ils?
9 Pensez-vous qu'ils iront en (par) train?
10 Est-ce que le temps sera beau?
11 Où David retrouvera sa belle-mère?
12 Quand les gens prennent-ils leurs vacances?
13 Les quatre saisons sont : le printemps, l'été, l'automne, l'hiver.

NOTES

(1) *To drive :* conduire **ou** aller en voiture. *Do you want to drive to London? :* veux-tu ou voulez-vous aller à Londres en voiture?
He drives two hundred miles every day : il conduit 200 miles tous les jours.

(2) *How often :* combien souvent, à quelle fréquence.
How often is there a plane for Paris : il y a un avion pour Paris tous les combien?

N'oubliez pas d'élever la voix à la fin d'une phrase interrogative!
Prononcez-vous toujours vigoureusement les consonnes?

EXERCISES

1 As usual, we're **ta**king our **ho**lidays in **win**ter this **year**. — 2 If your **ra**dio **does**n't work, you can **bo**rrow mine. — 3 What are you **do**ing? — I'm **wri**ting a **let**ter. — 4 How **o**ften do you read this book? — Once a day? — 5 No, I'm **afraid** he **isn**'t back from **Brigh**ton yet.

Fill in the missing words:

1 *Il fera très froid cet hiver.*

It . . . . . . very . . . . this . . . . .

2 *Comme d'habitude, ils prennent leurs vacances en été.*

As . . . . . they . . . . holidays in . . . . . .

3 *Nous prenons les nôtres au printemps, j'espère qu'il fera beau.*

We . . . taking . . . . in . . . . . ., I . . . . it . . . . fine.

Forty-seventh (47th) **Lesson**

1 An **En**glishman and a **Fren**chman are discussing their res**pec**tive **coun**tries (1).

2 — Of course, says the **En**glishman, you **Fren**chmen are not **gen**tlemen.

PRONUNCIATION

1 rïspèktïv **keun**triz. — 2 sèz ... **djènn**tëlmën.

4 *Qu'est-ce qu'il veut dire?*

What . . . . he . . . . ?

5 *Pensez-vous que l'examen sera difficile?*

Do . . . . the exam . . . . . .

. . . . ?

EXERCICES

1 Comme d'habitude, nous prenons nos vacances en hiver cette année. — **2** Si votre radio ne marche pas, vous pouvez prendre (emprunter) la mienne. — **3** Que faites-vous? — J'écris une lettre. — **4** Lisez-vous ce livre souvent (combien souvent)? — Une fois par (une) jour. — **5** Non, je regrette, il n'est [pas] encore revenu de Brighton.

Corrigé

1 will be - cold - winter. — **2** usual - are taking their - summer. — **3** are - ours - spring - hope - will be. — **4** does - mean. — **5** you think - will be difficult.

Quarante-septième leçon

1 Un Anglais et un Français discutent (*prog.*) [de] leurs pays respectifs.
2 Bien sûr, dit l'Anglais, vous [les] Français n'êtes pas [des] gentlemen.

NOTES

(1) Rappelons que les noms qui se terminent en « -y » forment leurs pluriels en « -ies ». Remarquez les

3 — And why not? re**plies** his friend, **slig**htly an**noy**ed (**2**).

4 — Well, for ex**am**ple, if you enter a bathroom by mis**take** (**3**),

5 and you see a young **la**dy **wa**shing, what do you say?

6 — We say "Ex**cuse** me, **ma**dam".

7 — **Exac**tly, says the **En**glishman, but a **gen**tleman says: Ex**cuse** me, sir.

---

8 A **gen**tleman is a **per**son **ca**pable of two things.

9 He can des**cribe** a pretty girl with**out** **u**sing **ges**tures,

10 and he always **hears** a **fu**nny **sto**ry for the first time.

---

11 Two **En**glish **gen**tlemen are **ea**ting a **meal** in their club.

12 They **taste** (**4**) the soup with great **in**terest, and one says to the **o**ther:

13 — It's an **in**teresting soup, but not a great soup.

3 **rïplaïz** ... frènnd ... **slaï**tlï ... ën**oï**d. — **4** èg**zah**mpï. — **5** **ouo**shïng. — **6** èks**iouz**mï. — **7** eg**zàl**tlï. — **8** **peu**sën **ké**pëbël. — **9** dïs**kraïb** ... **iou**zïng **djè**stchëz. — **10** **hîëz** .. **feu**nnï. — **11** **î**tïng ë **mî**ël. — **12** **tést** ... **inn**trèst ... sèz. — **13** **inn**tresting ... grét.

3 Et pourquoi pas? répond son ami, légèrement ennuyé.
4 Eh bien, par exemple, si vous entrez [dans] une salle de bains par erreur,
5 et [que] vous voyez une jeune dame en train de se laver (lavant), que dites-vous?
6 Nous disons : « Excusez-moi, Madame ».
7 Exactement, dit l'Anglais, mais un gentleman dit : « Excusez-moi; Monsieur ».

---

8 Un gentleman est une personne capable de deux choses :
9 Il peut décrire une jolie fille sans utiliser [de] gestes,
10 et il entend toujours une histoire drôle pour la première fois.

---

11 Deux gentlemen anglais mangent (*prog.*) un repas à (dans) leur club.
12 Ils goûtent la soupe avec grand intérêt, et [l']un dit à l'autre :
13 C'est une soupe intéressante, mais pas une grande soupe.

NOTES (continued)

majuscules pour les noms des pays, nationalités, jours de la semaine, etc.

(2) *Light:* léger; *slight:* peu considérable. *To knock* (nok) *lightly:* frapper légèrement; *slightly annoyed:* légèrement ennuyé (c.-à-d. pas trop).

(3) Une faute : *a mistake; a fault:* un défaut; *by mistake:* par erreur. Exprès, se dit *on purpose* (**peu**pës).

(4) *To taste:* goûter **et** déguster. Le goûter (le repas) se dit *tea* (le contraire vous eût étonné, n'est-ce pas?)

EXERCISES

1 You Englishmen eat **bad**ly. — **2** He **doesn**'t want to come. Why not? — **3** This ma**chine** (mëshîn) is **ca**pable of **ma**ny things. — **4** He speaks **Eng**lish with**out ma**king mis**takes**. — **5** I **al**ways take his bag by mis**take**. — **6** His friend is **cri**ticising him and he is **sligh**tly an**noy**ed.

Fill in the missing wor[illegible]

1 *Ils discutent de leurs pays respectifs avec grand intérêt.*

. . . . discussing . . . . . respective countries with . . . . . interest.

2 *Si vous entrez par erreur dans la cuisine, que dites-vous?*

If you . . . . . the . . . . by . . . .; what . . . .?

3 *Il peut décrire une jolie fille sans utiliser de gestes.*

He . . . . a . . . . . . girl without . . . .

Forty-eighth (48th) Lesson

1 — How far is it to the **sta**tion? — Oh, not too (1) far.

PRONUNCIATION:

1 **sté**shën - tou fah.

4 *Je vois deux messieurs en train de manger leur soupe.*

I ... ... two gentlemen .... soup.

5 *Je vous en prie, dégustez ce vin et dites-moi ce que vous en pensez.*

...... taste .... wine and .... .. what you ..... of it.

EXERCICES

1 Vous, [les] Anglais, vous mangez mal. — **2** Il ne veut pas venir. Pourquoi pas? — **3** Cette machine est capable de beaucoup de choses. — **4** Il parle [l']anglais sans faire [de] fautes. — **5** Je prends toujours son sac par erreur. — **6** Son ami le critique et il est légèrement ennuyé.

Corrigé

1 They are - their - great. — **2** enter - kitchen - mistake - do you say? — **3** can describe - pretty - using gestures. — **4** can see - eating their. — **5** Please - this - tell me - think.

Quarante-huitième leçon

1 A quelle distance (combien loin) est (pour) la gare? — Oh, pas trop loin.

NOTES

(1) Remarquez la longueur de cette diphtongue (deux voyelles). Elle se prononce comme le chiffre *two* et non comme *to* dont le « o » est déformé en « ë ».

2 It takes (**2**) about ten **min**utes on foot and only two by car.
3 Shall I call you a **ta**xi? — No thanks, **I'll** walk. I have **plen**ty of (**3**) time.

---

4 A soci**o**logist is **stu**dying the **a**verage height of the **En**glish (**5**).
5 — Do you know, he says to his **girl**friend, **o**nly one **En**glishman in nine **hun**dred **twen**ty (920) is six feet tall (**5**)?
6 — Yes, says the girl, but it's **al**ways him
7 that sits in front of me in the **ci**nema.

I DON'T LIKE ALL THESE QUESTIONS

8 A **bus**inessman is **wri**ting to a com**pe**titor who is very dish**o**nest (**6**) :
9 "As my **sec**retary is a **la**dy, she **can**not tell you what I think of you.
10 and as I am a **gen**tleman, I **can**not even think it;
11 but as you are **nei**ther one nor the **o**ther,
12 I hope you under**stand**!".

2 baï kah. — **3** **aï**-ël ... **plè**nntï. — **4** sôhsï**oh**lëdjïst ... **à**vrïdj haït. — **5** sèz ... **geul**frènnd ... tohl. — **7** ïn freunt ov ... **sï**nëmah. — **8** **bïz**nësmën ... **raï**ting ... këm**pè**tïtë ... dïs**oh**nëst. — **9** **sèk**rëtrï ... **lé**dï. — **11** **naï**vë ... noh vï **euv**ë.

2 Il faut (prend) environ dix minutes à (sur) pied et seulement deux en voiture.
3 Voulez-vous [que] je vous appelle (vous appellerai-je) un taxi? — Non merci, je marcherai. J'ai beaucoup de temps.

---

4 Un sociologue étudie (*prog.*) la taille (hauteur) moyenne des Anglais.
5 Sais-tu dit-il à sa petite-amie, seulement un Anglais sur (dans) 920 est grand de 6 pieds?
6 Oui dit la fille, mais c'est toujours lui.
7 qui est (assis) devant moi au (dans le) cinéma.

---

8 Un homme d'affaires écrit (*prog.*) à un concurrent qui est très malhonnête :
9 « Comme ma secrétaire est une dame, elle ne peut vous dire ce que je pense de vous
10 et comme je suis un gentleman je ne peux même le penser;
11 mais comme vous [n']êtes ni l'un ni l'autre
12 j'espère que vous comprenez! ».

NOTES (continued)

(2) Le verbe falloir n'existant pas en anglais, nous sommes obligés de trouver d'autres tournures. En voici une : combien de temps faut-il? = *how long does it take?* Il faut une heure : *It takes an hour.*

(3) *Plenty of* (où l'on reconnaît « plenitude ») est un synonyme pour *much* ou *many.* Il s'emploie indifféremment si le nom est singulier ou pluriel.

(4) *The English :* les Anglais (le peuple). Un Anglais : *an Englishman.*

(5) *Tall :* grand, en hauteur. *It is six feet tall and three feet wide :* Il fait 1,80 m de haut et 90 cm de large. *How tall are you? :* combien mesurez-vous?

(6) *Honest* (**oh**nëst) est l'un des rares mots anglais (avec hour) dont l'« h » n'est pas aspiré. Nous faisons donc la liaison avec le « s » (disohnëst).

EXERCISES

1 How long does it take to go to the **sta**tion? — 2 No thanks, **we**'ll go on foot. — 3 Who is **si**tting in front of them? — I think it's George. — 4 What do you think of this **le**sson? — 5 Only one man in **twen**ty wears a hat. — 6 How much is the **a**verage **sa**lary in **Eng**land? — About **for**ty pounds a week.

Fill in the missing words:

1 *Ni Paul ni moi ne peuvent venir demain. Je suis désolé.*

. . . . Paul . . . I . . . come tomorrow I'm . . . . .

2 *Ces exercices ne prennent qu'une demi-heure à faire.*

. . . . . exercises . . . . half an hour . . . .

3 *Combien vous mesurez? — Je ne peux pas vous dire en mètres.*

How . . . . are you? — I . . . . . . tell you . . meters.

Forty-ninth (49th) Lesson

REVISIONS AND NOTES

Notes à relire. — 43ᵉ leçon : (1), (4), (6) - **44ᵉ :** (2), (3) - **45ᵉ** : (4) - **46ᵉ** : (2).

1 A thing [voir leçon 44, (**2**)]. — *Something :* quelque chose. *Anything :* quelque chose (dans la néga-

4 *Voulez-vous que je lui demande de vous téléphoner après six heures?*

. . . . . I ask . . . to 'phone . . . tomorrow . .

six . . . .?

5 *Nous pouvons y aller à pied : nous avons beaucoup de temps.*

We . . . go . . . . . . : we have . . . .

time.

EXERCICES

1 Combien de temps (long) faut-il (prend-il) pour aller à la gare? — **2** Non merci, nous irons à (sur) pied. — **3** Qui est assis (*prog.*) devant eux? — Je pense [que] c'est G. — **4** Que pensez-vous de cette leçon? — **5** Seulement un homme sur (dans) vingt porte un chapeau. — **6** (De combien) quel est le salaire moyen en Angleterre? — Environ £ 40 par (une) semaine.

Corrigé

1 Neither - nor - can - sorry. — **2** These - only take - to do. — **3** tall - cannot (can't) - in. — **4** Shall - him - you - at - o'clock. — **5** can - on foot - plenty of.

---

*Rappellons que l'***s** *final se prononce* **z** *sauf après p, t, k, f, où il est physiquement impossible de le faire.*

Quarante-neuvième leçon

tive, les questions, ou l'incertitude). Anything = également n'importe quoi, quoi que ce soit.

Il se trouve que parfois le mot juste vous échappe en français, alors vous le remplacez naturellement par : « machin, truc, chose ». N'ayez pas peur de faire pareil en anglais. Demandez sans honte : *What is that thing called?* (comment s'appelle cette chose?).

49th LESSON

2 Les pronoms possessifs ne sont jamais précédés de *the* comme en français. Nous vous les rappelons : *mine* (le mien), *yours* (le vôtre, le tien), *hers, its, his* (le sien), *ours* (les nôtres), *theirs* (le leur). Il n'y a pas de forme pluriel (les miens, etc.), N'est-ce pas simple?

3 Les questions avec « how ». — Des petites formules très utiles. — *How far ...* (à quelle distance?) : *How far is it to the station?* — *How often ...* (à quelle fréquence) : *How often do you go to England?* = tous les combien (à quelle fréquence) allez-vous en Angleterre? — *How long?* (combien de temps) : *How long is the journey from Brighton to Birmingham?* = combien de temps prend le voyage entre Brighton et Birmingham?

4 Shall (leçon 43, **N. 4**). — *Shall I open a window? :* voulez-vous que j'ouvre une fenêtre? — *Shall I call a taxi? :* vous voulez que j'appelle un taxi. — *What shall I do? :* Que dois-je faire? — *Shall I ...?* peut être remplacé par *do you want me* + infinitif.

5 A bien retenir :

When will you be able to leave? : quand pourrez-vous partir?

She'll feel at home : elle se sentira chez elle.

Don't be nasty : ne soyez pas méchant.
He's a friend of mine : il est un de mes amis.

6 Ecrivez en anglais (deuxième vague) :

1 Je lui dirai quand je le verrai.
2 Il ne pourra pas répondre lui-même.
3 Je n'aime pas toutes ces questions. Moi non plus.
4 A qui est ce portefeuille? C'est le mien.
5 Nous sommes des amis à elle. Quoi, vous tous!
6 A combien d'ici est la Poste?

Nous choisissons des phrases où vous devez faire des fautes. Si vous n'en faites pas, tous nos compliments. Si vous en faites passablement, c'est normal, ne vous inquiétez pas. Nous pourrions vous donner des phrases plus faciles; mais il s'agit ici d'insister sur les points faibles, et non sur le répertoire — déjà imposant — dans lequel vous pourrez briller.

Traduction :

1 *I'll tell him when I see him* [leçon 30, n° (**5**)].
2 *He will not (won't) be able to answer himself.*
3 *I don't like all these questions. Neither do I.*
4 *Whose is this wallet? It's mine.*
5 *We're friends of hers. What, all of you!*
6 *How far is the post-office from here?*

DEUXIÈME VAGUE. — *Demain, nous aborderons la phase active de notre étude. Voici comment : une fois la cinquantième leçon vue, selon votre habitude, vous reprendrez la première leçon.*

Après l'avoir bien écoutée et relue, vous tâcherez de traduire oralement et par écrit le texte français en anglais, et vous vous corrigerez vous-même. Nous espérons que vous n'y trouverez pas de difficultés. Vous continuerez ainsi chaque jour de revoir une leçon passée. Rien de meilleur pour consolider votre savoir et vous amener à parler naturellement. Bonne chance!

Fiftieth (50th) Lesson

The past tense

1 We worked (**1**) hard **ye**sterday, and to**day** we must look at **some**thing new.

2 You looked at the **le**sson and **lis**tened to the **re**cords (or tapes), so now you are **rea**dy to learn the past tense.

3 It is very **sim**ple. You add "ed" to the in**fin**itive if it ends in a **con**sonant;

4 and **sim**ply "-d" to the in**fin**itive **en**ding in "e".

5 For e**xa**mple: to look, I looked; to work, he worked;

6 To like, they liked; to smile, we smiled.

7 There are, of course, some i**rreg**ular verbs, but they are not too **com**plicated.

8 Let's look at our old friends "to be" and "to have".

9 "To have" is ext**reme**ly **sim**ple. It be**comes** "had": you had (**N. 1**) he had.

10 "To be" has two forms: I was, he was; and "you were, they were" (**2**).

11 You see how **sim**ple it is!

12 We had **din**ner at eight o'clock, John and **Pe**ter were there.

13 I had a cold last week and I was quite ill.

14 We hoped to see her but she was **bu**sy.

PRONUNCIATION :

1 oueukt hahd ... meust ... **seum**fïng. — **2** loukt ... **lï**sseund ... **rè**kohdz ... téps ... **rè**dï ... leun ... pahst tènns. — **3** ïn**fin**ïtïf ... èndz ... **kon**sënënt. — **4** **sïm**mplï. — **5** foh eg**zah**mpël ... loukt ... oueukt. — **6** laïkt ... smaïl ... smaïld. — **7** ov kors ... ïr**ègi**oulë ... **kom**plïkétéd. — **8** frenndz. — **9** ekst**rîm**lï ... bi**keumz**. — **10** ouoz ... oueur. — **11** haou. — **12** ét ... oueur. — **13** ouoz kouaït. — **14** hôhpt ... ouoz **bï**zï.

Cinquantième leçon

Le passé

1 Nous avons travaillé dur hier, et aujourd'hui nous devons regarder (à) quelque chose de nouveau.
2 Vous avez regardé (à) la leçon et écouté les disques (ou bandes), donc maintenant vous êtes prêt à apprendre le temps passé.
3 C'est très simple. Vous ajoutez « -ed » à l'infinitif s'il se termine par une consonne;
4 et simplement « -d » à l'infinitif se terminant en « e ».
5 Par exemple : regarder, je regardai (j'ai regardé); travailler, il travailla (il a travaillé);
6 aimer, ils aimèrent; sourire, nous sourîmes.
7 Il y a, bien entendu, quelques verbes irréguliers, mais ils ne sont pas trop compliqués.
8 Regardons nos vieux amis « être » et « avoir ».
9 Avoir est extrêmement simple. Il devient *had :* vous aviez, il avait.
10 Être a deux formes : j'étais, il était; et vous étiez, ils étaient.
11 Vous voyez comme c'est simple! (simple il est).
12 Nous dînions à 8 heures, Joan et Peter étaient là.
13 J'avais un rhume [la] semaine dernière et j'étais assez malade.
14 Nous espérions la voir mais elle était occupée.

NOTES

(1) Surtout ne dîtes pas « oueukèd », le « e » de « -ed » ne se prononce que si on ne peut pas faire autrement c'est-à-dire après t et d comme dans *wanted* et *intended*, et reste e muet.
Notez la prononciation « oueukt ». Le « d » sonne « t » après chaque consonne dure, sauf « t »; vous verrez plus bas *liked.*

(2) Notez bien la prononciation « oueur ». Réjouissez-vous, il n'y a pas de contraction au passé (sauf avoir).

EXERCISES

1 He must learn to be more polite. — 2 We were both ready at seven o'clock, — 3 but nobody was at home when we called. — 4 They finished their meal and went to bed. — 5 You see how simple it is!

Fill in the missing words :

1 *Quand il eut fini, il ferma le livre et fuma une pipe.*

When he . . . finished, he . . . . . . the book and . . . . . . a pipe.

2 *Il était quatre heures quand il est arrivé. Il était en retard.*

It . . . four . . . . when he . . . . He . . . .

3 *Elle eut un rhume et fut assez malade.*

She . . . a cold and . . . . ill.

4 *Chaque fois que je voulais travailler, il me dérangeait.*

Every time I . . . . . . to . . . ., he disturbed . .

Fifty-first (51st) Lesson

More past tenses

1 — Was he at home **yes**terday? — I think so, but I **did**n't (1) phone.

PRONUNCIATION :

1 ouoz ... fïnnk sôh ... **dï**dënt fôhn.

5 *Quand nous étions jeunes, nous avions plus de temps.*

When we . . . . young, we . . . . time.

EXERCICES

1 Il doit apprendre [à] être plus poli. — **2** Nous étions tous les deux prêts à sept heures, — **3** mais personne [n']était à [la] maison quand nous avons appelé. — **4** Ils ont terminé leur repas et sont allés au lit. — **5** Vous voyez comme c'est simple (simple c'est).

Corrigé

1 had - closed - smoked. — **2** was - o'clock - arrived - was late. — **3** had - was quite. — **4** wanted - work - me. — **5** were - had more.

Second wave: 1st Lesson

Cinquante et unième leçon

Encore des temps passés

1 Etait-il à la maison hier? — Je pense (ainsi), mais je n'ai pas téléphoné.

NOTES

(**1**) Prononcez énergiquement le d de *did* et, naturellement, l'i atténué, presque ë.

2 — He called **yes**terday, but he **did**n't see me. — Did he phone? — I don't think so.

3 These are the inter**rog**ative and **neg**ative forms in the past.

4 You do not change the verb, you **sim**ply put the au**xil**liary "do" into the past "did":

5 I did not (**did**n't) like the food. He did not (**did**n't) phone. We did not (**did**n't) like him.

6 **Ques**tions are **ea**sy, too: Did he like it? Did she phone?

7 — Did you like (2) the play (3) last night? — I **did**n't see it.

8 — But did you go (4) to the t**hea**tre? — Yes, but I was so **ti**red I closed my eyes.

9 — Tell me, was the play **in**teresting? — I **did**n't under**stand** very much, It was in Greek.

10 — Then why did you go? — I liked the main (5) **ac**tor.

11 — Did he act (6) well? — I **did**n't watch the **ac**ting. I looked at him.

12 — What did you do **af**ter the play? I dreamed (7) **about** the **ac**tor!

13 He did not, he **did**n't: He **did**n't like the play.

14 Did they..?: Did they phone you?

2 kohld ... **dï**dënt. — 3 vîz ... ïnntë**rog**ëtïf ... **nè**gëtïf. — 4 tchéndj ... ohg**zï**lïarï. — 5 dou not (**dï**dënt) ... foud. — 6 **kouest**chënz ... **î**zï. — 7 plé ... naït. — 8 **fï**ëtë ... **taï**-eud ... klôhzd ... aïz. — 9 eundë**stannd** ... grîk. — 10 laïkt ... mén **ak**të. — 11 **dï**dënt ouotch ... loukt. — 12 **ah**ftë ... drîmd ëbaout.

2 Il est venu (appelé) hier, mais il ne m'a pas vu. — A-t-il téléphoné? — Je ne pense pas (ainsi).
3 Voici les formes interrogatives et négatives du (dans) passé.
4 Vous ne changez pas le verbe, vous mettez simplement l'auxiliaire *do* (faire) au passé *did :*
5 Je n'ai pas aimé la nourriture. Il n'a pas téléphoné. Nous ne l'avons pas aimé.
6 Les questions sont faciles aussi : L'aimait-il? A-t-elle téléphoné?

7 Avez-vous aimé la pièce (de théâtre) hier soir? — Je ne l'ai pas vue.
8 Mais êtes-vous allé au théâtre? — Oui, mais j'étais tellement fatigué que j'ai fermé les (mes) yeux.
9 Dites-moi, la pièce était-elle intéressante? — Je n'ai pas compris grand'chose (beaucoup), c'était en grec.
10 Alors, pourquoi y êtes-vous allé? — J'aimais l'acteur principal.
11 Est-ce qu'il a bien joué? — Je n'ai pas regardé le jeu. Je le regardais.
12 Qu'avez-vous fait après la pièce? — J'ai rêvé de (au sujet de) l'acteur.

13 Il n'a pas, (*contraction*) : il n'a pas aimé la pièce.
14 Ont-ils...? : Vous ont-ils téléphoné?

NOTES (continued)

(2) Quand l'action est terminée, ou située dans le passé (*yesterday, when,* etc.), on emploie le passé défini. Il y a un autre temps du passé que l'on utilise pour une action non encore terminée que nous verrons plus tard. Il n'y a pas l'équivalent de l'imparfait français en anglais.

(3) *To play :* jouer; *a game* [gém] : un jeu; *a play :* une pièce de théâtre.

(4) **Attention!** Il n'y a pas de verbes qui se conjuguent avec être au passé défini!

(5) *Main :* principal. *A main road :* une route principale.

(6) *To act :* jouer au théâtre, agir; *an actor :* un comédien; *a comedian* [këmîdiën] est uniquement un acteur comique.

(7) *To dream :* rêver, peut être irrégulier, alors on dit *dreamt* [drèmt].

EXERCISES

1 I **did**n't **fin**ish it be**cause** I was dis**turbed**. — **2** Who dis**turbed** you? — **3** My **sis**ter and her friends in**vit**ed me to go out with them. — **4** Where did you go? — **5** To the **ci**nema, but I **did**n't like the film.

Fill in the missing words :

1 *Pourquoi avez-vous dit cela? Êtes-vous en colère?*

Why . . . you . . . that? . . . you angry?

2 *Qui as-tu vu hier soir? Je ne suis pas sorti.*

Who . . . you . . . last . . . . .? I . . . . go out.

3 *Où avez-vous mis mon journal? Près du divan.*

Where . . . you . . . my paper? . . . . the sofa.

4 *Qu'avez-vous fait après la pièce?*

. . . . did you . . after the . . . . ?

Fifty-second (52nd) Lesson

1 Here are a few more **ex**amples of **re**gular verbs in the **pres**ent, in the past and with the past par**ti**ciple :

5 *Je leur ai demandé, mais ils n'ont pas voulu nous parler.*

I . . . ., but they . . . not . . . . . . talk to us.

EXERCICES

1 Je ne l'ai pas fini parce que j'ai été dérangé. — **2** Qui vous a dérangé? — **3** Ma sœur et ses amis m'ont invité (de) à sortir avec eux. — **4** Où êtes-vous allé? — **5** Au cinéma, mais je n'ai pas aimé le film.

Corrigé

1 did - say - Are. — **2** did - see - night - didn't. — **3** did - put - Near. — **4** What - do - play. — **5** asked them - did - want to.

Second wave: 2nd Lesson

Cinquante-deuxième leçon

1 Voici encore quelques (plus) exemples de verbes réguliers au présent, au passé et avec le participe passé :

PRONUNCIATION : 1 fiou ... prèzënt ... pahtïsïp'l.

2 I hope, I hoped, I have hoped (1). He lives, he lived, he has lived. We finish, we finished (2) we have finished.

3 They talk, they talked, they have talked. She changes, she changed, she has changed. You play, you played, you have played.

4 Let's practise (3) the past of "do":

5 Does he smoke? Did he smoke? We don't ask questions; we didn't ask questions.

6 What do you do? What did you do?

7 Does he wait? Did he wait? She doesn't answer. She didn't answer.

8 "Can" and "will" are irregular and become "could" and "would" in the past. They have no past participle (4).

9 I can begin now. I couldn't begin yesterday.

10 He wouldn't work this morning, but he will now.

11 I have (I've), I had.

12 I am (I'm), we are (we're), I was, we were, I have been.

2 hôhp ... hôhpt ... lïvz (le « i » très bref) ... lïvd ... fïnnïsh ... fïnnïsht. — 3 tohk ... tohkt ... tchéndjëz ... tchéndjd ... plé ... pléd. — 4 pràktïs. — 5 deuz ... smôhk ... dohnt ahsk ... dïdënt. — 6 ouot. — 7 ouét ... deuzënt ahnsë. — 8 kann ... ouïl ... koud ... ououd. — 9 begïnn naou ... koudënt. — 10 ououdënt ... oueuk. — 11 aïv. — 12 aïm ... ouîr ... ouoz ... oueur ... bîn.

2 J'espère, j'espérai, j'ai espéré. Il vit, il vécut, il a vécu. Nous terminons, nous terminâmes, nous avons terminé.
3 Ils parlent, ils parlèrent, ils ont parlé. Elle change, elle changea, elle a changé. Vous jouez, vous jouiez, vous avez joué.

4 Pratiquons le passé de *do*.
5 Est-ce qu'il fume? A-t-il fumé? Nous ne posons pas de questions; nous n'avons pas posé de questions.
6 Que faites-vous? Qu'avez-vous fait?
7 Est-ce qu'il attend? A-t-il attendu? Elle ne répond pas. Elle n'a pas répondu.
8 *Can* et *will* sont irréguliers et deviennent *could* et *would* au passé. Ils n'ont pas de participe passé.
9 Je peux commencer maintenant. Je n'ai pas pu commencer hier.
10 Il ne voulait pas travailler ce matin, mais il veut maintenant.
11 J'ai, (*contraction*), j'avais.
12 Je suis, (*contraction*), nous sommes, (*contraction*), j'étais, nous étions, j'ai été.

NOTES

(**1**) Voici le temps dont on se sert pour exprimer une action qui n'est pas terminée. Nous le verrons plus tard. Pour l'instant notre traduction est hors de contexte donc approximative.

(**2**) Prononciation : **f**innisht [voir leçon 50, n° (**1**)].

(**3**) *To practise :* pratiquer, répéter, pour apprendre, s'exercer. Le nom s'écrit avec un « c » : *practice* (la pratique).

(**4**) *Can* et *will* n'ayant pas de participe passé, on dit j'ai été capable de... pour « j'ai pu », et on se sert de *wanted* pour voulu.

EXERCISES

1 I hoped he would ask me, but he **did**n't. — 2 Did you take the plane or the boat? — 3 She had a few **pro**blems with her **fa**ther. — 4 He was **so**rry he **coul**dn't help me. — 5 She walked **o**ver to the **win**dow and **o**pened it.

Fill in the missing words :

1 *Ils ont changé leur voiture pour une plus petite.*

They . . . . their car for a . . . . one.

2 *Nous n'avons pas pu acheter de billets, l'agence était fermée.*

We . . . . the tickets, the agency . . .

. . . . . .

3 *Voici quelques idées pour votre prochain livre.*

. . . . a few ideas for . . . . book.

Fifty-third (53rd) Lesson

Difficult to please

1 A man is **try**ing to enter**tain** (1) his guest in a club.

2 — Would you like (2) a Scotch? — No **thank** you.

PRONUNCIATION

1 ènntëtén ... gèsst ... kleub. — 2 ououd ...

4 *Ont-ils bien joué? Oui, mais pas assez bien.*

. . . they . . . . well? Yes but . . . well . . . . . .

5 *Il a fumé 18 cigarettes en une heure. C'est trop!*

He . . . . cigarettes . . an hour. That's too . . . .!

EXERCICES

1 J'avais espéré qu'il me demanderait, mais il (n'a pas) ne l'a pas fait. — **2** Avez-vous pris l'avion ou le bateau? — **3** Elle eut quelques problèmes avec son père. — **4** Il était [si] désolé [qu']il n'a pas pu m'aider. — **5** Elle alla vers la fenêtre et l'ouvrit.

Corrigé

1 changed - smaller. — **2** couldn't buy - was closed. — **3** Here are - your next. — **4** Did - play - not - enough. — **5** smoked eighteen - in - many.

Second wave: 3rd Lesson

Cinquante-troisième leçon

Difficile à contenter

1 Un homme essaie (*prog.*) de distraire son invité dans un club.
2 Voulez-vous un Scotch? — Non, merci.

NOTES

(1) *To entertain:* distraire ou recevoir des gens chez soi; *entertainment:* la distraction.

(2) Autre formule de politesse : *will you have* ... (voulez-vous) ; *would you like* ... (aimeriez-vous ...).

3 I tried it once and **did**n't like it. I never tried it **again**.
4 — Well, have some **be**er. — No **thank** you.
5 I tried some once and **did**n't like it. I **ne**ver drank it **again**.
6 — How **about** (3) a game of **bil**liards? — No **thank**you.
7 I played it once and **did**n't like it. I never tried it **again**.
8 — Well, a game of chess? — **Again**, no **thank**you.
9 I played it once and **did**n't like it.
10 But here is my son. He's an **exc**ellent **pla**yer.
11 — Your **on**ly son, I pre**sume?**

---

12 — What did you do in **Ame**rica? — We **ren**ted (4) a car and **vi**sited the West Coast.
13 — Did you see the Grand (5) **Can**yon? — No, we **did**n't have time.

3 traïd ... oueuns ... ë**gè**nn. — 4 **bî**ë. — 5 drannk. — 6 ë**baout** ... gém ... **bï**liëhdz. — 7 pléd. — 8 tchèss. — 10 seun ... **èks**ëlënt **plé**ë. — 11 **ôh**nlï ... prï**zioum**. — 12 ë**mè**rïkë ... **rè**nntëd ... ouest kôhst. — 13 grannd **kan**niën.

EXERCISES

1 How **about** a cup of tea? — Yes, please. — 2 Did you write to him? — 3 No, we **did**n't have time. — 4 You are my **o**nly friend. — 5 They never enter**tain** their friends at home.

3 J'ai essayé une fois et je n'ai pas aimé ça. Je n'ai jamais réessayé.
4 Alors, prenez une bière. — Non, merci.
5 J'en ai essayé une fois et [je] ne l'ai pas aimée. Je n'en ai jamais rebu.
6 Et si nous faisions (comment environ) une partie de billard? — Non, merci.
7 J'y ai joué une fois et je n'ai pas aimé ça. Je n'ai jamais réessayé.
8 Alors une partie d'échecs? — A nouveau, non merci.
9 J'y ai joué une fois et je n'ai pas aimé ça.
10 Mais voici mon fils. C'est (il est) un excellent joueur.
11 Votre seul fils, je suppose?

---

12 Qu'avez-vous fait en Amérique? — Nous avons loué une voiture et visité la côte Ouest.
13 Avez-vous vu le Grand Canyon? — Non, nous n'avons pas eu le temps.

NOTES (continued)

(3) Locution idiomatique utilisée en proposant ou en offrant : *How about a cigar?:* que diriez-vous d'un cigare?

(4) Nous connaissons le *rent-a-car.* *The rent:* le loyer (du français rente). Louer se dit également *to hire* [haï-ë].

(5) *Grand,* en anglais, signifie « grandiose ».

N'oubliez pas d'aspirer l' « h », mais sans vous essouffler.

EXERCICES

1 Et si nous buvions (comment environ) une tasse de thé? — Oui, s'il vous plaît. — **2** Vous lui avez écrit? — **3** Non, nous n'avons pas eu le temps. — **4** Vous êtes mon seul ami. — **5** Ils [ne] reçoivent jamais leurs amis à la maison.

Fill in the missing words:

1 *Et si nous faisions une partie d'échecs? Merci, j'ai essayé une fois.*

How . . . . . a . . . . of chess? No . . . . I . . . . . it . . . .

2 *Soyez tranquilles, j'essaie de dormir.*

Be . . . . ., I'm . . . . . . to . . . . .

3 *Aimeriez-vous essayer cette bière? Vous êtes très gentil.*

. . . . . you . . . . to . . . . beer? . . . . . . very . . . .

4 *Ils nous ont rendu visite mais nous n'étions pas là.*

They . . . . us but we . . . . in.

Fifty-fourth (54th) Lesson

1 — Tell me more about your trip (**1**).
2 — Well; **Pe**ter and I took a plane to San Fran**cis**co. We stayed there for two days and went down to Monter**rey**.
3 There, we saw **Can**nery Row. — Didn't **some**one write a book **about** that?

PRONUNCIATION

1 moh ... trïp. — **2** **pî**të ... touk ë plén ... sann frann**sï**sko ... stéd .. ouènnt daoun ... monntë**ré**. — **3** soh **kan**nërî rôh ... raït ... ë**baout**. –

5 *Anne et ses amis n'aimaient pas son professeur.*

Anne and . . . friends . . . . . . like . . . teacher.

Corrigé

1 about - game - thankyou - tried - once. — **2** quiet - trying - sleep. — **3** Would - like - try this - You're - kind. — **4** visited - weren't. — **5** her - didn't - her.

Second wave: 4th Lesson

Cinquante-quatrième leçon

1 Dites m'en plus sur votre voyage.
2 Eh bien, Peter et moi (je) avons pris un avion jusqu'[à] San Francisco. Nous y sommes restés (pour) deux jours et nous sommes descendus à Monterrey.
3 Là, nous avons vu Cannery Row. — Quelqu'un n'a-t-il pas écrit un livre là-dessus?

NOTES

(1) *A trip:* un voyage, avec l'idée d'un retour; *a journey:* un trajet; *a voyage:* un voyage **en mer.** Voyager se dit *to travel. Travel agent:* agent de voyages.

4 — Yes, John **Stein**beck wrote one. They also held a pop-**fes**tival there in the **six**ties (**2**).

5 Then we drove to Los **An**geles and **vi**sited **Dis**neyland. John knew it al**ready**.

6 I thought (**3**) **Dis**neyland was fan**tas**tic. It re**min**ded me of the "Conciergerie" in **Pa**ris.

7 — What an **e**ducated **per**son!

---

8 — It was my **birth**day last week. — How old were you? — Oh, at least **thir**ty-**two**.

---

9 The ten best **years** of a **wo**man's life
10 are those be**tween** **twen**ty-nine and **thir**ty.

11 **Shop***keeper.* — Your bill (**4**) **is**n't paid yet.
12 **Cus***tomer.* — **Did**n't you re**ceive** my cheque?
13 **Shop***keeper.* — No, I **did**n't.
14 **Cus***tomer.* — **I'll** post it at once (**5**).

4 djonn **staïn**bèk rôht ... pop **fès**tïvël ... **siks**tîz. — **5** drôhz ... loss **ann**gëlîz ... niou. — **6** foht ... fannt**às**tïk ... rë**maïn**dëd. — **7** **è**dioukétëd. — **8** **beuf**dé ... lîst. — **9** **yî**ëz ... ou**ou**mënz. — **10** vôhz bï**touîn** **touèn**ntï naïn ... **feu**tï. — **11** **shop**kîpë ... péd. — **12** **keus**tëmë ... rï**sîv** ... tchèk. — **13** **dï**dënt. — **14** pôhșt ... ouents.

4 Si (oui), John Steinbeck en a écrit un. On a (ils ont, également organisé (tenu) un festival de pop là [dans] les années 60.
5 Puis, nous avons conduit jusqu'[à] Los Angeles et avons visité Disneyland. John le connaissait déjà.
6 J'ai pensé que Disneyland était merveilleux. Ça m'a rappelé la (de la) Conciergerie à Paris.
7 Quelle (une) personne cultivée (éduquée)!

---

8 C'était mon anniversaire la semaine dernière. — Quel âge aviez (étiez)-vous? — Oh, au moins 32 [ans].

---

9 Les dix meilleures années de la vie d'une femme
10 sont celles entre 29 et 30 [ans].

---

11 *Commerçant.* — Votre facture n'est pas encore payée.
12 *Client.* — Vous n'avez pas reçu mon chèque?
13 *C.* — Non (je n'ai pas).
14 *Cl.* — Je vais le poster tout de suite.

NOTES (continued)

(2) Les années soixante; *the thirties* (les années trente). Pour lire l'année on la divise en deux. 1977 devient 19 (*nineteen*), 77 (*seventy seven*). 1842: *eighteen forty two.*

(3) *To think, thought, thought* [foht]: *penser, trouver que. I think Paris is beautiful:* je trouve que Paris est beau.

(4) *Bill:* facture, note. Dans le commerce, on dit *an invoice* [invoïs]. Aux Etats-Unis, *a bill* est un billet de banque.

(5) *At once:* tout de suite, se dit également *straight away* [strèt ëoué].

EXERCISES

1 How old were you last **bi**rthday? — 2 I'm **so**rry sir, I thought I knew you. — 3 I want to know more a**bout** your **o**ffer. — 4 The best **a**pples are those with green skins.

Fill in the missing words:

1 *Nous vîmes un film et entendîmes un concert.*

We . . . a film and . . . . . a concert.

2 *J'espère qu'il a pris du gâteau. Il n'en voulait pas.*

I hope he . . . . cake. He . . . . . . want . . .

3 *Elle a conduit aussi vite qu'elle a pu.*

She . . . . . as fast . . she . . . . .

Fifty-fifth (55th) Lesson

1 When I was in **Ame**rica, I took some **ve**ry good **pho**tos.
2 Hel**lo**, how are you? — I'm **ti**red. I **o**nly came back from my trip **ye**sterday.
3 That was my wife's car you saw me with.
4 We heard about his trip and the things he did. It was **ve**ry **in**teresting.

PRONUNCIATION

1 ouoz ... touk ... **fô**htôhz. — 2 **taï**-ëd ... kém. — 3 ouaïfs ... soh. — 4 heud ... fïngz ... **ïnn**trëstïng. —

4 *Quand il m'a téléphoné, je suis parti tout de suite.*

When he . . . ., I went . . . . . .

5 *Quelqu'un n'a-t-il pas écrit un livre sur cette ville?*

. . . . . . someone . . . . . a book . . . . . this town?

EXERCICES

1 Quel âge aviez (étiez)-vous [à votre] dernier anniversaire? — **2** Je suis désolé Monsieur, je pensais [que] je vous connaissais. — **3** Je veux [en] savoir davantage sur (environ) votre offre. — **4** Les meilleures pommes sont celles à (avec) peau verte.

Corrigé

1 saw - heard. — **2** took some - didn't - any. — **3** drove - as - could. — **4** (tele)phoned/called me - at once. — **5** Didn't - write - about.

Second wave: 5th Lesson

Cinquante-cinquième leçon

1 Quand j'étais en Amérique, j'ai pris de très bonnes photos.

2 Bonjour, comment allez-vous? — Je suis fatigué. Je suis revenu seulement hier de mon voyage.

3 Vous m'avez-vu avec la voiture de ma femme (c'était la voiture de ma femme, vous m'avez-vu avec).

4 Nous avons entendu parler (au sujet de) de son voyage et des (les) choses qu'il a faites. C'était très intéressant.

5 How **ab**o**ut** a glass of **be**er? — No thanks, I'm not **thir**sty.
6 Did you see him **yes**terday? — No, I **did**n't.
7 He **did**n't pay his bill be**cause** he **did**n't have any **mo**ney.
8 Who was that **la**dy (1) I saw you with last night?
9 That **was**n't a **la**dy, that was my wife.
10 We thought he had under**stood**.

---

11 **Mo***ther.* — What did you do on your first day at school?
12 *Child.* — I learnt to write.
13 **Mo***ther.* — **Already**! Well, what did you write?
14 *Child.* — I don't know. I can't (**2**) read.

5 haou ë**baout** ... **feus**tï. — 6 sî ... **dïd**ënt. — 7 pé ... bï**koz** ... **meu**nï. — 8 **lé**dï ... soh ... naït. — 9 **ouoz**ënt ... ouoz. — 10 foht ... eundë**stoud**. — 11 **meu**vë ... feust dé. — 12 tchaïld ... leunt ... raït. — 13 orl**rèd**dï ... ouot. — 14 dohnt nôh ... kahnt rîd.

EXERCISES

1 He **cou**ldn't come be**cause** he **did**n't have time. — 2 Why **did**n't you tell me be**fore**? — 3 I only came back **yes**terday. — 4 What did you think of George? — 5 I thought he was kind, but a **li**ttle **stu**pid.

Fill in the missing words:

1 *Après qu'il eut regardé dans la vitrine, il entra dans le magasin.*

After he . . . . in the window, he . . . .
the shop. . . .

5 Que diriez-vous d'un verre de bière? — Non merci, je n'ai (suis) pas soif.
6 L'avez-vous vu hier? — Non (je n'ai pas).
7 Il n'a pas payé sa facture parce qu'il n'avait pas d'argent.
8 Qui était cette dame avec qui je vous ai vu hier soir?
9 Ça n'était pas une dame, c'était ma femme.
10 Nous pensions qu'il avait compris.

---

11 *Mère.* — Qu'as-tu fait (sur) pendant ton premier jour à l'école?
12 *Enfant.* — J'ai appris à écrire.
13 *Mère.* — Déjà! Eh bien, qu'as-tu écrit?
14 *Enfant.* — Je ne sais pas, je ne (peux pas) sais pas lire.

NOTES

(**1**) *Lady:* une dame; *woman* (pluriel *women*): une femme; *wife:* femme (épouse). *Lady* est également un titre, elle est la femme d'un Lord (qui peut être un baron, un vicomte ou un comte) : Lady Spencer Churchill.

(**2**) Je ne sais pas lire: *I can't read.* Elle ne sait pas nager : *she can't swim.* Quand on ne sait pas faire, en français, on dit carrément, en anglais, qu'on en est incapable!

WHEN I WAS IN AMERICA, I TOOK VERY GOOD PHOTOS

EXERCICES

1 Il ne pouvait pas venir parce qu'il n'avait pas [le] temps. — **2** Pourquoi ne [me l']avez-vous pas dit avant? — **3** Je suis revenu seulement hier. — **4** Qu'avez-vous pensé de George? — **5** Je pensais [qu]'il était gentil mais un peu stupide.

2 *Vous m'avez vu avec l'imperméable de ma femme.*

You . . . me with . . .. raincoat.

3 *Qu'as-tu fait aujourd'hui? — J'ai appris un poème.*

.... you . . today? — I ...... a poem.

4 *Cet été, il a fait tellement chaud que j'avais toujours soif.*

.... summer, it ... .. hot that I ... always ....

Fifty-sixth (56th) **Lesson**

REVISIONS AND NOTES

Notes à revoir. — **50ᵉ** leçon : (1) - **51ᵉ :** (2) - **52ᵉ :** (4) **53ᵉ** : (2) - **54ᵉ :** (1), (5) - **55ᵉ :** (2).

1 Les verbes irréguliers. — Ils ne sont pas compliqués :

I have, had, had; I get, got, got; I find, found, found; ou encore les verbes pour lesquels il n'y a qu'une seule forme :

To put, put, put (je mets, j'ai mis); *to hit, hit, hit* (frapper).

La seule différence est que le passé ne prend pas d' « s » à la troisième personne du singulier : *he puts* (il met), *he put* (il mit).

5 *Pourquoi avez-vous fait ça? Je pensais que c'était une bonne idée.*

... ... you .. that? I .... it ... a

good ....

Corrigé

1 had looked - went into. — **2** saw - my wife's. — **3** What did - do - learnt. — **4** This - was so - was - thirsty. — **5** Why did - do - thought - was - idea.

Second wave: 6th Lesson

Cinquante-sixième leçon

A partir de la prochaine leçon, les verbes irréguliers seront suivis d'un astérisque * dans le texte anglais.

Chaque fois que nous en rencontrerons un, répétez à haute voix le présent, le passé et le participe passé, puis contrôlez-vous en vous reportant à la liste à la fin de l'ouvrage. Mieux encore, notez les trois temps (présent, passé, participe passé) sur une feuille de papier qui vous servira de signet, et ainsi vous n'aurez pas à feuilleter le livre chaque fois.

Par la répétition quotidienne, vous vous familiariserez vite avec ces verbes, à mesure que nous les emploierons, tandis qu'essayer d'en apprendre la liste complète d'emblée serait une tâche aussi effrayante qu'inutile!

Nous vous invitons à commencer dès à présent, en notant sur votre signet, à l'aide de la liste des pages

568 et suivantes, les trois temps de *to be, to have, to take, to drive, to write, to think.*

2 Relatifs. — Vous avez remarqué la tendance à omettre les pronoms relatifs (qui, que, etc.). C'est une question d'habitude plutôt que de règles grammaticales. Ici, on peut dire que, quand le relatif sépare le **sujet et le complément,** on peut (donc, on n'est pas obligé) l'omettre :

The boy who(m) I saw: the boy I saw.
The car which I want: the car I want.

mais : *The man who is called Peter...* doit rester tel quel.

Nous n'aimons pas non plus mettre un relatif et un pronom ensemble. Bien que cela soit « correct », ça fait lourd : au lieu de dire : *the man with who(m) you saw me,* nous préférons : *the man you saw me with.*

A cause de ces phénomènes, l'accusatif personnel *whom* (à qui) se perd de plus en plus, et on le remplace volontiers (ainsi que *who* et *which*) par *that.*

Assez d'explications pour l'instant, mais remarquez les exemples de ce phénomène. Lorsque vous « sentirez » l'anglais, vous ferez naturellement ce que nous vous avons expliqué un peu laborieusement.

3 Répétons que le passé indéfini en français correspond très souvent au passé anglais [leçon 51, n° (**2**)]. Habituez-vous à traduire l'un par l'autre : Nous avons fini ce matin (*we finished this morning*). Notre répugnance à employer couramment le passé défini en français vient, sans doute, des terminaisons « -îmes »

---

et « -âmes » qui ont une allure prétentieuse. Les Anglais n'ont pas la même raison et emploient le passé pour exprimer une action passée.

4 A bien retenir :

How about a game of cards?: que diriez-vous d'une partie de cartes?
Would you like a beer?: aimeriez-vous une bière?
The man you saw me with: l'homme avec qui vous m'avez vu.
I can't swim: je ne sais pas nager.
I thought it was interesting: j'ai trouvé que c'était intéressant.

5 Ecrivez en anglais :

1 Est-il venu? Je ne l'ai pas vu.
2 Qu'a-t-il dit? Je n'ai pas compris.
3 Lui avez-vous demandé de l'argent?
4 Ils viendront quand ils sauront.
5 Qu'ont-ils fait hier? Ils sont allés voir un film.

6 Traduction :

1 *Did he come? I didn't see him.*
2 *What did he say? I didn't understand.*
3 *Did you ask him for some money?*
4 *They'll come when they know.*
5 *What did they do yesterday? They went to see a film.*

Second wave: 7th (revision) Lesson

Fifty-seventh (57th) Lesson

A touch of 'flu

1 **Da**vid woke* **up** with a **head**ache and a sore (**1**) throat.
2 He called Joan and **told*** her he felt* ill.
3 She took* his **tem**perature and saw* it was 102° (one **hun**dred and two de**grees**) (**2**) so she called the **doc**tor.
4 David was **slee**ping* (**3**) when the **doc**tor ar**ri**ved.
5 — Hello. **What**'s the **ma**tter with you?
6 He felt* (**4**) David's **fo**rehead and **lis**tened to his chest.
7 Then he said*: "It's a touch of 'flu, **no**thing **se**rious (**5**).
8 Take* these **ta**blets and keep* warm. You'll soon be on your feet".

IT'S A TOUCH OF FLU, NOTHING SERIOUS

PRONUNCIATION
1 ouôhk **eup** ... **hèdd**-ék ... sôh frôht. — **2** **tohld**hë. — **3** touk ... **temp**rëtchë ... ë **heun**drèd ëntou dïgrîz. — **4** ë**raï**vd. — **5** **ouot**svë ... **mah**të. — **6** **foh**-hèdd ... **lï**ssënd ... tchèsst. — **7** sèd ... ë teutch ov flou, **neu**fïng **sî**rïeus. — **8** kîp ouohm. —

Cinquante-septième leçon

Une bonne (une touche de) grippe

1 David s'est réveillé avec un mal [de] tête et un mal de gorge (gorge pénible).
2 Il a appelé Joan et lui a dit qu'il se sentait malade.
3 Elle a pris sa température et a vu qu'il avait (que c'était) 102°, donc elle a appelé le docteur.
4 David dormait (*prog.*) lorsque le docteur est arrivé.
5 Bonjour. Qu'avez-vous?
6 Il a tâté (senti) le front de David et a écouté sa poitrine.
7 Puis il a dit : « C'est une bonne grippe, rien de grave.
8 Prenez ces pilules et restez (gardez) au chaud. Vous serez bientôt sur (vos) pied ».

NOTES

(1) *A headache:* mal de tête; *ear-ache* [îë ék]: mal d'oreilles; *stomach-ache* [steumëk] : mal à l'estomac. Autrement, on dit *a sore* ... (pénible) ou encore : *my arm hurts:* mon bras me fait mal.

(2) *Fahrenheit,* bien sûr!
0 ° centigrade = 32 °F; 100 °C = 212 °F. La température du corps doit être de 98-4 °F.

(3) Comme au présent : être en train de dormir. *John was working:* John travaillait (était en train de ...). Cette forme peut parfois traduire l'imparfait français : mais ce n'est point systématique.

(4) *To feel:* (se) sentir, tâter avec les doigts. Le verbe en anglais est réfléchi seulement quand une confusion serait possible : *he talks to himself* (il se parle) mais : *he feels ill* (il se sent malade) il ne peut pas sentir malade pour quelqu'un d'autre.

(5) Faux-ami : *serious:* grave. Sérieux, un adjectif bien français, est difficile à traduire et change selon le contexte.

9 — That **doc**tor put* me on my feet very **qui**ckly.
10 — Oh, how did he do that?
11 — I had to (**6**) sell* my car (**7**) to pay the bill!

12 On the face, you have the eyes, the nose and the mouth.
13 My head aches and my hands are cold.
14 I think* I have a touch of 'flu or a cold.

9 pout. — **11** të pé. — **12** féss ... aïz ... nôhz ... maouf. — **13** éks. — **14** ë kôhld.

EXERCISES

1 What's the **ma**tter? I think I've got a cold. — **2** She felt his **fore**head and took his **tem**perature. — **3** Call the **doc**tor. I feel ill. — **4** She **clo**sed the **win**dow bec**ause** she was cold. — **5** Stay in bed and keep warm. **You**'ll soon be on your feet.

Fill in the missing words:

1 *Il travaillait lorsque le facteur arriva.*

He . . . . when the postman . . . .

2 *Qu'est-ce que vous avez? Un rhume? Ce n'est pas grave.*

. . . .? . . . . .? It's not . . . .

3 *J'ai dû payer par chèque car je n'avais pas d'espèces.*

I . . . . . pay . . . . as I . . . no cash.

9 Ce médecin-là m'a mis sur (mes) pied très vite.
10 Oh, comment a-t-il fait (ça)?
11 J'ai dû vendre ma voiture pour payer la facture.

---

12 Sur le visage, vous avez les yeux, le nez et la bouche.
13 Ma tête [me] fait mal et j'ai froid aux mains (mes mains sont froides).
14 Je pense que j'ai une bonne grippe ou un rhume.

NOTES (continued)

(6) *Must:* devoir. *I must, he must.* Comme l'autre défectif *can* il a un infinitif préfabriqué : *to have to;* passé : *I had to, he had to* (etc.).

(7) Lorsque « pour », en français, signifie l'intention (il dépense son argent pour acheter du vin) on ne le traduit pas, l'infinitif étant suffisant : *he spends his money to buy some wine.*

Dans cette leçon, nous avons vu plusieurs verbes irréguliers. Malheureusement, dans toutes les langues, ce sont les verbes les plus usités qui sont irréguliers. Si vous suivez nos conseils (leçon 56, **N. 1**), *vous les apprendrez assez facilement* **petit à petit.**
(Nous n'avons pas considéré utile de mettre un astérisque après les auxilliaires "to be", "to do" et "to have" bien que ces trois-là soient irréguliers).

Il importe peu que vous ne reteniez pas d'emblée tous les mots de chaque leçon : vous les reverrez par la suite. Mais ne manquez pas de bien répéter les verbes irréguliers chaque fois qu'ils sont suivis de l'astérisque.

EXERCICES

1 Qu'avez-vous? Je crois [que] j'ai un rhume. — **2** Elle tâta son front et prit sa température. — **3** Appelez le médecin. Je [me] sens malade. — **4** Elle ferma la fenêtre car elle avait froid. — **5** Restez au (dans) lit et restez (gardez au) chaud. Vous serez bientôt sur pied.

4 *Elle a mal à la gorge. Dites-lui de rester au chaud.*

She has a .... her to ....

5 *Restez tranquille, Joan est en train de téléphoner au médecin.*

.... quiet, Joan .. .. the ......

Fifty-eighth (58th) Lesson

Your body

1 There are **ma**ny words in **En**glish which in**clude** parts of the **bo**dy.

2 For **in**stance : When I **ha**ve the 'flu, I keep* a suppl**y** (1) of **pa**per **han**dkerchiefs (2).

3 You look very **bu**sy. Can I give* you a hand?

4 Mr. **Ma**rsden is head (3) of the board of di**rec**tors.

5 He is too **no**sy (4). He is **in**terested in **any**thing that **does**n't con**cern** him.

PRONUNCIATION :

1 ïnkloud ... bodï. — 2 flou ... hannkëtchïfs. — 3 bïzï. — 4 hèdd ... bohd ov daïrekteuz. — 5 nôhzï ... kënseun.

NOTES

(1) *To supply :* fournir; *supplier :* fournisseur; *a supply :* un stock, des réserves.

Corrigé

1 was working - arrived. — **2** What's the matter? - A cold - serious. — **3** had to - by cheque - had. — **4** sore throat. Tell - keep warm. — **5** Keep - is phoning - doctor.

Second wave: 8th Lesson

Cinquante-huitième leçon

Votre corps

1 Il y a beaucoup de mots en anglais qui incluent des parties du corps.
2 Par exemple : Quand j'ai la grippe, je garde un stock de mouchoirs en papier.
3 Vous avez l'air (regardez) très occupé. Puis-je vous donner un coup de main (une main) ?
4 M. Marsden est chef (tête) du conseil de direction (directeurs).
5 Il est trop curieux. Il s'intéresse à (dans) tout ce (quoi que ce soit) qui ne le concerne pas.

NOTES (continued)

(**2**) *Kerchief* est une déformation (bien réussie) du français couvre-chef et, par extension, pièce d'étoffe. Il n'est plus usité que dans *handkerchief* (le d est muet).

(**3**) *Head :* chef. *Headmaster* (chef-maître) : directeur d'école.
To be at the head of : être à la tête de.

(**4**) De *nose* (nez). Quelqu'un qui fourre son nez dans tout.

6 **Tea**cher. — Is "**trou**sers" (**5**) **sin**gular or **plu**ral?
7 **Pu**pil. — Please sir, **sin**gular at the top and **plu**ral at the **bo**ttom.
8 That was a **chee**ky **a**nswer.
9 The two **run**ners were very close, they were **al**most neck and neck.
10 When you are **dri**ving*, always keep* the spare wheel **han**dy (**6**).
11 And, of course, when you are **drin**king* your **bee**r, you can say* "Chin chin" (**7**)!

12 Other parts of the **bo**dy are the arms, the **el**bows and the **fin**gers.
13 **Lo**wer, we have the legs, the knees (**8**), the feet and the toes.

6 **traou**-zëz ... **sïng**ioulë ... **plou**rël. — **7 pioup**ïl. — **8 tchî**kï. — **9 reu**neuz ... klôhs. — **10** spair ouîl. — **11** tchïn tchïn. — **12** ahmz ... **ehl**bôhz ... **fïn**geuz. — **13 lôh**-ë ... legz, nîz ... fît ... tôhz.

EXERCISES

1 You look very **ti**red. Go to bed. — **2** His **trou**sers are full of holes. — **3** He had **be**tter buy a new pair. — **4** The **Pre**sident, or the Queen, is Head of State. — **5** Have you **any**thing **in**teresting to read? — **6** She was on her knees **wa**shing the floor.

6 *Professeur.* — Est-ce que pantalon est singulier ou pluriel?
7 *Élève.* — Monsieur, s'il vous plaît, singulier en haut et pluriel en bas.
8 C'était une réponse culottée (de joue).
9 Les deux coureurs étaient très proches, ils étaient presque à égalité (cou et cou).
10 Quand vous conduisez (*prog.*), gardez toujours une roue de secours à portée de la main.
11 Et, bien sûr, lorsque vous buvez (*prog.*) votre bière, vous pouvez dire « chin chin » (menton).

12 D'autres parties du corps sont les bras, les coudes et les doigts.
13 Plus bas, nous avons les jambes, les genoux, les pieds et les orteils.

NOTES (continued)

(5) En effet *trousers* est pluriel. *His trousers are blue :* son pantalon est bleu. Un pantalon : *a pair of trousers.*
The cheek of this boy! : le culot (la joue) de ce garçon!

(6) *Handy :* commode, à la portée de la main.

(7) Cette salutation internationale est une déformation du chinois « tsing-tsing ». D'où vous voyez que l'anglais prend ses mots de partout et puis ensuite les redistribue au monde. *Chin :* le menton.

(8) « Kn » se prononce « n » (voir *knife, know,* etc.).

EXERCICES

1 Vous avez l'air (v. regardez) très fatigué. Allez au lit. — **2** Son pantalon est (sont) plein de trous. — **3** Il ferait (aurait) mieux de [s'en] acheter un nouveau (paire). — **4** Le président, ou la reine, est chef (tête) d'État. — **5** Avez-vous quelque chose [d']intéressant [à] lire? — **6** Elle était à genoux (sur ses) en train de nettoyer (laver) le plancher.

Fill in the missing words :

1 *Ce texte est très difficile. Pouvez-vous me donner un coup de main?*

This text . . . . Can you

. . . .?

2 *J'ai besoin d'un nouveau pantalon. En avez-vous?*

I . . . . a new . . . . Have you

got . . .?

3 *En haut de la page, écrivez la date et, en bas, votre nom.*

. . . . of the page, ...

and, ..., your . . . .

Fifty-ninth (59th) Lesson

1 Men speak* of **wo**men as the "fair sex" or the "**gen**tle sex" or the "**wea**ker sex".
2 Women **ra**rely speak* of men as the "**stron**ger sex".
3 Some men think* they are con**si**dered as the "**pa**ying sex".

---

4 — My wife dreams **e**very night that she's **ma**rried to a millio**naire**.
5 — You're **lu**cky. Mine dreams she's **ma**rried to a millio**naire** in the **day**time **(1)**!

PRONUNCIATION : 1 spîk ... **ouï**mïn ... **djen**tël. **ouî**kë ... — **2 rai**rlï. — **3** kën**si**dërd. — **4** drîmz. — **5** -taïm.

4 *Cela ne vous concerne pas. Allez vous-en.*

That . . . . Go . . . .

5 *Ce garçon est trop culotté, il ferait mieux de se taire.*

. . . . boy is . . . ., he . . . better . . . .

Corrigé

1 is very difficult - give me a hand. — **2** need - pair of trousers - any. — **3** At the top - write the date - at the bottom - name. — **4** doesn't concern you - away. — **5** This - too cheeky - had - keep quiet.

Second wave: 9th Lesson

Cinquante-neuvième leçon

1 Les hommes parlent des femmes comme du (le) beau sexe ou du sexe doux ou du (le) sexe faible (le sexe plus faible).
2 Les femmes parlent rarement des hommes comme du sexe fort (le sexe plus fort).
3 Des hommes pensent qu'ils sont considérés comme le sexe payant.

---

4 Ma femme rêve chaque nuit [qu]'elle est mariée à un millionnaire.
5 Vous avez (êtes chanceux) de la chance. La mienne rêve qu'elle est mariée avec un millionnaire pendant la journée!

NOTES

(1) *Daytime:* la journée. *Nightime:* la nuit.

6 **Na**ture has **gi**ven* us **ea**rs which are **al**ways **o**pen

7 and a mouth which it is **o**ften **be**tter to keep shut

---

8 Two proud **pa**rents are **sho**wing their son his new **bro**ther.

9 The boy looked at the **ba**by for a **min**ute and then **sta**rted **cry**ing (2).

10 The **pa**rents **smi**led. "What's the **ma**tter?" they asked.

11 "It's got* no hair or teeth", the child sobbed.

12 "It's not fair. It's an old **ba**by".

---

13 We do not ask you to learn the ir**re**gular verbs in two or three days.

14 but only to re**peat** them when we meet* them.

6 **né**tchë ... haz **gï**vëneus î-ëz. — **7** kîp sheut. — **8** praoud **pai**reunts ... **shôh**-ïng ... **breu**vë. — **9** **craï**-ïng. — **10** **smaï**ld ... âhskt. — **11** tîf ... sobd. — **13** leun ... ïr**è**gioulë. — **14** rï**pît** ... mît.

EXERCISES

1 It **ra**rely rains in the **su**mmer in **Eng**land. — **2** **Eng**lish **pe**ople are **fa**mous for their **spi**rit of fair-**play**. — **3** Let's go to the West **End** and see a show. — **4** What time do the banks shut? — At three **thir**ty. — **5** Look at this text for a **min**ute, then re**peat** it.

6 La nature nous a donné des oreilles qui sont toujours ouvertes.
7 et une bouche qu'il est souvent meilleur de tenir fermée.

8 Deux parents frères montrent à leur fils son nouveau frère.
9 Le garçon regarda (à) le bébé (pour) une minute et puis commença à pleurer.
10 Les parents sourirent : « Qu'y a-t-il? » demandèrent-ils.
11 Ça n'a pas de cheveux ni (ou) de dents sanglota l'enfant.
12 Ce n'est pas juste. C'est un vieux bébé.

13 Nous ne vous demandons pas d'apprendre les verbes irréguliers en deux ou trois jours,
14 mais seulement de les répéter quand nous les rencontrerons.

NOTES (continued)

(2) Ou *started to cry*.

EXERCICES

1 Il pleut rarement en Angleterre en été. — **2** [Les] Anglais (anglais gens) sont connus pour leur esprit de franc-jeu. — **3** Allons au West-End (et) voir un spectacle. — **4** [a] quelle heure ferment les banques? — A trois [heures] trente. — **5** Regardez ce texte pendant une minute, puis répétez-le.

Fill in the missing words:

1 *Je le lui ai donné hier soir. Ne peut-il pas le trouver?*

I . . . . it . . . . . last . . . .

find it?

2 *Ils nous montraient les films qu'ils avaient pris en vacances.*

They . . . . the films . . . .

. . . . took . . . .

3 *Elle a mis le chien dehors et ferma la porte* (2 irrég.).

She . . . the dog . . . . and . . . . the door.

Sixtieth (60th) Lesson

To get

1 Let's look at some ex**pre**ssions with the verb "to get"* (**N. 1**).
2 These ex**pre**ssions are very **co**mmon (**1**), and you al**rea**dy know* a few.
3 Here are some more. Try and learn them.
4 He gets* **up** at half-past **se**ven **e**very **mo**rning.
5 The train gets* **in** at **ele**ven **thir**ty.

PRONUNCIATION: 1 eks**prè**shënz. — **2** **ko**mën ... ohl**rè**dï nôh. — **3** leun. — **4** gèt**tseup**. — **5** gèt**tsïn** ... **feu**tï.

4 *Ma voiture ne marche pas. — Vous avez de la chance, je n'en ai pas (une).*

My car ...., I

haven't ... ...

5 *Nous sommes considérés par les Français comme étant très réservés.*

.. .. the French as being

very reserved.

Corrigé

1 gave - to him - night. Can't he. — **2** were showing us - that (which) they - on holiday. — **3** put - outside - shut. — **4** doesn't work. You're lucky - got one. — **5** We are considered by.

Second wave: 10th Lesson

Soixantième leçon

Get

1 Regardons quelques expressions avec le verbe *to get*.
2 Ces expressions sont très courantes (communes) et vous en connaissez déjà quelques-unes.
3 En voici d'autres (de plus). Tâchez de les apprendre.
4 Il se lève à 7 h 30 tous les matins.
5 Le train arrive à 11 h 30.

NOTES

(1) *Common:* commun, ou courant; l'ennemi commun : *the common enemy*. Une expression courante : *a common expression*.

6 It took* him a long time to get* **o**ver his **ill**ness (**2**).

7 Let's go* home. It's **g**etting* dark.

8 Speak* **lou**der. She's **g**etting* very deaf.

9 These **re**cords are **chea**per than those, but they are still quite ex**pen**sive.

10 Please, go* and get* me a **pa**per, I'm too busy to go* my**self.**

11 The **bur**glar got*into (**3**) the house through a small **win**dow.

12 Take* a **num**ber **thir**ty **se**ven bus and get* off at **Cha**ring Cross.

13 **E**veryone was **try**ing to get* on the bus at once (**4**).

14 What's the **ma**tter? — I've got* a **head**ache, a **tooth**ache, a sore throat and a cold,

15 and **no**body asks me how I feel*!

6 gèttô**h**vë. — **7** dahk. — **8 laou**dë ... dèff. — **9 tchî**pë. — **11 beu**glë ... frou. — **13 è**hvrï-ouèun. — **14 hèd**dék ... **tou**ték ... soh frôht. — **15** haou aï fîl.

EXERCISES

1 Those books are mine; these are his. — **2** How do you feel to**day**? — **Ve**ry well, thanks. — **3** Don't all speak at once, I can't under**stand** a word. — **4** I have **tooth**ache and there is no **den**tist in my **vil**lage. — **5** I have no more ciga**re**ttes. — Here are some more.

6 Il lui a fallu (pris) (un) long temps pour se remettre de sa maladie.
7 Rentrons chez nous. La nuit tombe (il fait (*prog.*) sombre).
8 Parlez plus fort. Elle devient (*prog.*) très sourde.
9 Ces disques sont moins chers que ceux-là, mais ils sont toujours assez chers.
10 S'il vous plaît, allez (et) me prendre un journal, je suis trop occupé pour y aller moi-même.
11 Le cambrioleur entra dans la maison par (à travers) une petite fenêtre.
12 Prenez le (un) bus n° 37 et descendez à C.C.
13 Tout le monde essayait (*prog.*) de monter dans le bus en même temps (à la fois).
14 Qu'y a-t-il? — J'ai un mal de tête, mal aux dents, mal à la gorge (pénible) et un rhume,
15 et personne [ne] me demande comment je [me] sens.

NOTES (continued)

(2) *Illness:* maladie. *She's ill:* elle est malade. Un malade : *an ill person, an invalid.* On peut également entendre le mot *sick,* qui est plutôt américain.

(3) *Get* donne l'idée de difficulté.

(4) *At once:* tout de suite **ou** à la fois.

EXERCICES

1 Ces livres-là sont [les] miens; ceux-ci sont [les] siens. — **2** Comment vous [vous] sentez aujourd'hui? — Très bien, merci. — **3** Ne parlez pas tous en même temps, je ne (peux) comprends pas un mot. — **4** J'ai (un) mal aux dents et il n'y a pas de (un) dentiste dans mon village. — **5** Je n'ai plus de cigarettes. — En voici d'autres.

Fill in the missing words:

1 *A quelle heure se lève-t-il d'habitude?*

. . . . does he . . . . get . .?

2 *Quand le train arrivera, téléphone-moi de la gare.*

When the train . . . . . ., phone me . . . .
. . . .

3 *Tout le monde essayait de monter dans le bus en même temps.*

. . . . was trying to . . . . . the bus
. . . . . .

Sixty-first (61st) **Lesson**

Ho**lidays**

1 — I got* these **bro**chures **yes**terday from the **tra**vel-**a**gent's (**1**).
2 — Oh good! Let's have a look at them!
3 — I like the ones a**bout** Spain. Let's go* to Spain this **ye**ar.
4 — But **nei**ther you nor I (**2**) speak* **Span**ish.
5 — It **does**n't **ma**tter. In these towns, **e**verybody speaks* **En**glish.

PRONUNCIATION :

1 **brô**hshëz ... **tra**vël **é**djeunts. — **3** ë**baout** spén. — **4** **naï**vë ... nor. — **5** **ma**të **è**vrï-bodï.

4 *Dépêchons-nous. Il commence à faire nuit.*

. . . . . hurry up. It's . . . .

5 *Descendez au bureau de poste. — A quelle distance est-ce?*

. . . . . . at the post office. — How . . . . ?

Corrigé

1 What time - usualiy - up. — 2 gets in - from the station. — 3 Everyone - get on - at once. — 4 Let's - getting dark. — 5 Get off - far is it.

Second wave: 11th Lesson

Soixante et unième leçon

(Les) vacances

1 J'ai obtenu ces brochures hier de l'agent de voyage.
2 Ah bon! Regardons (ayons un regard)-les!
3 J'aime celles sur l'Espagne. Allons en (à) Espagne cette année.
4 Mais ni toi ni moi ne parlons espagnol.
5 Ça ne fait rien. Dans ces villes, tout le monde parle anglais.

NOTES

(1) Sous entendu *shop; at the butcher's :* chez le boucher (son magasin).
To go to the baker's : aller chez le boulanger.

(2) *I* et pas *me* parce que *neither you speak nor I speak* donc sujet.
John and I took a plane = John took... and I (took) **mais** *he saw John and me* (deux accusatifs). *Neither* comporte déjà la négation.

6 — Well, we can (**N. 2**) **ei**ther go* to Spain or to **Scot**land.
7 — **Scot**land! But it's cold in **Scot**land and I want some sun.
8 — It's not too cold, and it's **very beau**tiful. And you don't have to (**3**) take* a plane.
9 — I don't like **fly**ing and **nei**ther do you.
10 — But **Span**ish is **eas**ier to under**stand*** than the **Eng**lish they speak in **Scot**land.
11 — **Non**sense! **Any**way, we might (**4**) see* the Loch Ness **Mon**ster.
12 — It **does**n't ex**ist**! — How do you know*?
13 — It's **ei**ther a myth or an in**ven**tion to at**tract tou**rists.
14 — Well, we must de**cide**: **ei**ther Spain or **Scot**land.

6 aïvë ... or **skot**lënd. — **8** plén. — **9** **flaï**-ïng. — **11** **non**nsëns! **è**nï-oué ... lok (*la prononciation écossaise exige le « jota » comme en espagnol*) ... **mon**stë. — **12** egz**ïst**. — **13** mïf ... ïn**vèhn**sheun ... ë**trakt**. — **14** dë**saïd**.

Faites des renvois pour les expressions idiomatiques plutôt que pour les mots nouveaux, que nous retrouverons.

Ne vous inquiétez pas si les leçons vous semblent un peu plus compliquées; relisez-les de temps à autre pour bien vous les assimiler. Vous vous y ferez vite.

EXERCISES

1 I'm a**fraid** I have to leave. It's late and its **get**ting dark. — **2** I pref**e**red the ones he showed us last week. — **3** We must de**cide quick**ly or it will be too late. — **4** I'm a**fraid** of **fly**ing. So am I. — **5** Let's have a look at those new **bro**chures.

6 Alors, nous pouvons aller, ou en Espagne, ou en Ecosse.
7 L'Ecosse ! Mais il fait (est) froid en Ecosse et je veux du soleil.
8 Il ne fait (est) pas trop froid, et c'est très beau. Et on ne doit pas (vous ne devez pas) prendre l'avion.
9 Je n'aime pas l'avion (volant) et toi non plus.
10 Mais l'espagnol est plus facile à comprendre que l'anglais qu'ils parlent en Ecosse.
11 Bêtises (non sens) ! De toutes façons, il se peut que nous voyions le monstre [du] Loch Ness.
12 Il n'existe pas ! — Comment le sais-tu ?
13 C'est soit un mythe, soit une invention pour attirer les touristes.
14 Bien, nous devons nous décider, ou [l']Espagne ou [l']Ecosse.

NOTES (continued)

(**3**) *I must* (nég. *I must not, mustn't*) : je dois.
I have to : je suis obligé de..., se conjugue normalement.

(**4**) *Might :* il se peut que + infinitif sans *to.*
She might come : il se peut qu'elle vienne.
They might be here : il se peut qu'ils soient ici.

EXERCICES

1 Je regrette, je suis obligé (j'ai à) de partir. Il est tard et il commence à faire nuit. — **2** Je préfère ceux (les uns) [qu']il nous a montrés [la] semaine dernière. — **3** Nous devons [nous] décider vite ou il sera trop tard. — **4** J'ai peur de voler (volant). — Moi aussi. — **5** Jetons un coup d'œil sur (à) ces nouvelles brochures.

Fill in the missing words :

1 *Vous pouvez aller ou en bus ou en voiture. Le bus est plus rapide.*

You can go . . . . bus or . . car. The bus is . . . .

2 *Ni vous ni moi ne comprenons l'espagnol. Ça ne fait rien.*

. . . . you . . . I . . . . Spanish. It . . . .

3 *Il se peut qu'il vienne par avion, mais je ne pense pas.*

He . . . . . come . . plane, but I . . . .

Sixty-second (62nd) Lesson

Scotland

1 Scotland is half as big as England but the population is much smaller.
2 There are two main regions: in the north, the Highlands which are wild and beautiful,
3 and in the south, the Lowlands which are more agricultural.
4 Although Edinburgh is the capital, Glasgow is the main industrial centre.

4 *Il a peur de voler... et moi aussi.*

He's . . . . . . of . . . . . . and . . . . .

5 *Il se peut qu'elle téléphone ce soir. Nous devrons attendre.*

She . . . . . phone . . . . We will

. . . . wait.

Corrigé

1 either by - by - quicker (faster). — 2 Neither - nor - understand - doesn't matter. — 3 might - by - don't think so. — 4 afraid (scared) flying... - so am I. — 5 might - this evening - have to.

Second wave: 12th Lesson

Soixante-deuxième leçon

L'Écosse

1 L'Écosse est deux fois plus petite (moitié aussi grande) que l'Angleterre, mais la population est beaucoup plus faible (petite).
2 Il y a deux régions principales : dans le nord, les Highlands (terres hautes) qui sont sauvages et belles
3 et, dans le sud, les Lowlands (terres basses) qui sont plus agricoles.
4 Bien qu'Edinbourg soit la capitale, Glasgow est le principal centre industriel.

PRONUNCIATION

1 **hah**fëz big ... popiouléshën. — 2 mén **rî**djënz ... **haî**lëndz ... ouaïld. — 3 saouf ... **lôh**lëndz. — 4 ohl**vôh** ... **glâhs**goh ... **sen**të.

5 Scotland was separated from England by a wall, built* by the Roman emperor Hadrian.

6 Parts of this wall still exist today.

7 Some older people still speak* Gaelic, but most Scots (1) speak* English.

8 Scottish towns look very different from English ones.

9 In English towns, the houses are mainly built of red brick,

10 whereas inScotland, the houses are mainly of grey slate.

11 Britain's (2) highest mountain, Ben (3) Nevis, is in Scotland.

12 The Scots have their own (4) religion, called Presbyterianism, and their own laws.

13 So, although Scotland is part of Great Britain,

14 it has never been united with England in the same way as Wales.

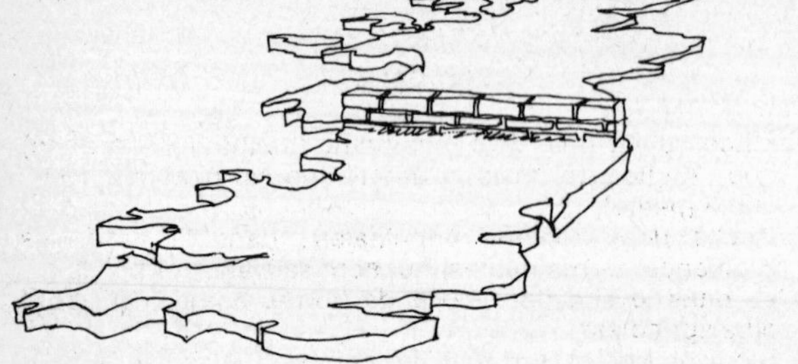

62

5 ouohl bïlt ... ròhmën èmpeurë. — 6 égzïst. — 7 gélïk. — 8 taounz ... dïffrënt. — 9 bïlt ... brïk. — 10 ouèraz ... haouzïz ... gré slét. — 11 haï-ëst ... bènn nèhvïs. — 12 ôhn rëlïdjeun ... prèzbï-tî-riënïzëm ... ôhn lohz. — 13 ohlvôh ... grét brïtën. — 14 iounaïtëd ... saim oué ... ouélz.

5 L'Ecosse fut séparée de l'Angleterre par un mur, bâti par l'empereur romain Hadrian.
6 Des parties de ce mur existent encore aujourd'hui.
7 Quelques personnes âgées (plus vieilles) parlent encore le gaélique, mais la plupart des Écossais parlent anglais.
8 Les villes écossaises ont l'air (regardent) très différentes des villes anglaises (unes).
9 Dans les villes anglaises, les maisons sont construites principalement en (de) brique rouge,
10 tandis qu'en Écosse, les maisons sont principalement en (de) ardoise grise.
11 La montagne la plus haute de la Grande-Bretagne, Ben Nevis, est en Écosse.
12 Les Écossais ont leur propre religion, appelée presbytérianisme, et leurs propres lois.
13 Alors, bien que l'Écosse soit une partie de la Grande-Bretagne,
14 elle n'a jamais été unie à (avec) l'Angleterre de (dans) la même façon que le Pays de Galles.

NOTES

(**1**) *Scots:* les Écossais, peut être aussi l'adjectif. *A Scots village* (ou a *Scottish village*) : un village écossais. *Scotch* est utilisé seulement pour le whisky !

(**2**) On peut considérer un pays comme étant un « être animé » et, en conséquence, utiliser le cas possessif. L'économie française : *the French economy;* mais l'économie de la France peut se dire : *the economy of France* ou *France's economy.*

(**3**) Un mot écossais (du gaélique *beann*) qui veut dire pic, montagne.

(**4**) *To own:* posséder; *owner* [ôhnë]: possesseur, propriétaire; *own* (adj.) : propre, à soi.

Il ne faut pas se faire un épouvantail des verbes irréguliers. Ils sont moins compliqués que les verbes français, et la pratique quotidienne vous les fera maîtriser sans peine au bout de quelques semaines.

EXERCISES

1 **Scot**land is half as big as **Eng**land. — 2 Most **pe**ople in **Scot**land speak **Eng**lish, — 3 **although** some **ol**der **pe**ople still speak **Gae**lic. — 4 **Eng**lish is **ea**sy to learn, where**as** **Gae**lic is **com**plicated. — 5 Of course, that is my own o**pin**ion.

Fill in the missing words:

1 *Bien que nous soyons Écossais, ni moi ni ma femme ne parlons le Gaélique.*

. . . . we . . . Scottish , ... I . . .

my wife . . . . . . Gaelic.

2 *Les maisons sont pour la plupart construites en ardoise.*

The houses are . . . .

3 *Les villes écossaises ont un aspect très différent.*

. . . . towns . . . . very different.

Sixty-third (63rd) Lesson

REVISIONS AND NOTES

Notes à relire : 57e leçon : (3), (6), (7) - **58e** : (5) - **60e** : (4) - **61e** : (1), (4) - **62e** : (2).

1 To get. — Ce petit verbe est aussi utilisé que le verbe « faire » en français (ce qui peut être parfois déroutant... surtout que, selon le « Robert », il a 277 sens!) Il faut l'examiner sous deux aspects : celui de l'euphonie et celui d'un verbe propre.

4 *Ceci est ma propre brochure. Prenez la sienne (à lui).*

This is . . . . . brochure. Take . . .

5 *Il ne le prononce pas de la même manière que moi.*

He doesn't . . . . it . . the same . . . as . .

EXERCICES

1 L'Écosse est moitié aussi grande que l'Angleterre. — **2** La plupart [des] gens en Écosse parlent anglais, — **3** quoique des gens plus âgés parlent encore [le] gaélique. — **4** [L']anglais est facile [à] apprendre, tandis que [le] gaélique est compliqué. — **5** Bien sûr, c'est ma propre opinion.

Corrigé

1 Although - are - neither - nor - speaks. — **2** mainly built of slate. — **3** Scottish - look. — **4** my own - his. — **5** pronounce - in - way - me.

Second wave: 13th Lesson

Soixante-troisième leçon

On le met, d'habitude au participe passé *got,* pour renforcer les sons « faibles » latins, tels *have.* Dans ce cas là, **il ne veut rien dire!** Il répète simplement l'idée de possession : *I've got a cold, he's got 5 pounds.*

En tant que verbe propre, sans postposition, il veut dire « obtenir ». *We got these brochures yesterday :* nous avons obtenu ces brochures hier; *get me a bottle of beer :* prenez-moi une bouteille de bière.

A la forme progressive, il veut dire « devenir ». *She's getting deaf :* elle devient sourde; *it's getting dark :* il fait nuit (devient sombre).

Avec des postpositions, il peut avoir beaucoup de sens. En voici les plus courants. *To get up :* se lever; *to get on :* monter dans (un bus, etc.); *to get off :* descendre (d'un bus); *to get over :* se remettre, récupérer (d'une maladie); *to get down :* descendre (d'une plate-forme, etc.).

Il ne s'agit pas bien sûr d'apprendre tous les sens de *get* (c'est d'ailleurs pratiquement impossible, on en invente des nouveaux tous les jours) mais, une fois le principe saisi, on sait comment s'y prendre, le problème est démystifié. Un dictionnaire anglais (tels « The Oxford English Dictionary » ou le « Chambers 20th Century ») est très utile.

2 Les verbes défectifs : « can » and « must ».

Ces formes n'existent qu'au présent et ne prennent jamais de « s » à la troisième personne du singulier.

Leurs infinitifs sont *to be able to* (*can*) et *to have to* (*must*) et, comme ça, ils ne posent pas de problème.

Je pourrai : *I'll be able to.* J'ai dû : *I had to,* etc. *Might :* il se peut que... (on peut également utiliser *may*).

3 Les verbes irréguliers. — Ils ne s'apprennent pas en trois jours ni en douze, mais par la pratique de plusieurs semaines. Ils ne posent pas de vrais problèmes : la répétition, et le fait de les noter, feront la moitié du travail pour vous, l'autre moitié est faite dans notre classement.

4 A bien retenir :

Joan and I are coming next week : Joan et moi venons la semaine prochaine.
He might phone later : il se peut qu'il téléphone plus tard.
Let's have a look : jetons un coup d'œil.
What's the matter? : qu'y a-t-il?
A pair of trousers : un pantalon.
Nothing serious : rien de grave.

5 Écrivez en anglais :

1 J'ai dû vendre ma voiture pour payer la facture.
2 Il se lève à 8 heures.
3 Descendez du bus après l'église.
4 Ni toi, ni moi ne voulons lui parler.
5 Vous avez l'air très occupé? Puis-je vous donner un coup de main?

(corrigez au paragraphe 6 et recopiez au net).

6 Traduction :

1 *I had to sell my car to pay the bill.*
2 *He gets up at eight o'clock.*
3 *Get off the bus after the church.*
4 *Neither you nor I want to speak to him.*
5 *You look very busy. Can I give you a hand?*

Second wave: 14th (revision) Lesson

Sixty-fourth (64th) Lesson

1 When France and England decided to build* a tunnel under the Channel, they asked for tenders.
2 The firm with the lowest offer was accepted. Astonished by the low price, they asked the director:
3 — How are you going to do it for so little (1) money?
4 — It's easy, the engineer said, I will start digging* (2) on the English side,
5 and my son will start digging* on the French side,
6 and we'll meet* in the middle.
7 — But that's ridiculous! You'll be miles apart.
8 What will happen if you don't meet*?
9 — In that case, the engineer said* calmly, You will have two tunnels for the price of one.

---

10 A tourist in Cairo saw* two skulls in a shop: a large one and a small one.
11 — What are those? he asked. — The big one is the skull of Queen Cleopatra, was the reply.
12 — Really, said* the amazed tourist, and the little one?

PRONUNCIATION :

1 bïld ë teunël eundë ... tchanël ... tenndëz. — 2 feum ... lôh-est ... daïrektë. — 4 ït sîzï ... saïd. — 6 ouîl. — 7 maïlz ë-paht. — 9 kés ... kahmlï. — 10 kaïro ... skeulz. — 11 ouotah vôhz ... kouîn kliopatra. —

Soixante-quatrième leçon

1 Lorsque la France et l'Angleterre ont décidé de construire un tunnel sous la Manche, ils ont demandé (pour) des devis.
2 La firme avec l'offre la plus basse fut acceptée. Étonnés par le bas prix, ils demandèrent au directeur :
3 Comment allez-vous le faire pour si peu d'argent?
4 C'est facile, dit l'ingénieur, je commencerai à creuser du (sur le) côté anglais,
5 et mon fils commencera à creuser du (sur le) côté français,
6 et nous nous rencontrerons au milieu.
7 Mais c'est ridicule! vous serez à des miles l'un de l'autre (à par).
8 Que se passera-t-il si vous ne vous rencontrez pas?
9 Dans ce cas, dit calmement l'ingénieur, vous aurez deux tunnels pour le prix d'un.

---

10 Un touriste au (dans) Caire vit deux crânes dans un magasin, un grand et un petit.
11 Qu'est-ce que c'est? (que sont ceux-là) demanda-t-il. — Le grand est le crâne de la reine Cléopâtre, fut la réponse.
12 Vraiment, dit le touriste stupéfait, et le petit?

NOTES

(1) Toujours une question de singulier ou pluriel : *so little money, so few people* (si peu de...); *so much noise, so many cars* (tant de...).

(2) Ou *to dig.*

13 — That is the skull of Cleopatra when she was a young girl, answered the shopkeeper.

14. Don't forget* to repeat the irregular verbs.

12 rîlï ... ëmézd. — 13 ahnsëd.

EXERCISES

1 My son built his own house. — 2 Everyone knows Caesar's words: I came, I saw, I conquered. — 3 They rang last night, but we weren't in. — 4 Do you remember Jones? I met him in the street yesterday. — 5 He asked me how you were.

Fill in the missing words:

1 *Il est facile de commencer de fumer, mais plus difficile de s'arrêter.*

.. is easy to ...., but ....

.... to ....

2 *Qui sera à la soirée demain? Je ne m'en souviens pas.*

... . at the ..... tomorrow? I don't

....

3 *Quand pourrez-vous me donner votre prix? — Tout de suite.*

When .... to give .. ....

.....? — At once.

13 Ça c'est le crâne de la reine Cléopâtre quand elle était (une) jeune fille, répondit le commerçant.

14 N'oubliez pas de répéter les verbes irréguliers.

Comment va notre deuxième vague? Sans doute n'y trouverez-vous pas de sérieuses difficultés? Continuez, vous êtes sur la bonne voie.

---

4 *Qu'est-ce que c'est que ça?* (pluriel). — *Çà?* (pluriel). — *Ce sont des crânes d'animaux.*

. . . .? — . . . . .? They are . . . .

5 *Comment allez-vous le faire avant jeudi prochain?*

How . . . . to do it . . . .?

EXERCICES

1 Mon fils a construit sa propre maison. — **2** Tout le monde connaît les mots de César : je suis venu, j'ai vu, j'ai vaincu (conquis). — **3** Ils ont téléphoné (sonné) [la] nuit dernière, mais nous n'étions pas là (dans). — **4** [Vous] rappelez-vous (de) Jones? Je l'ai rencontré hier dans la rue. — **5** Il m'a demandé comment vous alliez (étiez).

Corrigé

1 It - start smoking - more difficult - stop. — **2** Who will be - party - remember. — **3** will you be able - me your price. — **4** What are those? Those? - animal skulls. — **5** are you going - before next Thursday.

Second wave: 15th Lesson

64th LESSON

Sixty-fifth (65th) Lesson

Pu**blic** tran**sport**

1 **Da**vid **Wil**son **tra**vels to work **e**very **mor**ning by tube.

2 The tube—or the **Un**derground—is **some**thing like the **Me**tro in **Pa**ris.

3 But, un**like** (1) the **Me**tro, it is **ra**ther old-**fash**ioned and quite ex**pen**sive.

4 You pay ac**cor**ding to (2) the **dis**tance you want to **tra**vel.

5 You can buy* a **sea**son **ti**cket, which al**lows** you to **tra**vel for a **cer**tain **pe**riod at a **low**er price.

6 Al**though** most of the tube is auto**ma**tic, there are still employ**ees** who check (3) your **ti**cket at the **ex**it.

7 So you must keep* your **ti**cket un**til** (4) you **fi**nish your **jour**ney.

8 You can **al**so **tra**vel by bus, which is **slow**er but gives* you a **be**tter view.

9 Most **bus**es are **dou**ble-**deck**ers and you are al**lowed** (5) to smoke up**staiis**.

PRONUNCIATION:

1 tioub. — **2** **eun**dëgraound. — **3** eun**laïk**. — **4** ë**koh**dïngtou ... **dïs**stëns. — **5** **sî**zën **tï**kët ... ë**laouz** ... **pî**riëd. — **6** ohl**voh** ... èmmploy**îz** ... tchek ... **èg**zït. — **7** **djeu**nï. — **8** **ohl**sô ... viou. — **9** **deu**bël **dèk**ëz ... ë**laoud**.

Soixante-cinquième leçon

[Les] transports en commun (publics)

1 David Wilson va (voyage) au travail tous les matins en (par) métro.
2 Le métro — ou « Souterrain » — est quelque chose comme le Métro à Paris.
3 Mais, contrairement (pas comme) au Métro, il est plutôt démodé et assez cher.
4 Vous payez selon la distance que vous voulez parcourir (voyager).
5 Vous pouvez acheter une carte d'abonnement (billet de saison), qui vous permet de voyager pendant (pour) une certaine période à un prix inférieur.
6 Bien que presque tout le (plupart du) métro soit automatique, il y a toujours des employés qui vérifient votre billet à la sortie.
7 Donc vous devez garder votre billet jusqu'à ce que vous finissiez votre voyage.
8 Vous pouvez aussi voyager par bus, qui est plus lent mais qui vous donne une meilleure vue.
9 La plupart des busd sont à impériale et vous avez le droit de fumer en haut.

NOTES

(1) Nous avons vu *like :* (comme) : *it's like* c'est comme, ça à l'air de. Voici le contraire : *unlike. It's unlike him to be late :* ce n'est pas son genre (comme lui) d'être en retard.

(2) *According to :* selon. *According to him, this restaurant is terrible :* selon lui, ce restaurant est affreux.

(3) *To check :* vérifier, contrôler. *Please check my answers :* veuillez vérifier mes réponses. *To control :* gouverner, diriger.

(4) *He's working until 9 o'clock :* il travaille jusqu'à 9 heures **ou** jusqu'à ce que. *I'll do nothing until he comes :* je ne ferai rien jusqu'à ce qu'il arrive. *Till* est simplement une contraction de *until.*

(5) *To allow :* permettre. *To forbid :* défendre. *Smoking is not allowed :* fumer n'est pas permis.

10 On these **bu**ses, there is a **dri**ver and a con**duc**tor, who col**lects** your fares (**6**).

11 **Fi**nally, there are the **fa**mous **Lon**don **tax**is, or "**Hack**ney Cabs" (**7**).

12 These large, black, **die**sel-**en**gined **ve**hicles are a fa**mil**iar sight in the **Ca**pital.

13 If the cab is free (**8**), you will see* a **lit**tle "For **Hire**" sign in the front.

14 Of course, the best way to see the **ci**ty is on foot, but you need a rest from to time.

10 kën**deuk**të ... kë**lèkts** ... fairz. — **11** **faï**nëlï ... **fé**mës. — **12** **dî**zël-**ènn**djïnd **vî**-ïkëlz ... fë**mi**lië. — **13** haï-ë saïn.

EXERCISES

1 At the end of the **jour**ney, you must show your **ti**cket. — **2** It's un**like** him to say things like that. — **3** You are, not al**lowed** to smoke in this **buil**ding. — **4** My **pass**port was checked by the po**lice.** — **5** From time to time, he looked at his watch to check the time.

Fill in the missing words:

1 *Selon lui, nous n'avons pas le droit de nous garer ici.*

. . . . him, we are . . . .

to park here.

2 *Bien que la plupart d'entre eux ne puissent pas venir,*

. . . . cannot come,

10 Dans (sur) ces bus, il y a un chauffeur, et un receveur qui reçoit (ramasse) votre argent (vos tarifs).
11 Finalement, il y a les fameux taxis de Londres ou *Hackney cabs.*
12 Ces grands véhicules noirs, au moteur diesel, sont un spectacle familier dans la capitale.
13 Si le taxi est libre, vous verrez une enseigne « A louer » à l'avant.
14 Bien sûr, la meilleure façon de voir la ville est à pied mais vous aurez besoin de (un) repos de temps en (à) temps.

NOTES (continued)

(**6**) *A fare :* un tarif (de parcours). *Train fares are high :* les tarifs de train sont élevés
Remarquez que *conductor* est un faux ami; il s'agit d'un receveur; « conducteur », se dit : *driver.*

(**7**) *Cab :* du français cabriolet. A Londres on parle de *taxi-cabs,* ou encore de *mini-cabs* (voitures de location privées). *Hackney* est un quartier de Londres.

(**8**) *Free :* libre **et** gratuit. *Admission free :* entrée gratuite. *Are you free tomorrow :* êtes-vous libre demain?

THERE ARE STILL EMPLOYEES WHO CHECK YOUR TICKET AT THE EXIT

EXERCICES

1 A la fin du trajet, vous devez montrer votre billet. — **2** Ce n'est pas (comme lui) son habitude de dire des choses pareilles (comme ça). — **3** Vous n'avez pas le droit [de] fumer dans ce bâtiment. — **4** Mon passeport était (ou : a été) contrôlé par la police. — **5** De temps en temps, il regardait (à) sa montre [pour] vérifier l'heure.

3 *David et Joan veulent toujours sortir avec nous.*

David and Joan . . . . . want to . . . . with . .

4 *Gardez votre titre de transport jusqu'à la sortie.*

. . . . your . . . . . . until you reach the . . . .

Sixty-sixth (66th) Lesson

1 Learn this page as usual, then answer the questions with the help of the preceding lessons.
2 What is the popular name for the Underground?
3 Where else can you find* an underground railway system? What is it called?
4 Is the Tube expensive? Why is it dearer than the Parisian Metro?
5 Why must you keep* your ticket until you reach (1) the exit?
6 What are London buses called? Can you smoke on a London bus? Where?
7 Who collects the fares? Who drives* the bus?

PRONUNCIATION:

1 aziouzhël. — 2 popioulë. — 3 ouerèls ... réloué. — 4 ouaï-ïzït. — 5 rîtch. — 6 kôhld.

5 *Quand j'aurai fini, vous voudrez bien vérifier l'exercice?*

When I . . . ., will you . . . . . the . . . .?

Corrigé

1 According to - not allowed. — **2** Although most of them. — **3** still come (go) out - us. — **4** Keep - ticket - exit. — **5** have finished - check - exercise.

Second wave: 16th Lesson

Soixante-sixième leçon

1 Apprenez cette page comme d'habitude, puis répondez aux questions à (avec) l'aide des leçons précédentes.
2 Quel est le nom populaire pour *Underground*?
3 Où pouvez-vous trouver un système de chemin de fer souterrain autre part? Comment [s]'appelle-t-il?
4 Est-ce que le métro est cher? Pourquoi est-il plus cher que le Métro parisien?
5 Pourquoi devez-vous garder votre billet jusqu'à ce que vous atteigniez la sortie?
6 Comment s'appellent les bus londoniens? Pouvez-vous fumer dans un bus londonien? Où?
7 Qui reçoit l'argent (ramasse les tarifs)? Qui conduit le bus?

NOTES

(1) *To reach :* atteindre. *When you reach thirty :* lorsque vous atteignez 30 ans. *To reach the exit :* gagner la sortie.

8 What are **Hac**kney Cabs? What **co**lour are they?
9 How do you know* if a cab is free?
10 Which (**2**) is the best way to **tra**vel **around** **Lon**don?

---

11 — Fares please (**3**). — Hyde **Park,** please. — That's twelve pence.
12 — I don't know **Lon**don. Will you tell* me where I must get* off?
13 — Of course. Oh, if you want to smoke, you must go* up**stairs.**

8 **keulë.** — **10** **eraound.** — **11** haïd **pahk.**

EXERCISES

1 Must he leave at once? — Yes, I'm **so**rry. — **2** They left this **mor**ning be**fore** you got up. — **3** **Brig**hton is a **pop**ular place to go for your **ho**lidays. — **4** How do you know if you are right? — **5** What will **ha**ppen if he **does**n't phone?

Fill in the missing words:

1 *Pourquoi dois-je lui écrire? — Parce que c'est ta cousine.*

Why . . . . to . . .? — Because . . .

. . your . . . . . .

2 *Si vous voyez l'enseigne « A louer », vous savez qu'il est libre.*

. . you . . . the ". . . . . . ." . . . ., you know

. . is . . . .

8 Que sont les *Hackney cabs* (taxis)? De quelle couleur sont-ils?

9 Comment savez-vous si un taxi est libre?

10 Quelle est la meilleure façon de voyager dans (autour de) Londres?

---

11 Votre argent s'il vous plaît. — Hyde Park s'il vous plaît. — C'est 12 pence.

12 Je ne connais pas Londres. Voulez-vous me dire où je dois descendre?

13 Bien sûr. Oh, si vous voulez fumer, vous devez monter.

NOTES (continued)

(2) *Which..?* : lequel, laquelle.
Which do you prefer? : lequel préférez-vous?

(3) Ce que vous dit le receveur dans le bus. Le contrôleur (*inspector*) dirait : *Tickets please.*

OH, IF YOU WANT TO SMOKE, YOU MUST GO UPSTAIRS

EXERCICES

1 Doit-il partir tout de suite? — Oui je suis désolé. — **2** Ils sont partis, ce matin avant [que] vous (ne vous) leviez (levâtes). — **3** Brighton est un endroit très couru pour aller en (pour vos) vacances. — **4** Comment savez-vous si vous avez (êtes) raison? — **5** Qu'est-ce qui se passera s'il ne téléphone pas?

3 *Dites-moi où je dois descendre, s.v.p., je ne connais pas Londres.*

. . . .   . . where I . . . . please, .

. . . .

4 *Où peut-on acheter une carte d'abonnement?*

Where . . .   . a . . . . . - . . . . . ?

Sixty-seventh (67th) **Lesson**

1 We took* my **cou**sin to see* a **cri**cket match last month.

2 But he fell* (**1**) **asleep du**ring the game (**N. 1**).

3 He slept* **peace**fully for (**2**) two hours until a ball hit* him on the head and woke* him up.

---

4 — Hel**lo**, it's nice to see* you **again**. How are you?

5 — Very well. I'm **go**ing to stay (**3**) with you for a few days.

PRONUNCIATION :

1 **keu**zën. — 2 **djou**rïng ... gém. — 3 **pîs**fëlï. — 4 ëg**è**nn.

NOTES

(**1**) *To fall, fell, fallen :* tomber. *To fall in love :* tomber amoureux; *to fall asleep :* s'endormir.

5 *Les quatre saisons sont : printemps, été, automne, hiver.*

The four . . . . : . . . ., ...,

. . . ., ...

Corrigé

1 must I write - her - she is - cousin. — 2 If - see - For Hire sign - it free. — 3 Tell me - must get off - I don't know London. — 4 can you (I) buy - season - ticket. — 5 seasons are: spring, summer, autumn, winter.

Second wave: 17th Lesson

Soixante-septième leçon

1 Nous avons emmené mon cousin voir un match de cricket le mois dernier.
2 Mais il s'est endormi (tombé endormi) pendant la partie (le jeu).
3 Il a dormi paisiblement pendant deux heures jusqu'à ce qu'une balle le frappe (le frappa) sur la tête et le réveille (le réveilla).

---

4 Bonjour, c'est bon de vous revoir. Comment allez-vous?
5 Très bien. Je vais rester avec vous pendant quelques jours.

NOTES (continued)

(2) Pendant se dit *during* s'il s'agit d'une période (les vacances, le match...) et *for* s'il s'agit d'une durée (une heure, trois semaines).
La guerre a duré pendant sept ans : *the war lasted FOR seven years* (durée).
Mon oncle est mort pendant la guerre : *my uncle died DURING the war* (pendant la période).

(3) Faux ami, *to stay:* rester; *to rest:* se reposer (voir leçon 65, ligne 14).

6 — Ah, well, I'm **lea**ving* to**mor**row and my wife left* two hours **ago** (**4**) — Oh well, good**bye**.

---

7 Mrs **Hig**gins put* "Rest in Peace" on the **tomb**stone of her **hus**band's grave.

8 Then the so**li**citor told* her that there was **no**thing for her in her **hus**band's will.

9 so she told* the **ma**son to add the words: "un**til** I come*".

---

10 **Du**ring the week, try to read* (**5**) this book for at least half an hour,

11 and for a **li**ttle **lon**ger at the week**end**.

12 This **e**veryday **con**tact will make* you feel* at home with **Eng**lish

13 and help (**6**) you to build* a wide vo**ca**bulary, but re**mem**ber:

14 Read* some **Eng**lish **e**very day.

6 ë**goh**. — **7** **toum**stôhn ... **heuz**bëndz ... grév. — **8** së**lï**sïtë ... ouïl. — **9** **mé**sën. — **10** traï. — **12** **è**vrïdé. — **13** ouaïd vë**ka**bioulërï.

THE WAR LASTED FOR SEVEN YEARS
67

EXERCISES

1 Keep **qui**et, your **fa**ther fell **asleep** half an hour a**go**. — **2** Hel**lo**, it's nice to see you a**gain**. How are you?

6 Ah bon, je pars (*prog.*) demain et ma femme est partie il y a deux heures. — Oh, bien, au revoir.

---

7 Madame Higgins mit « repose en paix » sur la pierre tombale (du tombeau) de son mari.
8 Puis l'avocat lui dit qu'il n'y avait rien pour elle dans le testament de son mari.
9 Alors elle dit au maçon d'ajouter les mots : « jusqu'à ce que je vienne ».

---

10 Pendant la semaine, tâchez de lire ce livre au moins une demi-heure,
11 et pendant (un petit plus long) plus longtemps le week-end.
12 Ce contact quotidien vous familiarisera (vous fera sentir « chez vous ») avec l'anglais
13 et vous aidera à construire un large vocabulaire, mais rappelez-vous :
14 lisez de l'anglais chaque jour.

NOTES (continued)

(4) Il y a deux heures. *Ago* est une contraction de *agone* (allé, passé). Il y a trois jours : *three days ago;* il y a longtemps : *a long time ago.* Combien y a-t-il de temps? : *how long ago?*

(5) Remarquez la prononciation du passé de ce verbe [rèd]; seul le contexte peut vous dire s'il s'agit du passé ou du présent.

(6) On ne répète pas l'auxiliaire *will* dans la même phrase.

EXERCICES

1 Taisez-vous, votre père s'est endormi il y a une demi-heure. — **2** Bonjour, ça fait plaisir (c'est gentil) de vous revoir. Comment allez (êtes)-vous?

3 He left **du**ring the first part of the match. — **4** He said he was bored and **wan**ted to go home. — **5** We **wai**ted for him for five **min**utes then left as well.

Fill in the missing words:

1 *Winston Churchill est mort en 1965.*

Winston Churchill died . . . . -

. . . .

2 *Il fut Premier Ministre pendant la guerre.*

. . . . Prime Minister . . . . . . the war.

3 *Il fut au pouvoir pendant neuf ans.*

He was . . power . . . .

Sixty-eighth (68th) Lesson

Sport

1 **En**glish **pe**ople are very **fond** of (**1**) sport.

2 They play it and they watch (**2**) it; they talk about it and think* **about** it.

3 The most **ty**pically **En**glish game is **cri**cket, which is played **du**ring the **sum**mer months.

PRONUNCIATION

1 **fon**dov ... spoht. — **3** tïpïklï.

3 Il est parti pendant la première partie du match. — 4 Il a dit qu'il s'ennuyait (était ennuyé) et [qu'il] voulait rentrer chez lui. — 5 Nous l'avons attendu pendant cinq minutes puis [nous sommes] partis aussi (bien).

---

4 *John a dû rester au lit pendant une semaine.*

John . . . . . stay . . bed . . . .

5 *Pendant la semaine avant Noël, les magasins sont pleins de gens.*

. . . . . . the week . . . . . . Christmas, the shops are . . . .

Corrigé

1 in nineteen sixty-five. — **2** He was - during. — **3** in - for nine years. — **4** had to - in - for a week. — **5** During - before - full of people.

Second wave: 18th Lesson

Soixante-huitième leçon

[Le] sport

1 Les Anglais (gens) sont très friands de sport.
2 Ils y (le) jouent et ils le regardent; ils en parlent et ils y pensent.
3 Le jeu le plus typiquement anglais est le cricket, qui se joue (est joué) pendant les mois d'été.

NOTES

(1) *To be fond of:* être friand de, amateur de.

(2) Remarquer que, pour regarder la progression de quelque chose (jeu, télévision, même la cuisson d'un gâteau) on dit *to watch,* qui contient l'idée de surveiller.

4 But the most **pop**ular game is **foot**ball, which is played **du**ring the rest of the **ye**ar (for eight months).

5 Pro**fess**ional **foot**ball is very ex**ci**ting to watch and the **pla**yers earn large sums of **mo**ney.

6 A**no**ther **ball**-game, less **pop**ular than **foot**ball, is **Ru**gby.

7 Called **Ru**gby **foot**ball, it was in**ven**ted at **Ru**gby School in about 1820 (**eigh**teen twenty).

8 A boy, called **E**llis, was so bored with **pla**ying with his feet,

9 that he took* the ball in his hands—and a new game was born (**3**)!

10 A**no**ther **pop**ular sport is **horse-ra**cing, which is for**bi**dden* in **En**gland on **Sun**days.

11 There is no State **lo**ttery in **En**gland, but a game called **Bi**ngo (**4**) is very suc**cess**ful (**5**).

12 **Ma**ny **ci**nemas are **clo**sing and **be**ing con**ver**ted **in**to **Bi**ngo halls.

13 It is **es**timated that **about** six **mi**llion **pe**ople, **main**ly **wo**men, play **Bi**ngo **reg**ularly.

5 prë**fèsh**ënël ... èk**saï**ting ... eun ... lahdj seumz. — **6 bohl**. — 8 bohd.— **9** bohn. — **10 hohs ré**sïng ... fë**bi**dën. — **11** sëk**sèss**fël. — 12 kën**veu**tëd ... hohlz. — **13 ouï**mïn ... **rè**gioulëlï.

4 Mais le jeu le plus populaire est le football, qui se joue (est joué) pendant le reste de l'année — pendant huit mois —.
5 Le football professionnel est très passionnant à regarder et les joueurs gagnent des sommes importantes (d'argent).
6 Un autre jeu de ballon, moins populaire que le football, est le rugby.
7 Appelé Rugby football, il fut inventé à l'école de Rugby en 1820 environ.
8 Un garçon, appelé Ellis, était si ennuyé de (avec) jouer avec les (ses) pieds,
9 qu'il prit la balle dans ses mains — et un nouveau jeu était né!
10 Un autre sport populaire : les courses de chevaux (*singulier*) qui sont interdites en Angleterre (sur) le dimanche (les dimanches).
11 Il n'y a pas de loterie nationale (d'Etat), mais un jeu appelé le Bingo a beaucoup de succès.
12 Beaucoup de cinémas ferment (*prog.*) et se transforment (étant convertis) en salles de Bingo.
13 Il est estimé qu'environ 6 millions de gens, principalement des femmes, jouent au Bingo régulièrement.

NOTES (continued)

(3) *To be born* (naître), s'emploie (logiquement d'ailleurs) toujours au passé. Je suis né, je naquis : *I was born. Where were you born?:* où êtes-vous né?

(4) Nous le connaissons en France sous le nom de Loto.

(5) *Successful* (adj.) : qui connaît du succès; du verbe *to succeed* (réussir). *He's a successful businessman:* c'est un homme d'affaires qui réussit.

EXERCISES

1 I was bored with **lis**tening to him, so I fell a**sleep**. — 2 **Dan**cing is for**bid**den in the church. — 3 **Sto**bby **Ni**les is a suc**cess**ful **foot**ball **pla**yer. — 4 I am **ve**ry fond of your **si**ster. Is she **ma**rried? — 5 She plays **Bi**ngo **e**very week and wins large sums of **mo**ney.

Fill in the missing words:

1 *Il parlait de ses aventures en Afrique, mais je m'ennuyais.*

He was .... adventures ..

Africa but I ... .

2 *Un joueur de football gagne plus qu'un directeur de banque.*

A football .... more .... a bank

manager.

3 *Il est interdit de fumer dans le métro à Londres.*

It .. .. smoke in the London tube.

Sixty-ninth (69th) Lesson

1 — **Ex**cuse me, **does**n't my **ne**phew (1) **Pe**ter Bates work in this **o**ffice?

2 — Oh, you're his **un**cle. He went* to your **fu**neral this **mor**ning.

PRONUNCIATION

1 **deu**zën't ... **nè**fiou ... **pî**të **béts**. — 2 **eun**kël ... **fioun**rël. —

4 *Le cricket est moins passionnant à regarder que le rugby.*

Cricket is .... to ....

Rugby.

5 *Il gagne beaucoup d'argent, mais il travaille pendant l'été.*

He ..... a ... .. money but he works

...... the ......

EXERCICES

1 Je m'ennuyais à l'écouter (avec écoutant), donc je m'endormis. — **2** Il est interdit de danser dans l'église. — **3** Stobby Niles est un joueur de football qui a beaucoup de succès. — **4** Je suis emballé (de) par votre sœur. Est-elle mariée? — **5** Elle joue [au] Bingo chaque semaine et gagne d'importantes sommes d'argent.

Corrigé

1 talking about his - in - was bored. — **2** player earns - than. — **3** is forbidden to. — **4** less exciting - watch than. — **5** earns - lot of during - summer.

Second wave: 19th Lesson

Soixante-neuvième leçon

1 Excusez-moi, mon neveu Peter Bates ne travaille-t-il pas dans ce bureau?
2 Oh, vous êtes son oncle. Il est allé à votre enterrement ce matin.

NOTES

(1) Alors que *cousin* n'a qu'une forme pour le masculin et le féminin, *nephew* a le féminin *niece* (nîs).

3 — **Da**vid, what are those **em**pty **whis**ky-**bo**ttles **doi**ng in the **cel**lar?
4 — I don't know*, **dar**ling. I've **ne**ver bought* an **em**pty **bo**ttle of **whis**ky in my life (**2**).

---

5 — How many **pe**ople work in your **of**fice?
6 — **About** half of them.

---

7 Mrs **Tho**mas and Mrs Jones met* in the **shop**ping-**cen**tre.
8 Mrs Jones was **pu**shing a pram with her two **li**ttle boys in**side**.
9 — Good **mo**rning Mrs Jones. What **beau**tiful **chil**dren. Tell me, how old are they?
10 — Well,said Mrs Jones,the **doc**tor is two and the **law**yer (**3**) is three.

---

11 — I for**got** my wife's **birth**day. — What did she say*?
12 — **No**thing. — That's al**right** then.
13 — Yes, **no**thing... for three weeks.

14 Don't for**get*** to learn the ir**re**gular verbs we meet*.

3 **èmtï**... **sèlë**. — **4** boht(*pron. irrég. retenez-la*). — **6** hahf. — **7** **tomës**... **sèntë**. — **8** **pou**shing e pramm. — **10** **loh**-yë. — **11** fë**got**.

Si vous avez répété régulièrement les verbes irréguliers marqués d'un astérisque, vous ne les savez pas encore, mais vous les avez « sur le bout de la langue ». Encore un peu de patience...

3 David, que font (*prog.*) ces bouteilles de whisky vides dans la cave?
4 Je ne sais pas, chérie. Je n'ai jamais acheté une bouteille de whisky vide de (dans) ma vie.

---

5 Combien de gens travaillent dans votre bureau?
6 Environ la moitié d'entre eux (d'eux).

---

7 Mme Thomas et Mme Jones se sont rencontrées dans le centre commercial.
8 Mme Jones poussait (*prog.*) un landau avec ses deux petits garçons dedans.
9 Bonjour (bonne matinée) madame Jones. Quels beaux enfants! Dites-moi, quel âge ont (sont)-ils?
10 Eh bien, dit Mme Jones, le docteur a deux ans et l'avocat trois.

---

11 J'ai oublié l'anniversaire de ma femme. — Qu'a-t-elle dit?
12 Rien. — Ça va alors.
13 Oui, rien... pendant trois semaines.

14 N'oubliez pas d'apprendre les verbes irréguliers que nous rencontrons.

NOTES (continued)

(2) Le passé indéfini (dans ma vie).

(3) Le mot *lawyer* est un terme général pour *barrister* et *solicitor*. *Barrister :* avocat qui plaide au barreau. *Solicitor :* avoué. En Amérique, on trouve le terme *attorney*.

EXERCISES

1 My uncle and aunt met during the war. — **2** What is that book doing in the middle of the table?. — **3** He never spends money, but last week he bought a house. — **4** Don't you speak German? I thought you did. — **5** How old are you madam? — That doesn't concern you.

Fill in the missing words:

1 *Ne veut-elle pas regarder la télévision? — Non, elle ne veut pas.*

. . . . she want . . . . the television? —

No, ...

2 *Que fait le chien avec le facteur? — Ça n'a pas d'importance.*

. . . . . . the dog . . . . . with the . . . . - . . .?

It . . . .

3 *Quel beau temps! Prenons la voiture et allons à la campagne.*

. . . . weather! . . . . the car

. . . . the country.

Seventieth (70th) Lesson

REVISIONS AND NOTES

Notes à relire : 64ᵉ leçon : (1) - **65ᵉ :** (4) - **66ᵉ :** (2) - **67ᵉ :** (2), (4) - **68ᵉ :** (2), (3).

4 *Il a acheté le landau qu'il a vu jeudi, mais il a oublié les draps.*

He . . . . . . the . . . . he . . . . . Thursday, but he . . . . . . the sheets.

5 *Sa femme est en colère. Je ne sais ce qui arrivera.*

. . . wife is . . . . . I don't know . . . . will . . . . . .

EXERCICES

1 Mon oncle et ma tante [se sont] rencontrés pendant la guerre. — **2** Que fait ce livre au milieu de la table? — **3** Il [ne] dépense jamais [d']argent, mais [la] semaine dernière il a acheté une maison. — **4** Ne parlez-vous pas l'allemand? Je pensais [que] vous le parliez (fit). — **5** Quel âge avez-vous Madame? — Cela ne vous concerne pas.

Corrigé

1 Doesn't - to watch. - she doesn't. — **2** What is - doing - postman? - doesn't matter. — **3** What fine - Let's take - and go to. — **4** bought - pram - saw on - forgot. — **5** His - angry - what - happen.

Second wave: 20th Lesson

Soixante-dixième leçon

1 Pendant. — *For* pour une mesure (donc il est d'habitude suivi d'un chiffre); *during* pour une période.

Attention! *He was ill for a week:* pendant une semaine (et non deux ou trois). *He was ill during the week before Christmas* (quand? une semaine précise).

Ago: traduit le temps écoulé entre l'événement dans le passé et le moment présent. J'ai vu John il y a trois semaines : *I saw John three weeks ago.* Il y a trois ans de ça : *three years ago.*

Ne traduisez pas il y a (*there is, there are*) **par** *ago!*

2 L'alphabet. — Voici chaque lettre suivie de sa prononciation :

a (é) - **b** (bî) - **c** (sî) - **d** (dî) - **e** (î) - **f** (èff) - **g** (djî) - **h** (étch) - **i** (aï) - **j** (djé) - **k** (ké) - **l** (èl) - **m** (èm) - **n** (èn) **0** (ô) - **p** (pî) - **q** (kiou) - **r** (ar) - **s** (èss) - **t** (tî) - **u** (you) **v** (vî) - **w** (**deub**'liou) - **y** (ouaï) - **z** (zèd).

HE FELL ASLEEP DURING THE MATCH

3 A bien retenir :

Check this please: vérifiez ceci s'il vous plaît.
Have a rest: reposez-vous.
Half of them: la moitié d'entre eux.
That's alright then: ça va alors.
I'm bored with working: j'en ai marre de travailler.
He was born: il est né.
Until I came: jusqu'à ce que je vienne.

4 Ecrivez en anglais :

1 Il s'est endormi pendant le match. Il y a une heure.
2 Vous n'avez pas le droit de parler.
3 Avec si peu d'amis et tant de problèmes, il doit être malheureux.
4 Voici deux livres. Lequel préférez-vous?
5 Gardez votre billet jusqu'à ce que vous gagniez la sortie.
6 Il a travaillé pendant trois heures et puis il s'est arrêté.

5 Traduction

1 *He fell asleep during the match. An (one) hour ago.*
2 *You're not allowed to talk.*
3 *With so few friends and so many problems, he must be unhappy.*
4 *Here are two books. Which do you prefer?*
5 *Keep your ticket until you reach the exit.*
6 *He worked for three hours and then he stopped.*

Nous commençons à manier un certain nombre d'expressions idiomatiques, et il est inévitable que vous fassiez des fautes; mais ayez confiance : la pratique quotidienne mettra au point ce qui est encore flou. Vous rendez-vous compte de vos progrès?

Quand vous étiez enfant, avez-vous jamais roulé une grosse boule de neige? Le plus difficile est de commencer, de former le noyau. Ensuite, il n'y a plus qu'à pousser et la boule s'enfle à vue d'œil. Vous avez déjà un noyau passable en anglais et, à la fin du cours, votre boule sera de belles dimensions.

Second wave: 21st (revision) Lesson

Seventy-first (71st) Lesson

Important news

1 Mr. **Mar**shall and Mr. Hobbs were **si**tting (**1**) in the seats **ne**ar the door, **o**pposite one an**o**ther (**2**).

2 **Da**vid **Wi**lson got* **in**to the train and said*: "Good **mor**ning".

3 The two men re**plied** "**Mor**ning" and conti-nued **rea**ding* their **pa**pers.

4 **Da**vid put* his **brief**-case on the rack **o**ver his head and sat* down.

5 He lit* a ciga**re**tte, threw* the match on the floor and **o**pened his **pa**per.

6 The three men read* in **si**lence for a while.

7 The **win**dow was half-**o**pen and there was a strong draught.

8 — I see* the Chi**nese** Prime **Mi**nister is dead (**3**) said **Mar**shall.

9 **No**-one said* a word.

10 **A**fter a few **mi**nutes, Hobbs said*: "Oh **de**ar, an**o**ther **ter**rible **plane**-crash".

11 The **o**ther two showed no **in**terest.

12 Then **Da**vid **shou**ted: "Oh no!", the **o**thers looked at him.

13 "Stiles, the **Chel**sea **cen**tre-**for**ward is ill and won't be **a**ble to play ag**ain**st Spurs".

PRONUNCIATION

1 **o**ppezït ouen ë**neu**vë. — **3** rë**plaïd**. — **4** **brîf** kés. — **5** frou ... floh. — **6** rèd ... ë ouaïl. — **7** drahft. — **8** ded, sed. — **9** sed. — **10** **tèr**ï-bël plén-krash. — **11** shohd ... **ïn**trèst. — **12** **shaou**ted. — **13** staïlz ... **tchèl**sï **sèn**të **foh**ouëd ... bî**é**bël ... ë**gènst**.

Soixante et onzième leçon

(Une) nouvelle importante

1 M. Marshall et M. Hobbs étaient assis sur (dans) les sièges près de la porte, l'un en face de l'autre (en face un autre).
2 David Wilson monta dans le train et dit : « Bonjour ».
3 Les deux hommes répondirent « 'jour » et continuèrent à lire (lisant) leur journal.
4 David mit sa serviette sur le filet au-dessus de sa tête et s'assit.
5 Il alluma une cigarette, jeta l'allumette à terre (sur le plancher) et ouvrit son journal.
6 Les trois hommes lurent en silence pendant un moment.
7 La fenêtre était entrouverte et il y avait un fort courant d'air.
8 Je vois que le Premier Ministre chinois est mort, dit Marshall.
9 Personne [ne] dit un mot.
10 Après quelques minutes, Hobbs dit : « Mon Dieu, encore un autre affreux accident d'avion ».
11 Les deux autres ne montrèrent aucun intérêt (pas d'intérêt).
12 Puis David cria : « Ah non! », les autres le regardèrent
13 Stiles, l'avant-centre de Chelsea, est malade et ne pourra pas jouer contre Spurs.

NOTES

(1) Etaient assis : *to sit down:* s'asseoir; *to be sitting:* être assis (on trouve parfois *to be seated*).

(2) *One another* ou *each other* se dit de deux personnes; *they saw one another:* ils se sont vus. *They talked to each other:* ils se sont parlé. *Opposite each other:* en face l'un de l'autre. **N'utilisez jamais** *themselves.*

(3) Mourir : *to die;* il mourut, il est mort : *he died.* Mais quand on constate le décès (il n'est plus vivant), on dit : *he is dead.*

14 The three men be**gan*** to dis**cuss** the **ter**rible, **tra**gic news (**4**).

14 **tra**djïk niouz.

EXERCISES

1 She lit a ciga**rette** and threw the match on the floor. — **2** They be**gan** to talk about the news. — **3** Lord **By**ron was born in seven**teen** **eigh**ty eight and died in eigh**teen** **twen**ty four. — **4** He put his coat on a chair and sat down. — **5** I am **against** his idea. I find it **non**sense.

Fill in the missing words:

1 *Ils lisaient leur journal quand la porte s'ouvrit.*

They . . . . their . . . . . . when the . . . .

2 *Ils se regardèrent pendant cinq minutes avant de dire bonjour.*

They . . . . . . at . . . . five minutes before . . . .

3 *Nous ne pourrons pas nous permettre des vacances à l'étranger.*

We . . . . to . . . . . . a holiday . . . . . .

4 *La fenêtre était entrouverte et il y avait un fort courant d'air.*

. . . . was . . . . - . . . . and . . . . a strong . . . .

14 Les trois hommes commencèrent à discuter de la terrible et tragique nouvelle.

NOTES (continued)

(**4**) Malgré le « s », *news* est toujours au singulier. *The news is good:* les nouvelles sont bonnes. Il en est de même pour *means* (un moyen). *This is a means to learn English:* ceci est un moyen d'apprendre l'anglais.

5 *Il a vu le corps et il a demandé : « Est-il mort ou dort-il? »*

He . . . the . . . . and asked "Is . . . . . . or . . . . . . ? »

EXERCICES

1 Elle alluma une cigarette et jeta l'allumette à (sur) terre. — **2** Ils commencèrent [à] parler de la nouvelle (les nouvelles). — **3** Lord Byron naquit en 1788 et mourut en 1824. — **4** Il mit son manteau sur une chaise et s'assit. — **5** Je suis contre son idée, je la trouve ridicule (non-sens).

Corrigé

1 were reading - papers - door opened. — **2** looked - one another for - saying Good morning (hello). — **3** will not be able - afford - abroad. — **4** The window - half - open - there was - draught. — **5** saw - body - he dead - asleep (sleeping).

Second wave: 22nd Lesson

Seventy-second (72nd) Lesson

1 The train stopped at a **sta**tion but **no**-one got* on.
2 At the last **mi**nute, the door **o**pened
3 and an old **gen**tleman (**1**) with a grey **beard** and **gla**sses (**2**) got* **in**to (**3**) the com**part**ment.
4 I just caught (**4**) it! he said, **si**tting* down **heav**ily.
5 He took* off his **gla**sses and wiped his face (**N. 1**) with a striped **hand**kerchief.
6 **E**veryone was (**5**) **rea**ding* and **smo**king, ex**cept** the old **gen**tleman.
7 He had **ob**viously had no time to buy* a **pa**per be**fore** **cat**ching (**6**) the train.
8 **Da**vid soon **no**ticed that the man was **rea**ding* his **pa**per with him, but **ve**ry dis**creet**ly.

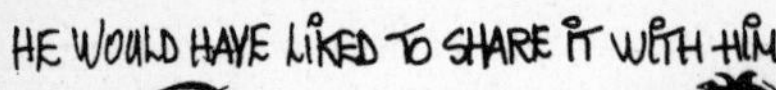

HE WOULD HAVE LIKED TO SHARE IT WITH HIM.

PRONUNCIATION :

1 trén ... **noh**-ouèn. — **3** **djè**nt'lmën ... **bî**eud ... **glah**sïz. — **4** koht ... **hè**vïlï. — **5** ouaïpt ... straïpt **han**këtchîf. — **6** ek**sèpt**. — **7** **ob**viëslï. — **8** **nôh**tïst ... **rî**dïng ... dïs**krît**lï.

Soixante-douzième leçon

1 Le train s'arrêta à une gare mais personne ne monta.
2 À la dernière minute, la porte s'ouvrit
3 et un vieux monsieur, avec une barbe grise et des lunettes, entra dans le compartiment.
4 Je l'ai attrapé de justesse (juste) dit-il en s'asseyant lourdement.
5 Il enleva ses lunettes et s'essuya le visage (essuya son visage) avec un mouchoir rayé.
6 Tout le monde lisait (*prog.*) et fumait, sauf le vieux monsieur.
7 Il n'avait évidemment pas eu le temps (pas de temps) d'acheter un journal avant de prendre (attraper) le train.
8 David remarqua bientôt que l'homme lisait (*prog.*) son journal avec lui, mais très discrètement.

NOTES

(1) *Gentleman,* un mot que nous connaissons. Il vient du français gentilhomme et voulait dire alors : qui était de bonne famille mais n'était pas un noble. D'où le sens : quelqu'un de sentiments et de tenue raffinés (on peut d'ailleurs en faire un adverbe : *gentlemanly*). Plus généralement, il veut dire « un monsieur ».
« Messieurs-dames » : *Ladies and Gentlemen* (notez le pluriel).

(2) *A glass :* un verre; *glasses :* les verres **ou** les lunettes (on trouve aussi le mot *spectacles*).

(3) Cette préposition exprime l'état d'être, *in,* plus le mouvement, *to.* On l'utilise pour tout verbe ayant le sens d'entrer dans... : se jeter à l'eau (*jump* **into** *the water*); monter dans une voiture (*get* **into** *a car*), etc.

(4) On « attrape » le train aussi bien que le rhume en anglais. *He's catching the ten o'clock train :* il prend le train de dix heures.

(5) On ne répète pas l'auxiliaire *was* s'il n'y a pas de confusion possible.

(6) Après une préposition (*before, after, of,* etc.), le verbe est au gérondif (c'est-à-dire *-ing*). : *before catching the*

9 **Da**vid's **pa**per had **twen**ty **pa**ges and he would have liked (**7**) to share it with him,

10 but he did not want to show the old **gent**leman that he had **no**ticed he was **rea**ding* it,

11 he was **afraid** of off**en**ding (**8**) him.

12 **Da**vid reached the **bot**tom of the page, but did not want to turn it, be**cause** his **nei**ghbour was still **rea**ding*.

13 At last, **Da**vid solved the **prob**lem. He **fol**ded the **pa**per, put it on the seat,

14 closed his eyes and pre**ten**ded (**9**) to be **asleep**.

9 ououd ... shair. — **10** shôh. — **11** ëff**è**nd**ï**ng. — **12** rîtcht ... pédj ... teun ... nébë. — **13** pout.

EXERCISES

1 With**out mo**ving his hands, he turned the page. — **2** He was **afraid** of **wa**king his **fa**ther. — **3** It was so cold in **Scot**land that I caught a cold. — **4** He pre**ten**ded to be a **pa**rachutist, but he was **re**ally a **post**-man. — **5** When you have reached the end of this book, read it a**gain**.

Fill in the missing words:

1 *Avant de s'essuyer la figure, il enleva ses lunettes.*

Before . . . . face, he . . . . his . . . .

9 Le journal de David avait vingt pages et il aurait aimé le partager avec lui,
10 mais il ne voulait pas montrer au vieux monsieur qu'il avait remarqué qu'il le lisait (*prog.*),
11 il avait peur de l'offenser.
12 David atteignit le bas de la page, mais il ne voulait pas la tourner, parce que son voisin lisait (*prog.*) encore.
13 Enfin, David résolut le problème. Il plia le journal, le mit sur le siège,
14 ferma les (ses) yeux et fit semblant de dormir (être endormi).

NOTES (continued)

train. Il correspond à notre infinitif passé. *After reading the paper he fell asleep :* après avoir lu le journal, il s'endormit.

(7) Le passé du conditionnel.

(8) Voir note 5.

(9) *To pretend:* faire semblant de. *He pretended to be a millionaire:* il fit semblant d'être un millionnaire.

EXERCICES

1 Sans bouger ses mains, il tourna la page. — **2** Il avait peur de réveiller son père. — **3** Il faisait (fut) si froid en Écosse que j'ai attrapé un rhume. — **4** Il faisait croire qu'il était parachutiste, mais en réalité (réellement) il était (un) facteur. — **5** Quand vous aurez (avez) atteint la fin de ce livre, relisez-le.

---

2 *Tout le monde lisait, sauf David qui faisait semblant de dormir.*

. . . . reading . . . . . . David who was

. . . . to . . . . .

3 *Rappelez-vous, vous ne pouvez pas apprendre sans étudier.*

. . . .; you cannot . . . . . without . . . .

4 *J'aimerais vous aider, mais, malheureusement, je suis trop occupé.*

I . . . . . like . . . . . . you, but, ..., I . . . .

Seventy-third (73rd) Lesson

A little mystery

1 The police were interviewing a soldier suspected of robbery (1).

2 — I don't know* the restaurant. I've never been there in my life, said* the suspect.

3 — Well, people say* that a soldier like you robbed the restaurant and wounded (2) the owner, replied the detective.

4 — But there must be thousands (3) of soldiers in this town.

PRONUNCIATION :

1 ïntëviou-ïng ... soldjë sëspèktëd. — 2 rèstront. aïv ... sëspèkt. — 3 ououndëd ... ohnë, rëplaïd. — 4 faouzëndz.

5 *Après avoir lu le rapport, il l'a mis dans sa serviette.*

After . . . . the report he . . . it . . . . .

. . . . . . - . . . .

Corrigé

1 wiping his - took off - glasses. — **2** Everyone was - except - pretending - sleep. — **3** Remember - learn - studying. — **4** would - to help - unfortunately - am too busy. — **5** reading - put - in his brief-case.

Second wave: 23rd Lesson

Soixante-treizième leçon

Un petit mystère

1 La police interrogeait (*prog.*) un soldat soupçonné de vol.
2 Je ne connais pas le restaurant. Je n'y suis jamais allé de ma vie, dit le suspect.
3 Bien des gens disent qu'un soldat comme vous a dévalisé le restaurant et blessé le propriétaire, répliqua le détective.
4 Mais il doit y avoir (être) des milliers de soldats dans cette ville.

NOTES

(1) *To rob* (*a bank*, etc.) : dévaliser; *a robber :* un voleur (nous connaissons les mots *a hold up*). *To rob* contient l'idée de violence. Autrement, on dit *to steal, stole, stolen* et le voleur devient *a thief* [fîf].
Notez : *the police were...* et non *was*. La police est composée de policiers.

(2) *To wound* [ouound] : blesser avec une arme. *To injure :* blesser (d'habitude accidentellement).

(3) Nous avons vu que *2 million, 4 thousand,* etc. ne prennent pas d'« s ». On en met un seulement quand il

5 — Yes, but **on**ly one who was **near** the scene of the crime.

6 — **Li**sten. I was **wal**king (4) quietly down the street,

7 when **som**eone ran* down the street **shou**ting : "He robbed the till!!!";

8 so, I **sto**pped and went* back to the **resta**urant

9 and the **wit**nesses said* I was the **rob**ber be**cause** of (5) my **u**niform.

10 So the po**lice** ar**res**ted me and here I am.

11 — You say* you **ne**ver saw* the **res**taurant be**fore**?

12 — Yes, that's **right**, said* the **sol**dier **ner**vously.

13 — Then I ar**rest** you for armed **rob**bery, said* the de**tec**tive.

14 What was the **sol**dier's mis**take**? (the **an**swer is in the re**vi**sion **les**son).

5 **hî**eu ... sîn ... kraïm. — 6 **lï**ssën ... kou**aï**ëtlï. — 7 **shaou**tïng ... tïll. — 9 **ouït**nësëz sèd ... **rob**bë ... **iou**nïfohm. — 10 pl**îs**. — 11 soh. — 12 vats**raït** ... **neuv**ëslï. — 13 ahmd. — 14 rë**vïzh**eun.

5 Oui, mais seulement un qui était près de la scène du crime.
6 Écoutez. Je descendais (*prog.*) tranquillement la rue à pied (marchait tranquillement en bas),
7 quand quelqu'un descendit la rue en courant (courut en bas) [en] criant : « il a dévalisé la caisse!!! »;
8 alors, je me suis arrêté et [je suis] revenu au restaurant
9 et les témoins ont dit que j'étais le voleur à cause de mon uniforme.
10 Alors la police m'a arrêté et me voilà (ici je suis).
11 Vous dites que vous n'avez jamais vu le restaurant avant?
12 Oui, c'est juste, dit le soldat nerveusement.
13 Alors je vous arrête pour vol [à main] armée, dit le détective.
14 Quelle était l'erreur du soldat? (la réponse est dans la leçon de révision).

NOTES (continued)

s'agit de « des milliers » : *thousands;* « des millions » : *millions.* Des centaines de milliers : *hundreds of thousands.*

(4) Remarquez cette façon d'inclure dans le verbe à la fois l'idée de mouvement et de moyen de locomotion. *To run upstairs :* monter les escaliers en courant. *To drive to London :* aller à Londres en voiture. *To walk down the street :* descendre la rue en marchant.

(5) *Because :* parce que; *because of :* à cause de; grâce à : *thanks to.*

Nous ne voulons pas essayer de tout expliquer. Nos notes vous servent à la fois de guide et de compagnes de voyage. En ce qui concerne les tournures « compliquées » c'est en les voyant souvent que vous les assimilerez. C'est pourquoi nous vous répétons d'en voir un peu tous les jours.

EXERCISES

1 I have **ne**ver been to **En**gland. — What's it like? — 2 There must be a mis**take**, I don't know you. — 3 She ran down the street **shou**ting "Help!". — 4 My plane was late be**cause** of a strike. — 5 I was **wor**king when the **te**lephone rang.

Fill in the missing words :

1 *Il est le propriétaire de trois maisons de campagne et d'un appartement.*

He is . . . . three . . . . -
. . . . . . and a flat.

2 *Sans poser de questions, il sut que le soldat avait (fait) commis le vol.*

. . . . any questions, he . . . . the soldier . . . . the robbery.

3 *Des centaines et des milliers de gens achetèrent des voitures.*

. . . . and . . . . of . . . . . .
. . . . . . cars.

---

4 *Elle n'est jamais allée à l'étranger de sa vie.*

She . . . never . . . . in . . . .

5 *A cause de la pluie, nous aurons environ vingt minutes de retard.*

. . . . the . . . . we will . . twenty minutes . . . .

EXERCICES

1 Je ne suis jamais allé (été) en Angleterre. — Comment est-ce? — 2 Il doit [y] avoir (être) une erreur, je ne vous connais pas. — 3 Elle descendit la rue en courant [et en] criant : « Au secours » (aide). — 4 Mon avion était en retard à cause d'une grève. — 5 Je travaillais quand le téléphone sonna.

Corrigé

1 the owner of - country-houses. — 2 Without asking - knew - had done. — 3 Hundreds - thousands - people bought. — 4 has - been abroad - her life. — 5 Because of - rain - be - late.

N'oubliez pas que, pour le moment, vous n'avez qu'à comprendre le texte anglais, et en répéter chaque paragraphe après l'avoir lu tout haut.

Second wave: 24th Lesson

Seventy-fourth (74th) Lesson

1 Let's learn some useful expressions.

2 When English people (1) meet* for the first time, they say*: "How do you do?"

3 The answer is: "How do you do?"

4 After this first meeting (2), you may say: "How are you?", or simply "Hello".

5 Younger people find* these formulas too formal and try to avoid them.

6 People rarely shake* hands in England.

---

7 Here is a typical "polite" conversation:

8 — Hello, David, How are you?

9 — Fine, thankyou. And you?

10 — I'm very well. Let* me introduce (3) Andrew Williams.

11 — How do you do? — Pleased to meet* you.

12 — Terrible weather, isn't it? — Yes, but it's getting* warmer (N. 2) now.

13 — I hope we will have some sun soon.

PRONUNCIATION:

1 iousfël eksprèshenz. — 2 haou doioudou. — 3 ahnsë. — 4 haou ah you. — 5 ëvoïd. — 6 rairlï shék. — 7 pëlaït konvëséshën. — 10 ïntrëdious anndrou. — 11 plîzd. — 12 ouèvë.

Soixante-quatorzième leçon

1 Apprenons quelques (des) expressions utiles.
2 Quand les Anglais se rencontrent pour la première fois ils disent : « comment allez-vous? » (comment faites-vous?).
3 La réponse est : « comment allez-vous? »
4 Après cette première rencontre, vous pouvez dire : « comment ça va? (êtes-vous), ou simplement « bonjour ».
5 Les plus jeunes (gens) trouvent ces formules trop formalistes et essaient de les éviter.
6 Les gens serrent rarement la main(s) en Angleterre.

---

7 Voici une conversation polie « typique » :
8 Bonjour David, comment ça va?
9 Bien, merci. Et vous?
10 Je vais très bien. Permettez-moi (laissez-moi) de vous présenter Andrew Williams.
11 Comment allez-vous? — Heureux de vous connaître (rencontrer).
12 Quel mauvais temps, n'est-ce pas? — Oui, mais il commence à faire (devient) plus chaud maintenant.
13 J'espère que nous aurons du soleil bientôt.

NOTES

(1) *The English :* les Anglais, le peuple (the French, the Germans, etc.); mais, quand on veut dire « des Anglais » en général, on ne met pas d'article et on ajoute *people.* De même, ligne 5, les jeunes pourrait se dire *the young :* tous les gens; mais *young people :* les jeunes en général.

(2) *To meet :* (se) rencontrer; *a meeting :* une rencontre ou une réunion. Notez la formule de politesse, ligne 11 : heureux de vous connaître : *Pleased to meet you.*

(3) *To introduce :* présenter quelqu'un. *Let me introduce myself :* permettez-moi de me présenter (*allow me...* est trop commun).

14 — Well, I must be off or **I'll** be late. Give* my re**gards** (**4**) to your wife. Good**bye.**

15 — I will. Take* care of your**self.** Good**bye.**

14 aïl... rë**gahdz.** — 15 kair... yë**sèlf.**

EXERCISES

1 We **rar**ely intro**duce** our friends to **An**drew. — 2 Pleased to meet you. What is your name? — **3** I hope he will ac**cept** our **o**ffer. — **4** He did it with**out** **thin**king. — **5** These **pa**pers are free. Please take one.

Fill in the missing words:

1 *Laissez-moi vous offrir un verre.*

. . . me . . . . a drink.

2 *Permettez-moi de vous inviter à dîner.*

. . . . . me . . . . to dinner.

3 *Je dois partir ou je serai en retard. Mes hommages à votre femme.*

I . . . . be . . . or I . . . . Give . .

. . . . to . . . . wife.

4 *Tachez d'éviter l'autoroute, il y a trop de circulation.*

. . . to . . . . . the motorway, there . . . . .

. . . .

14 Eh bien, je dois partir ou je serai en retard. Présentez (donnez) mes hommages à votre femme. Au revoir.
15 Je le ferai. Portez-vous bien (prenez bien soin de vous-même). Au revoir.

NOTES (continued)

(**4**) *To regard :* estimer. *I regard him highly :* je l'estime beaucoup (hautement); *my regards :* mes vœux, mes hommages. Une lettre peut se terminer : *Kindest regards :* meilleurs vœux.

I HOPE WE WILL HAVE SOME SUN SOON
74

5 *Il me laisse toujours prendre sa voiture s'il n'en a pas besoin.*

He always . . . . me . . . . car if . . . . . .

not . . . . . .

EXERCICES

1 Nous présentons rarement nos amis à Andrew. — **2** Heureux de vous connaître (rencontrer). Quel est votre nom? — **3** J'espère [qu']il acceptera notre offre. — **4** Il le fit sans [y] penser. — **5** Ces journaux sont gratuits. Veuillez [en] prendre un.

Corrigé

1 Let - offer you. — **2** Allow - to invite you. — **3** must - off - will be late - my regards - your. — **4** Try - avoid - is too much traffic. — **5** lets - take his - he does - need it.

Second wave: 25th Lesson

Seventy-fifth (75th) Lesson

1 We have seen* a lot of words in the last few **les**sons.

2 It is now time to re**vise** some of them.

3 He lit* a ciga**rette**, **o**pened his **no**vel and be**gan*** to read.

4 Where did I put* my **brief**-case? I can't re**mem**ber (1).

5 My young **ne**phew was **in**jured in a **plane**-crash.

6 He will not be **a**ble to come to**mo**rrow as (2) he has an im**por**tant **mee**ting.

7 The bank was robbed of **fif**ty **thou**sand pounds **du**ring the night.

8 When you meet* **som**eone for the first time, you say* : "How do you do?"

9 They saw* one a**noth**er for the first time last week, al**though** they write* to one a**noth**er **reg**ularly.

10 I must be off or I'll be late for my ap**point**ment (3).

11 **You**'ll be **a**ble to **rec**ognise George, he wears* (4) **glass**es and a **bow**ler hat.

12 Don't for**get*** the **ex**ercises at the **bot**tom of the page.

13 The door was half-**o**pen and he saw* his **pa**rents **pla**ying cards.

14 The **wea**ther is **ter**rible, **is**n't it?

PRONUNCIATION :

1 oueudz. — **2** rë**vaïz**. — **3** rîd. — **5** **nè**fiou ... **ïnd**jëd. — **7** naït. — **8** **seum**ouene. — **9** soh. — **10** ë**poïnt**mënt. — **11** **rèk**ëgnaïz djohdj ... wairz ... **bôh**lë. — **12** pédj. — **13** **pair**ënts ... kahdz. — **14** **ïz**ëntït.

Soixante-quinzième leçon

1 Nous avons vu beaucoup de mots dans les dernières (quelques) leçons.
2 Il est maintenant temps d'en réviser quelques-uns.
3 Il alluma une cigarette, ouvrit son roman et commença à lire.
4 Où ai-je mis ma serviette? Je ne me le rappelle pas (ne peux pas me rappeler).
5 Mon jeune neveu a été blessé dans un accident d'avion.
6 Il ne pourra pas venir demain, car (comme) il a une réunion importante.
7 La banque fut dévalisée de 50 000 livres pendant la nuit.
8 Lorsque vous rencontrez quelqu'un pour la première fois, vous dites : « Comment allez-vous? ».
9 Ils se sont vus pour la première fois la semaine dernière, bien qu'il s'écrivent régulièrement.
10 Je dois partir ou je serai en retard pour mon rendez-vous.
11 Vous pourrez (serez capable de) reconnaître George, il porte des lunettes et un chapeau melon.
12 N'oubliez pas les exercices au bas de la page.
13 La porte était entrouverte et il vit ses parents en train de jouer aux cartes.
14 Quel mauvais temps, n'est-ce pas?

NOTES

(1) Les verbes de perception involontaire (*see, hear, remember,* etc.) n'ayant pas de forme progressive, on met *can* devant. *I can't hear him :* je ne l'entends pas.

(2) *As* (comme), a aussi le sens de « car ». On l'évite dans la conversation si possible, car on l'entend à peine.

(3) *Appointment :* un rendez-vous. Un rendez-vous chez le docteur : *a doctor's appointment.* Les appointements se traduisent par *salary* (salaire).

(4) Porter à la main : *to carry;* porter un vêtement : *to wear, wore, worn. Worn out :* usé.

EXERCISES

1 You're very **ti**red. Will you be **a**ble to drive home? — **2** They weren't **ha**ppy with their **daug**hter's **le**tter. — **3** Don't ring, he won't **a**nswer the phone. — **4** When they've **fin**ished, **they'**ll come and see us. — **5** I can't underst**and** why he left so **ea**rly.

Fill in the missing words :

1 *Ils ont dû s'acheter un nouveau buffet.*

. . . . a new sideboard.

2 *Prière de vérifier vos pneus avant de partir.*

. . . . your tyres . . . .

3 *Bien qu'il soit très petit, il est très fort.*

. . . . he . . very . . . . ., he is . . . .
. . . . . .

4 *Il entrouvrit la porte et regarda dans la cuisine.*

He . . . . - . . . . . . the door and . . . . . . into the
. . . .

Seventy-sixth (76th) Lesson

Conditionals

1 — What can I do for you, sir? — I'd like to speak* to Mr **Da**vis.

PRONUNCIATION : 1 aïd.

5 *J'espère que votre cousin va mieux.*

I . . . . cousin . . . .

Exercices

1 Vous êtes très fatigué. Serez-vous capable de rentrer (conduire) [jusqu'à] chez vous? — **2** Ils n'étaient pas contents de (avec) la lettre de leur fille. — **3** Ne téléphonez (sonnez) pas, il ne répondra pas [au] téléphone. — **4** Quand ils auront (ont) fini, ils viendront (et) nous voir. — **5** Je ne peux pas comprendre pourquoi il est parti si tôt.

Corrigé

1 They had to buy. — **2** Please check - before leaving. — **3** Although - is - small (little) - very strong. — **4** half-opened - looked - kitchen. — **5** hope your - is better.

Second wave: 26th Lesson

Soixante-seizième leçon

Conditionnels

1 Que puis-je faire pour vous, Monsieur? — J'aimerais parler à M. Davis.

2 — I'm **so**rry, he isn't in. **Would** (1) you like to see* **some**body else?
3 — No, but would you take* a **mess**age for me, please?
4 — I'd be delighted.

---

5 "Would" is the con**diti**onal in **En**glish and is placed in **front** of the in**fin**itive.
6 The con**trac**tion is easy: "would" be**comes*** ...'d.
7 For **in**stance: I'd like a cup of tea.
8 He'd help you. We'd pre**fer** **be**er, if you have any.
9 **Que**stions are **ea**sy too: Would you like a cup of tea? Would you help me please?
10 Here are some more **sen**tences: He would under**stand*** if you spoke* more **slo**wly.
11 He **wou**ldn't ask for help if he **did**n't want it.
12 He **wou**ldn't need a **tea**cher if he spoke* **flu**ently.

---

13 A **fa**mous **law**yer had lost* a case (**2**) and was very **an**gry.
14 — If this is the law, he **shou**ted, **I'**ll burn* my books!
15 The judge **replied**: "It would be **bet**ter if you read* (**3**) them".

2 **ououd**iou. — 3 **mèss**ëdj. — 4 aïd bî dëlaïtëd. — 5 kën**dïsh**ënël ... plést ... in **freun**tov. — 7 aïd laïk. — 8 hîd ... ouîd. — 10 spôhk. — 11 **ououd**ënt ... ouônt ît. — 12 nîd ... **flou**ëntlï. — 13 kés ... **ann**grï. — 14 loh ... beun. — 15 djeudj ... rèdd.

2 Je regrette, il n'est pas là (dans). Aimeriez-vous voir quelqu'un d'autre?
3 Non, mais voudriez-vous prendre un message pour moi s'il vous plaît?
4 Volontiers (je serais enchanté).

---

5 *Would* est le conditionnel en anglais et se place (est placé) devant l'infinitif.
6 La contraction est facile : *would* devient ...'*d*.
7 Par exemple : j'aimerais une tasse de thé.
8 Il vous aiderait. Nous préfèrerions [de la] bière si vous en avez.
9 Les questions sont faciles également : Aimeriez-vous une tasse de thé? Voudriez-vous m'aider s'il vous plaît
10 Voici encore quelques phrases (plus) : il vous comprendrait si vous parliez plus lentement.
11 Il ne demanderait pas (pour) d'aide s'il ne le voulait pas.
12 Il n'aurait pas besoin d'un professeur s'il parlait couramment.

---

13 Un avocat connu avait perdu un procès (cas) et était très fâché.
14 Si ceci est la loi, cria-t-il, je brûlerai mes livres!
15 Le juge répondit : « Ça serait mieux si vous les lisiez ».

NOTES

(1) Notez la prononciation [ououd]. Comme *could,* le l disparaît.
(2) *A case :* un cas (ou une valise). *A legal case :* une affaire légale.
(3) Prononciation [rèdd]. La construction est presque la même qu'en français : conditionnel... si... imparfait. En anglais, on se sert du passé défini pour l'imparfait français.

EXERCISES

1 I would buy it, it is very cheap. — **2** He **does**n't let me use his car at week**ends**. — **3** I'm a**fraid**, he **is**n't back yet. — **4** What would you do if you had a lot of **mo**ney? — **5** How would you feel if **so**meone kicked you?

Fill in the missing words :

1 *Aimeriez-vous du café? — Je préfèrerais du thé si vous en avez.*

. . . . . you . . . . some coffee? — I . . . . .

. . . . . . tea if you have . . .

2 *Je n'aimerais pas être à votre place!*

I . . . . like . . . . in your place!

3 *Qui aimeriez-vous voir en premier?*

Who . . . . like . . . . . first?

Seventy-seventh (77th) Lesson

REVISIONS AND NOTES

Notes à relire : 71ᵉ leçon : (2), (4) - **72ᵉ :** (5) - **73ᵉ :** (3), (4) - **74ᵉ :** (1) - **75ᵉ :** (1), (4).

1 Leçon 72. — *He wiped his face.* Les parties du corps sont « personnalisées » en anglais. Souvenez-vous d'une chanson de G. Allwright où il chante : « sans parler de toutes les fois que j'ai coupé mon doigt sur une boîte de sardines »; traduction littérale de *I cut my finger.*

4 *Elle en acheterait si elle avait de l'argent.*

She . . . . . buy . . . . If she . . . .

money.

5 *Nous n'aimerions pas vous déranger.*

We . . . . like to disturb you.

EXERCICES

1 Je l'achèterais [bien], il est très bon marché. — **2** Il ne me laisse pas utiliser sa voiture le (aux) week-end. — **3** Je regrette, il n'est pas encore de retour. — **4** Que feriez-vous si vous aviez beaucoup d'argent? — **5** Comment [vous] sentiriez-vous si quelqu'un vous donnait un coup de pied?

Corrigé

1 Would - like - would prefer - any. — **2** wouldn't - to be. — **3** would you - to see. — **4** would - some - had some. — **5** wouldn't.

Second wave: 27th Lesson

Soixante-dix-septième leçon

Il a les mains propres : *his hands are clean.*
Elle a un livre à la main : *she has a book in her hand.*

2 Leçon 73. — Réponse à *A little mystery :* dans la ligne 8, le soldat dit : *I went back* (je suis revenu). Puisque, d'après lui, il n'avait jamais vu le restaurant, il ne pourrait pas y « revenir », il aurait dû dire : *I went to the restaurant.*

3 Quelques comparatifs irréguliers. — Nous avons vu *good, better, best* (bon, meilleur, le meilleur). Retenez :
bad, worse, (the) worst : mauvais, pire, le pire;
little, less (+ nom singulier), *the least :* peu, moins, le moins.

Moins de (+ nom pluriel) se traduit par *fewer. I have less time than I thought :* j'ai moins de temps que je ne pensais. *She has fewer friends than her sister :* elle a moins d'amis que sa sœur.

De moins en moins : *less and less;* de plus en plus : *more and more;* au moins : *at least.*

4 Locutions à bien retenir. — 1 *She washed her hands.* — 2 *He bought a paper before catching the train.* — 3 *He pretended to be rich.* — 4 *He ran down the stairs.* — 5 *Yes, that's right.* — 6 *Pleased to meet you.* — 7 *I can't remember.* — 8 *They saw one another.* — 9 *I'd like a beer, please.*

5 Traductions. — 1 Elle s'est lavé les mains. — 2 Il acheta un journal avant de prendre le train. — 3 Il fit

---

Seventy-eighth (78th) Lesson

Don't worry

1 We have seen* many expressions and words already,

2 and perhaps you are worried by some of the unusual (1) ones, like:

PRONUNCIATION :

1 ohlrèdï. — 2 euniouzhël.

semblant d'être riche. — 4 Il descendit les marches en courant. — 5 Oui, c'est juste. — 6 Heureux de vous connaître (rencontrer). — 7 Je ne me rappelle pas. — 8 Ils se sont vus. — 9 J'aimerais une bière s'il vous plaît.

Nous remplaçons désormais les **phrases à écrire** *par les* **locutions à bien retenir.** *Les traductions se trouvent en-dessous pour que vous puissiez mieux vous exercer.*

Second wave: 28th (revision) Lesson

Soixante-dix-huitième leçon

Ne vous inquiétez pas...

1 Nous avons vu beaucoup d'expressions et de mots déjà,
2 et peut-être êtes-vous inquiété par quelques-uns qui sont peu habituels comme :

NOTES

(1) *Usually :* d'habitude; *usual :* habituel, usuel; *unusual :* peu habituel, insolite, étrange.

3 "They began* to read*" or "Studying is easy".

4 But, if you read* a lesson every day, you will come* to know* these words and idioms

5 and will be able to use them naturally.

6 You already know* enough English to survive in England

7 and you know a little about the country.

8 All this with just one lesson a day.

9 But you must continue reading* and writing*

10 and do not worry about (2) making* mistakes: you make* mistakes in your own language, too!

11 You probably want to speak* fluently now, after only eleven weeks.

12 but you should (N. 1) remember the saying:

13 "You must learn to walk before you can run*".

4 ïdïeumz. — 5 natchrëlï. — 6 ëneuf ... sëvaïv. — 8 djeust. — 9 raïtïng. — 10 oueurï ... lanngouïdj. — 11 probëblï. — 12 shoud ... sé-ïng.

EXERCISES

1 You will soon come to know your husband. — 2 But you must continue trying. — 3 Learning is easy, but you must practise. — 4 I should go now, but I prefer to stay. — 5 You should try her cherry cake: it's excellent!

3 Ils « commencèrent à lire » ou « étudier est facile ».
4 Mais, si vous lisez une leçon chaque jour, vous connaîtrez (viendrez à connaître) ces mots et ces idiotismes.
5 et vous pourrez (serez capable) les utiliser naturellement.
6 Vous connaissez déjà assez d'anglais pour survivre en Angleterre
7 et vous en savez un peu sur (au sujet) le pays.
8 Tout ceci avec seulement (juste) une leçon par jour.
9 Mais vous devez continuer à lire et à écrire
10 et ne craignez (vous inquiétez) pas de (au sujet de) faire des fautes : vous faites des fautes dans votre propre langue aussi !
11 Vous voulez probablement parler couramment maintenant, après seulement onze semaines.
12 Mais vous devriez [vous] rappeler du dicton :
13 « On doit (vous devez) apprendre à marcher avant de pouvoir (vous pouvez) courir ».

NOTES (continued)

(**2**) *About,* est un mot très utile en anglais. Rappelons : *to talk about :* discuter de; *to think about :* réfléchir; *to worry about :* s'inquiéter de
Mr. Smith veut vous voir. — Oh, de quoi s'agit-il? : *Mr. Smith wants to see you. — Oh, what's it about?* (rappelons aussi que *about* peut avoir le sens de environ, à peu près).

EXERCICES

1 Vous connaîtrez votre mari bientôt. — **2** Mais vous devez continuer d'essayer. — **3** Apprendre est facile, mais vous devez pratiquer. — **4** Je devrais partir maintenant, mais je préfère rester. — **5** Vous devriez essayer son gâteau [aux] cerises : il est excellent !

Fill in the missing words :

1 *Je suis inquiet, il devrait être rentré maintenant.*

I am . . . ., he . . . . . . be . . . . now.

2 *Elle ne devrait pas conduire si vite, elle me fait peur.*

She . . . . drive so . . . . , she . . . .

3 *La cuisine est facile, n'importe qui peut la faire.*

. . . . is easy, ... do it.

Seventy-ninth (79th) Lesson

1 — Have you seen* that new film?
2 — You mean* 'Disaster'? Yes, I saw* it last week.
3 — Have you read* : "Animal Farm" (1) — Yes, I read* it when I was at school.
4 — Have you heard* the joke about...? — Yes, I heard* it ten years ago.

---

5 When we are talking about a definite event in the past, we use the simple past tense;

PRONUNCIATION :

1 sîn. — 2 dïzahstë ... soh. — 3 rèd ... fahm. — 4 heud ... djôk ébaout ... yî-ëz ëgôh. — 5 dèfënët evènnt ... sïmmpël ... tènns. —

4 *Vous [en] avez déjà assez dans votre assiette.*

You've . . . . in your plate . . . .

5 *Celui-ci devrait être facile, je l'ai déjà vu.*

This one . . . . easy, I . . . . it already.

Corrigé

1 worried - should - home (back). — **2** should not - fast (quickly) - scares me. — **3** Cooking - anyone (anybody) can. — **4** got enough - already. — **5** shoud be - have seen.

Second wave: 29th Lesson

Soixante-dix-neuvième leçon

1 Avez-vous vu ce nouveau film?
2 Vous voulez dire *Désastre?* Oui, je l'ai vu la semaine dernière.
3 Avez-vous lu *la Ferme des animaux?* Oui, je l'ai lu quand j'étais à l'école.
4 Avez-vous entendu la plaisanterie sur... — Oui, je l'ai entendue il y a 10 ans.

---

5 Lorsque nous parlons d'un événement défini dans le passé, nous utilisons le passé simple;

NOTES

(1) *Animal Farm,* roman satirique sur le communisme, de George Orwell (auteur de *1984*).

6 but when we are re**fer**ring to the past in **gen**eral (**N. 2**) we use "have" (or "has") with the past par**ti**ciple.
7 You use this with words such as "**ev**er" "be**fore**" "al**read**y" and "just".
8 For e**xam**ple : I have read* this book al**rea**dy,
9 or : he has **nev**er seen* the snow.
10 We say : She has al**rea**dy **wri**tten* five **no**vels,
11 but we must say : She wrote* a **no**vel last **year**,
12 or : she read* the book last night (**2**).

---

13 — Am I the first man you have **e**ver loved? he said*.
14 — Of course, she re**plied**, why do men **al**ways ask the same **ques**tion?

6 rë**feu**rïng ... ïn **djèn**nërël ... iouz ... pah**tï**sïpël. — **7** bï**foh** ... djeust. — **8** èg**zam**pël. — **9** snôh. — **10** **rï**tën. — **11** rôht. — **13** leuvd. — **14** **kouès**tchën.

« All men are equal, but some are more equal then others », George Orwell, *Animal Farm* (tous les hommes sont égaux, mais certains sont plus égaux que d'autres).

EXERCISES

1 Have you heard the new **re**cord by the "Flops"? — **2** In **gen**eral, men are **stron**ger than **wo**men, but **wo**men are more in**tel**ligent. — **3** I **should**n't eat this be**cause** I am al**read**y too fat. — **4** She has **nev**er **dri**ven a car be**fore**. — **5** Let me show you my new flat.

6 mais lorsque nous faisons référence au (nous référons à) passé en général, nous utilisons *have* (ou *has*) avec le participe passé.
7 Vous utilisez ceci avec des mots comme « jamais », « avant », « déjà », et « juste ».
8 Par exemple : j'ai déjà lu ce livre,
9 ou il n'a jamais vu la neige.
10 Nous disons : elle a déjà écrit cinq romans,
11 mais nous devons dire : elle a écrit un roman l'année dernière,
12 ou elle a lu le livre hier soir (dernière nuit).

---

13 Suis-je le premier homme que tu as jamais aimé ? dit-il.
14 Bien sûr, dit-elle, pourquoi est-ce que les hommes posent (demandent) toujours la même question ?

NOTES (continued)

(**2**) *Last night :* hier soir; *tomorrow morning :* demain matin. Le mot *evening* signifie la période entre 18 h et 20 h, alors que « soir » se traduit d'habitude par *night.* Ce soir : *tonight.*

EXERCICES

1 Avez-vous entendu le nouveau disque des (par les) Flops? — **2** En général, [les] hommes sont plus forts que [les] femmes, mais [les] femmes sont plus intelligentes. — **3** Je ne devrais pas manger ceci, parce que je suis déjà trop gros. — **4** Elle n'a jamais conduit une voiture avant. — **5** Laissez-moi vous montrer mon nouvel appartement.

Fill in the missing words :

1 *Êtes-vous jamais allé aux sports d'hiver?*

. . . . you . . . . been to . . . .?

2 *Oui, ma femme et moi y sommes allés pour la première fois l'an dernier.*

Yes, . . wife and . . . . . for the first time . . . .

3 *As-tu vu George? — Oui, je l'ai vu vendredi.*

. . . . you . . . . George? — Yes, I . . . him . . . .

Eightieth (80th) Lesson

1 John saw* his **neigh**bour **smo**king a pipe.

2 He took* his own pipe out of his **poc**ket and said* :

3 — Have you got* a match? — Yes, here you are.

4 — Oh **dear**, said John, I've left* my to**bac**co at home.

5 — In that case, said* his **neigh**bour, give* me back my match.

PRONUNCIATION :

1 **né**be ... païp. — 2 ôhn ... sed. — 4 dîeu ... të**bak**ôh.

4 *Je viens d'acheter un nouveau pantalon.*

I . . . . just . . . . . . a new . . . . . .

. . . .

5 *Je n'ai jamais fumé une feuille de laitue. C'est bon?*

I . . . . smoked a lettuce leaf. . . . .

good?

Corrigé

1 Have - ever - winter sports? — **2** my - I went - last year. — **3** Have - seen - saw - on Friday. — **4** have - bought - pair of trousers. — **5** have never - Is it.

Second wave: 30th Lesson

Quatre-vingtième leçon

1 John vit son voisin fumant une pipe.
2 Il sortit sa propre pipe de sa poche et dit :
3 Avez-vous une allumette? — Oui, voici.
4 Mon Dieu, dit John, j'ai laissé mon tabac chez moi.
5 Dans ce cas, dit son voisin, rendez-moi mon allumette.

6 An **ac**tor saw* him**self** on film (**1**) for the first time.
7 Yes, said* the **cri**tic, now you see* what we have to **su**ffer.

---

8 — Ex**cuse** me sir, I want to **ma**rry your **daugh**ter.
9 — Have you seen* my wife, young man?
10 — Yes sir, and I still (**2**) want to **ma**rry your **daugh**ter.

---

11 A Rolls Royce stopped in front of **Harr**-ods (**3**) and a **la**dy in a fur coat (**4**) and **di**amond **neck**lace got* out.
12 A tramp ran* up to her and said: "Please, **la**dy (**5**), I **hav**en't **eat**en* for a week.
13 — Well you will have you will have to force your**self**, was the re**ply**.

6 **ak**të. — **7** **seu**fë. — **8** **doh**të. — **9** ieung. — **10** rôhlz roïs ... feu kôht ... **daï**meund **nè**klës. — **12** trammp ... **hav**ënt îtën. — **13** fohs ... rï**plaï**.

EXERCISES

1 I must take back **Pe**ter's book soon. — **2** She put the jar back on the shelf. — **3** Give him back his pipe be**fore** he gets **an**gry. — **4** You will have to run, the po**lice** have seen us. — **5** The man in the grey suit and **glass**es is a **law**yer.

Fill in the missing words :

1 *Il n'a pas mangé depuis une semaine ou plus.*

He . . . . for . . . . . . or . . . .

6 Un acteur se vit dans un (sur) film pour la première fois.
7 Oui, dit le critique, maintenant vous voyez ce que nous devons (avons à) souffrir.

---

8 Excusez moi, Monsieur, je veux épouser votre fille.
9 Avez-vous vu ma femme, jeune homme?
10 Oui Monsieur, et je veux toujours épouser votre fille.

---

11 Une Rolls-Royce s'arrêta devant Harrods et une dame en (un) manteau de fourrure et collier de diamants en sortit.
12 Un vagabond se précipita vers elle et dit : « S'il vous plaît, Madame, je n'ai pas mangé depuis (pour) une semaine ».
13 Alors vous devrez vous forcer, fut la réponse.

NOTES

(1) *On film :* dans un film; *on television :* à la télévision; mais, *on* **the** *radio* (à la radio). Rappelons que l'on dit : *to watch the television.*

(2) *Still* (encore) a le sens de toujours quand ceci veut dire quelque chose qui n'a pas changé. *That shop is still here :* ce magasin est toujours ici. Mais on le traduit par *always* quand il veut dire « à chaque fois ». *He always asks for money :* il demande toujours de l'argent.

(3) *Harrods,* magasin prestigieux dans le quartier de Knightsbridge à Londres.

(4) *The man in a grey suit :* l'homme en costume gris; *a lady in a fur coat :* une dame en manteau de fourrure.

(5) Tournure populaire. On devrait dire : *excuse me, Madam.*

EXERCICES

1 Je dois ramener [le] livre de Pierre bientôt. — **2** Elle remit le bocal sur l'étagère. — **3** Rendez-lui sa pipe avant [qu']il [ne se] fâche. — **4** Vous devrez courir, les policiers nous ont vus. — **5** L'homme en costume gris et lunettes est (un) avocat.

2 *Je ne lui ai pas parlé depuis au moins deux mois.*

I . . . . spoken . . him . . . . two months.

3 *Ils ne se sont pas vus depuis des années.*

They haven't . . . . for . . . . .

4 *Il sortit de la voiture, monta les marches et entra dans le bâtiment.*

He . . . . the car, ... the steps and . . . . the building.

Eighty-first (81st) Lesson

A little about England

1 Have you seen* a map of **England** be**fore**?
2 You must have (**N. 3**) **no**ticed (**1**) the **num**ber of large towns and **ci**ties.
3 **Eng**land is less **cen**tralised than France. **Ci**ties like **Man**chester and **Bris**tol
4 have an im**por**tant (**2**) **cul**tural life of their own (**N. 4**).
5 A city is **lar**ger than a town and, **u**sually, has a ca**the**dral.

PRONUNCIATION :

1 bïf**oh**. — 2 taounz ... s**ï**tiz. — 3 **sen**ntrëlaïzd ... **mann**tchestë ... br**ï**stël. — 4 **keul**tchërël ... ôhn. — 5 **lah**djë ... këfî-drël. —

5 *Vous devriez partir, il est très tard et il fait nuit.*

You . . . ., it is . . . . and it is . . . . dark.

Corrigé

1 has not eaten - a week - more. — 2 haven't - to - for at least. — 3 seen one another - years. — 4 got out of - went up - went into. — 5 should leave - very late - getting.

Second wave: 31st Lesson

Quatre-vingt-unième leçon

Un peu sur l'Angleterre

1 Avez-vous déjà vu une carte d'Angleterre?
2 Vous avez dû remarquer le nombre de villes et de cités importantes.
3 L'Angleterre est moins centralisée que la France. Des villes comme Manchester et Bristol
4 ont une vie culturelle importante qui leur est propre (de leur propre).
5 Une cité est plus importante qu'une ville et, habituellement, elle a une cathédrale.

NOTES

(1) *A notice :* une notice, un écriteau; mais *to notice :* remarquer; *to note :* noter.

(2) Nous vous le rappelons, *important,* en anglais, signifie la valeur et non la taille de quelque chose, comme c'est parfois le cas en français.

6 **Bir**mingham, **Not**tingham, **Lei**cester and Southa**mp**ton (**3**) are all **ci**ties;

7 and **Guil**dford, W**ar**wick and **Glou**cester are towns.

8 There is a large and im**por**tant **dif**ference be**tween** the North and the South of the **coun**try :

9 a **dif**ference in the **pe**ople and a **dif**ference in the **ac**cent.

10 You are **lear**ning to speak* with a **sou**thern **ac**cent.

11 **En**gland is di**vi**ded into "**coun**ties" of which there are a**bout for**ty.

12 **Corn**wall, the **sou**thern tip (**4**) of **En**gland, is **ve**ry wild and **beau**tiful.

13 In the north, **York**shire is the **lar**gest **coun**ty.

14 Kent is called "The **Gar**den of **En**gland".

6 **beu**-mingën ... **lè**stë ... saou**fam**tën. — **7** **fil**fëd, ou**o**rïk ... **gloh**stë. — **8** bë**touîn** ... nohf ... saouf. — **9** **ak**sènt. — **10** **leu**ning. — **11** dë**vaî**dëd ... **kaoun**tîz ov ouïtch. — **12** **kohn**ouol ... **seu**vën ... ouaïld. — **13** **yohk**shë.

EXERCISES

1 What is the **dif**ference be**tween** the North and the South? — **2** You **should**n't read in bed, it's bad for your eyes. — **3** Mr **Mar**sden is a **ve**ry im**por**tant man. — **4** He works for a large **news**paper. — **5** He has a **bi**cycle of his own.

Fill in the missing words :

1 *Il viendrait si tu lui demandais.*

He . . . . if you . . . .

6 Birmingham, Nottingham, Leicester et Southampton sont toutes des « cités »;
7 et Guilford, Warwick et Gloucester sont des « villes ».
8 Il y a une différence importante et profonde entre le nord et le sud du pays :
9 une différence dans les gens et une différence dans l'accent.
10 Vous apprenez (*prog.*) à parler avec un accent du sud.
11 [L']Angleterre est divisée en « comtés » au nombre d'environ quarante.
12 [La] Cornouailles, l'extrémité sud de l'Angleterre, est très sauvage et très belle.
13 Dans le nord, le Yorkshire est le plus grand comté.
14 Le Kent est appelé : « le Jardin d'Angleterre ».

NOTES (continued)

(**3**) Remarquez la prononciation (quelque peu particulière) de ces villes.

(**4**) *The tip :* le bout, l'extrémité (d'habitude, de quelque chose de pointu). *A tip :* aussi le pourboire, dont on en fait un verbe *to tip :* donner un pourboire.

HAVE YOU SEEN A MAP OF ENGLAND BEFORE?
ENGLAND
81

EXERCIÇES

1 Quelle est la différence entre le nord et le sud? — **2** Vous ne devriez pas lire au (dans) lit, c'est mauvais pour les (vos) yeux. — **3** M. Marsden est un homme très important. — **4** Il travaille pour un important journal. — **5** Il a une bicyclette à lui (de son propre).

2 *Elle ne devrait pas emprunter de l'argent à son frère.*

She . . . .   money . . . .
brother.

3 *Il a quatre vélos, dont trois ne marchent pas!*

He has four bikes, ...   three . . . . .
. . . . !

4 *Ils sont allés deux fois en Écosse et une fois en Irlande.*

They . . . .   to Scotland . . . . .   and . .
Ireland . . . .

Eighty-second (82nd) Lesson

1 Read* this **les**son as **u**sual and when you have **(1) fi**nished it, **an**swer the **ques**tions.
2 What is the **di**fference be**tween** a **ci**ty and a town?
3 Where would you find* a ca**the**dral?
4 Is **En**gland as **cen**tralised as France?
5 Are there any **di**fferences be**tween** the North and South of **En**gland?
6 Which **(2) ac**cent are you **lear**ning?
7 Which **coun**ty is called the "**Gar**den of **En**gland"?
8 In which part of the **coun**try is **Corn**wall?
9 Have you ever been **(3)** to **En**gland?

PRONUNCIATION:

1 rîd ... **ahn**së. — **2** **dï**frèns bï**touîn.** — **3** këfî-drël. — **4** **sènn**trëlaïzd. — **6** **à**ksènt. — **7** **kaoun**tï. — **8** **keun**trï. — **9** bîn.

5 *Ils ont dû partir, je ne vois pas de lumière dans l'appartement.*

They . . . . left, I . . . . . . see . light . . . .

Corrigé

1 would come - asked him. — 2 shouldn't borrow - from her. — 3 of which - don't work. — 4 have been - twice - to - once. — 5 must have - can't - a (any) - in the flat.

Second wave: 32nd Lesson

Quatre-vingt-deuxième leçon

1 Lisez cette leçon comme d'habitude et, quand vous l'aurez (avez) finie, répondez aux questions.
2 Quelle est la différence entre une cité et une ville?
3 Où trouveriez-vous une cathédrale?
4 Est-ce que l'Angleterre est aussi centralisée que la France?
5 Y a-t-il des différences entre le nord et le sud de l'Angleterre?
6 Quel (lequel) accent apprenez-vous? (*prog.*)
7 Quel (lequel) comté est nommé « le Jardin d'Angleterre »?
8 Dans quelle (laquelle) partie du pays se trouve la Cornouailles?
9 Êtes-vous jamais allé en Angleterre?

NOTES

(1) Jamais de futur après *when* sauf pour les questions.

(2) *Which* (lequel) se dit quand il y a un choix.

(3) Particularité du verbe *to go: he went,* il alla (passé défini); mais, comme *to go* a aussi le sens de partir, *he*

10 — I want you all to write* an **ess**ay, said the **tea**cher, Miss Smith, to her class,

11 **about** what you would do if you won* a **for**tune.

12 **Ev**erybody **star**ted **wri**ting*, ex**cept** **Wi**lly who looked out of the **win**dow.

13 At the end of the **less**on, the **tea**cher col**lec**ted the **ess**ays and saw that **Wi**lly had written* **no**thing.

14 — But you've done **no**thing, **Wi**lly! — That's what I'd do if I won* a **for**tune... **no**thing.

10 **è**hsai ... t**î**tchë. — **11** ouen. — **12** **ouî**lî. — **13** këlèktëd ... soh. — **14** iouv deun ... aïd ... ouen

---

EXERCISES

1 Which is more im**press**ive, **Lon**don or **Bris**tol? — **2** What would you do if you won a **for**tune? — **3** I'd spend it **quick**ly be**fore** my wife dis**co**vered. — **4** Have you **e**ver been to **Tur**key? — **5** No, but I'd like to go.

Fill in the missing words :

1 *Je veux que vous me disiez la vérité.*

I want . . . . me the truth.

2 *Ses parents veulent qu'elle se marie avec un millionnaire.*

. . . parents want . . . . . marry a millionaire.

3 *Nous voulons qu'ils s'amusent pendant leur séjour.*

. . want . . . . to . . . . . themselves . . . . stay.

10 Je veux que vous écriviez (vous écrire) tous une dissertation, dit le professeur, Mlle Smith à sa classe,
11 sur ce que vous feriez si vous gagniez une fortune.
12 Tout le monde commença à écrire, sauf Willy qui regarda par (hors de) la fenêtre.
13 A la fin de la classe (leçon), le professeur ramassa les dissertations et vit que Willy n'avait rien écrit.
14 Mais tu n'as rien fait Willy! — C'est ce que je ferais si je gagnais une fortune... rien!

NOTES (continued)

has gone : il est parti. Nous disons donc, *he has been* pour indiquer que quelqu'un connaît l'endroit (dans le français populaire nous trouvons un parallèle lorsqu'on dit j'ai été en Angleterre).

EXERCICES

1 Laquelle est [la] plus impressionnante, Londres ou Bristol? — **2** Que feriez-vous si vous gagniez une fortune? — **3** Je la dépenserais avant [que] ma femme [ne] le découvre (découvrait). — **4** Êtes-vous jamais allé (été) en Turquie? — **5** Non, mais j'aimerais [y] aller.

4 *Elle veut que je lui prête ma voiture, qu'en penses-tu?*

She . . . . to lend . . . my car, ... do you think?

5 *Je veux qu'il comprenne, alors je parlerai lentement.*

. want . . . . . understand, . . I . . . . speak . . . . . .

Eighty-third (83rd) Lesson

Shopping

1 I **hav**en't done the **sho**pping yet.
2 I'd **bet**ter go* now or **it**'ll be too late.
3 Let's see*, we need some meat. **I**'ll get* some chops for to**night**, and a joint (**1**) of beef.
4 I can put* that in the **free**zer.
5 Then **veg**etables: **I**'ll buy* some **cab**bage, some peas and some rice. We've al**ready** got* **beet**root and **let**tuce.
6 **I**'ll buy some **flo**ur and make* a **Yor**kshire **pu**dding (**N. 5**) to eat* with the roast beef on **Sun**day.
7 What else do we need? Some **toi**let **pa**per and some bleach... and some sweets for the kids (**2**).
8 I think* that's all. I can get* **ev**erything at the **su**permarket.

PRONUNCIATION:

1 **hav**ënt deun. — 2 **ït** ël bî. — 3 nîd ... mît ... tchops ... djoïnt ... bîf. — 4 **frî**zë. — 5 **vèdj**tëbëlz. — 6 **flaou**ë ... **pou**ding ... rôhst bîf. — 7 **toï**lët ... blîtch ... souîts ... kïdz. — 8 **sou**pëmahkït.

Corrigé

1 you to tell. — **2** Her - her to. — **3** them - enjoy - during their. — **4** wants me - her - what. — **5** I - him to - so - will - slowly.

Second wave: 33rd Lesson

Quatre-vingt-troisième leçon

Les courses

1 Je n'ai pas encore fait les courses.

2 Je ferais mieux d'y aller maintenant ou il sera trop tard.

3 Voyons, nous avons besoin de viande. Je prendrai des côtes pour ce soir, et un gros morceau de bœuf.

4 Je peux mettre ça au (dans le) congélateur.

5 Puis les légumes : j'achèterai du chou, des petits pois et du riz. Nous avons déjà des betteraves et de la laitue.

6 J'achèterai de la farine et je ferai un « Yorkshire-pudding » pour manger avec le rosbif (sur) dimanche.

7 De quoi d'autre avons-nous besoin? De papier hygiénique et de l'eau de Javel... et des bonbons pour les gosses.

8 Je pense [que] c'est tout. Je peux prendre tout (quelque chose) au supermarché.

NOTES

(1) *A joint :* une articulation (du verbe *to join :* joindre; s'inscrire : *to join a club*). *A joint of meat :* un morceau de viande découpé à l'articulation.

(2 *Kid :* littéralement un chevreau, mais, en parler familier, signifie un gosse, un gamin.

9 — John, may I take* the car? — Yes. Do you want a hand?
10 — If you're not doing **any**thing, that would be **lov**ely.
11 — Let me watch the end of this **pro**gramme.
12 — **Alright, I**'ll take* the car out of the **ga**rage and fetch (**3**) the **sho**pping-bags.
13 — I won't be a **min**ute, but I've been **wai**ting (**4**) to see this **pro**gramme for a week.

10 **è**nïfing ... **leu**vlï. — **11** ouotch ... **prôh**gramm. — **12** ohl**raît**. — **13** ouôhnt ... aïv bîn **oué**ting.

EXERCISES

1 Do you need **any**thing else? — **2** He has been **tal**king for two hours. — **3** Take the **sho**pping out of the bag and put it on the table. — **4** You'd **bet**ter tell him now or **he**'ll get **a**ngry. — **5** Do you want me to buy you **any**thing at the **su**permarket?

Fill in the missing words :

1 *Je l'attends depuis une heure et je commence à avoir froid.*

I . . . . waiting . . . him . . . an hour

and I . . . . to . . . . . .

2 *Tu ne devais pas acheter du riz, nous n'en avons pas besoin.*

You . . . . any . . . ., we . . . . .

. . . .

9 John, puis-je prendre la voiture? — Oui. Veux-tu un coup de main?
10 Si tu ne fais (*prog.*) rien, ça sera parfait (adorable).
11 Laisse-moi regarder la fin de cette émission.
12 D'accord, je vais sortir la voiture (hors) du garage et chercher les sacs à provision.
13 J'en ai pour une minute (je ne serai pas une minute), mais j'attends de voir (j'ai été attendant) cette émission depuis une semaine.

NOTES (continued)

(**3**) *To fetch :* aller chercher. *I'll fetch you a glass of milk :* je vais vous chercher un verre de lait.

(**4**) Le « faux présent » en français (c'est-à-dire, présent + depuis) se traduit par cette forme continue *have* + *been* +participe présent. Nous y reviendrons plus tard.

EXERCICES

1 Avez-vous besoin de quelque chose d'autre? — **2** Il parle (a été parlant) depuis deux heures. — **3** Sortez les achats du sac et mettez-les (le) sur la table. — **4** Vous feriez (aviez) mieux [de le] lui dire maintenant ou il se fâchera. — **5** Voulez-vous que je vous achète quelque chose au supermarché?

3 *N'étiez-vous pas là quand il nous a raconté son voyage?*

. . . . you . . . . . when he . . . . us . . . . .

his journey?

4 *Je ne lui ai pas encore écrit. Tu veux que je lui dise bonjour?*

I . . . . to him . . . Do you

. . . . say Hello?

Eighty-fourth (84th) Lesson

REVISION AND NOTES

Notes à relire. — 78e leçon : (2) - **79e :** (2) - **80e :** (2), (4) - **82e :** (3).

1 **Should :** — Comme il existe les formes *shall* and *will* au futur, *should* était la première personne du singulier et du pluriel du conditionnel. Nous disons « était » car, bien que dans l'anglais « grammatical » cette forme se trouve encore, dans l'anglais moderne la distinction s'est perdue à cause des contractions. *Should* a maintenant le sens du conditionnel de « devoir ». *You should tell him :* vous devriez lui dire (bien entendu, il n'y a pas de contraction).

Nous l'utilisons dans ce livre avec ce sens conditionnel et nous nous en excusons auprès des puristes.

2 Ce temps (*have* + participe passé) s'appelle le *present perfect* pour lequel il n'y a pas d'équivalent

5 *De quoi d'autre avons-nous besoin? — De la farine et des œufs.*

. . . . else . . . . ? — . . . . . and eggs.

Corrigé

1 have been - for - for - am beginning - be cold. — 2 shouldn't buy rice - don't need any. — 3 Weren't - there - told - about. — 4 haven't written - yet - want me to. — 5 What - do we need? — Flour.

Second wave: 34th Lesson

Quatre-vingt-quatrième leçon

en français. Maintenant que nous avons pris l'habitude de traduire le passé composé en français par le passé défini en anglais, nous pouvons examiner ce temps qui a tendance à gêner les étrangers. En règle générale, nous ne pouvons l'employer s'il y a dans la phrase une précision de temps. Comparons *I have seen him :* je l'ai vu (quelque temps, dans le passé), mais : *I saw him last night.* Maintenant, il y a une précision : hier soir, donc nous utilisons le passé défini.

Quand il y a, dans la phrase, une indication présente, nous employons le *present perfect.* J'ai reçu une lettre, la voici : *I have received a letter, here it is.* J'ai travaillé dur et je suis fatigué : *I have worked hard and I'm tired.*

Ces règles ne sont que des supports : c'est en lisant et en parlant que cette forme un peu déroutante s'éclaircira.

3 **Must have.** — « J'ai dû », a deux sens en français. Le premier : « j'ai été obligé de... »; ceci se traduit

par : *I had to.* Elle a dû partir parce qu'il était tard : *she had to leave because it was late.*

Le deuxième sens est celui de « sans doute que... ». Il a dû partir parce que je ne vois pas sa voiture : *he must have left because I can't see his car.*

Ne confondez pas le passé simple avec le dubitatif.

4 Of their own. — *A room of my own* (ma propre chambre) est une forme courante de *my own room.* Notre propre maison : *our own house* ou *a house of our own* (à nous tout seuls).

5 Yorkshire pudding. — On ne peut pas le traduire, mais on peut vous y faire goûter ! Voici la recette d'un mets typiquement anglais :

4 .oz (115 g) *of flour,* *salt,*
1/2 pt (0,28 l) *of milk,* *1 egg.*

Mix the salt and flour in a bowl. Break the egg into the middle. Add half the milk and mix to form a smooth paste. Beat with a spoon. Add the rest of the milk and leave in a cool place for an hour. Grease a dish a pour in the mixture. Cook in a hot oven (450° F) until the pudding has risen. Serve with roast beef.

[*to mix :* mélanger; *a mixture :* un mélange; *smooth :* lisse (ici, sans grumeaux); *paste :* une pâte; *cool :* frais; *to pour :* verser; *to rise, rose, risen :* s'élever (ici, lever)].

Eighty-fifth (85th) Lesson

Two Sundays

1 **Da**vid and Joan de**ci**ded to go* for a **pic**nic in **Rich**mond.

6 Locutions à bien retenir. — 1 *Don't worry about me.* — 2 *Have you read this novel?* — 3 *Give me back my money.* — 4 *A man in a grey suit.* — 5 *Have you been to France?* — 6 *Which one do you prefer?* — 7 *What else do we need?* — 8 *Do you want a hand?*

7 Traduction. — 1 Ne vous inquiétez pas pour moi. — 2 Avez-vous lu ce roman? — 3 Rendez-moi mon argent. — 4 Un homme en costume gris. — 5 Êtes-vous allé en France? — 6 Lequel préférez-vous? — 7 De quoi d'autre avons-nous besoin? — 8 Voulez-vous un coup de main?

Second wave: 35th (revision) Lesson

Quatre-vingt-cinquième leçon

Deux dimanches

1 David et Joan décidèrent d'aller pique-niquer (pour un pique-nique) à Richmond.

PRONUNCIATION : 1 ritchmënd.

2 On **Sun**days, **Da**vid has a **lie**-in (**1**) and Joan brings* him **break**fast in bed.

3 This **Sun**day, **Da**vid got* up at e**lev**en o'clock and, **a**fter **sha**ving and **wa**shing, went down**stairs.**

4 Joan was pre**par**ing the **pic**nic **bas**ket.

5 She put* in cold meat, hard boiled eggs, some cold **sau**sages and a **let**tuce.

6 She **a**dded a loaf of bread, some **bu**tter and the knives and forks.

7 **Mean**while (**2**) **Da**vid got* the car out of the **ga**rage.

8 They put* the **bas**ket in the boot and set* off for **Bu**shey Park.

9 On the way, **Da**vid stopped to buy some wine.

10 **Bu**shey Park is a huge park on the **out**skirts of **Lon**don.

11 When they ar**ri**ved, they found* a **qui**et place and sat* down on a rug (**3**) to eat their lunch.

12 — Pass me some **chic**ken, please... and some salt, as **well.**

13 — Oh **de**ar, said* Joan, I think* I've for**got**ten* the salt.

2 **laï**-ïn. — **3** **shé**ving ... ou**o**shing. — **4** prë**pai**ring ... **bahs**kët. — **5** hahd-boïld egz ... **sohs**ïdjëz ... **lèt**tïs. — **6** lohf ov brèd ... naïvz ... fohks. — **7** **mîn**ouaïl. — **8** boutt ... **bou**shï pahk. — **9** stopt ... ouaïn. — **10** hioudj ... **aout**skeuts. — **11** kou**aï**-ët plés ... reug. — **12** sohlt azou**èl**.

2 Le dimanche, David fait la grasse matinée et Joan lui apporte le petit déjeuner au (dans) lit.
3 Ce dimanche, David se leva à 11 heures et, après s'être rasé et lavé, il descendit.
4 Joan préparait (*prog.*) le panier à pique-nique.
5 Elle y mit (dedans) de la viande froide, des œufs durs (bouillis), des saucisses froides et une laitue.
6 Elle ajouta une miche de pain, du beurre et les couteaux et [les] fourchettes.
7 Cependant, David sortit la voiture du garage.
8 Ils mirent le panier dans le coffre et s'en allèrent vers (pour) Bushey Park.
9 En (sur le) chemin, David s'arrêta pour acheter du vin.
10 Bushey Park est un parc immence aux environs de Londres.
11 Quand ils arrivèrent, ils trouvèrent un endroit calme et s'assirent sur une couverture pour (manger leur) déjeuner.
12 Passe-moi du poulet s'il te plaît... et du sel aussi.
13 Mon Dieu, dit Joan, je crois que j'ai oublié le sel.

NOTES

(1) *To lie* (*lay, lain*) : s'étendre. *She lay down on the bed :* elle s'étendit sur le lit. *A lie-in :* la grasse matinée (sous-entendu : *in bed*).

(2) *A while :* une période de temps. *He stayed in London for a while :* il est resté quelque temps à Londres. *Meanwhile :* cependant.

(3) *A rug :* une couverture de voyage. Une couverture de lit se dit : *blanket.*

14 — **Id**iot! said* **Da**vid, but **see**ing* she was up**set** (4), he said :

15 — **Ne**ver mind. Let's have a glass of wine.

16 He took* the **bo**ttle out of the **bas**ket, then said * : "Oh **dea**r, I've for**go**tten the **cork**screw!"

14 ïdieut ... eup**sèt**. — 16 **kohk**skrou

EXERCISES

1 She got over her **ill**ness very **quic**kly. — 2 Will you get the car out of the **ga**rage, please? — 3 On **Sa**turdays, he has a lie in, and gets up at el**e**ven. — 4 She got on the bus with**out** any **mo**ney. — 5 **Win**ter must be **co**ming. It's **get**ting dark very **ear**ly.

Fill in the missing words :

1 *Sur le chemin de retour, il s'est arrêté pour acheter du vin.*

. . . . home, he stopped . . . . . some . . . .

2 *Après s'être lavé et habillé, il est parti sans manger.*

After . . . . and . . . . he left . . . .

3 *Mets les choses dans le coffre, pendant ce temps je chercherai le tire-bouchon.*

. . . the . . . . the boot, ... I . . . . the . . . .

14 Idiote! dit David, mais voyant [qu']elle était ennuyée il dit
15 Ça ne fait rien. Prenons un verre de vin.
16 Il sortit la bouteille (hors) du panier, puis il dit : Mon Dieu! j'ai oublié le tire-bouchon!

NOTES (continued)

(4) Littéralement « renversé ». *The child upset the milk :* l'enfant renversa le lait. Se dit des émotions, bouleversé, ennuyé (à rapprocher de notre « j'en suis tout retourné »).

---

4 *Il se réveilla, vit qu'il était deux heures, se leva et descendit.*

He . . . . . ., . . . it . . . two o'clock and . . . . downstairs.

5 *Elle était bouleversée par la mort de son fils.*

She . . . very . . . . . by the . . . . . of . . . son.

EXERCICES

1 Elle s'est vite remise [de] sa maladie. — **2** Voulez-vous sortir la voiture du garage, s.v.p. ? — **3** Le samedi, il fait la grasse matinée, et [il se] lève à onze [heures]. — **4** Elle monta dans l'autobus sans argent (quelque argent). — **5** L'hiver doit s'approcher (être venant). Il fait sombre très tôt.

Corrigé

1 On the way - to buy - wine. — **2** washing - dressing - without eating. — **3** Put - things in - meanwhile - will look for - corkscrew. — **4** woke up, saw - was - went. — **5** was - upset - death - her.

It never rains but it pours (il ne pleut sans qu'il pleuve à verse) : les ennuis ne viennent jamais seuls.

Second wave: 36th Lesson

Eighty-sixth (86th) Lesson

1 **Da**vid's **pa**rents spent (**1**) a tra**di**tional **En**glish **Sun**day :
2 They got* up early and went* to church.
3 When they came* back, Mrs **Wil**son put* the joint in the **o**ven
4 while (**2**) Mr **Wil**son took* the **Sun**day **pa**per and sat down to read*.
5 Just be**fore** lunch, he poured two **gla**sses of **she**rry and they both drank*.
6 Mrs **Wil**son **ser**ved the food and they sat* down to eat.
7 **A**fter lunch, which con**sis**ted of roast beef, po**ta**toes and **Bru**ssel sprouts and fruit,
8 they both did the washing-**up**.
9 When **e**very thing was put* **away** (**3**), Mrs **Wil**son went* into the **gar**den
10 and Mr **Wil**son sat* in front of the tele**vi**sion.
11 He was in**ten**ding to watch a play, but he was full (**4**), and **e**verything was so **peace**ful that he dozed.

PRONUNCIATION :

1 trë**dïsh**-ënël. — **2** **eu**lî ... tcheutch. — **3** **eu**vën. — **4** ouaïl. — **5** pohd ... bôhf. — **7** kën**sïs**tëdov ... pë**té**tôhz ... **breu**sël spraouts ... frout. — **8** ouoshïng **eup**. — **9** pout ë**oué**. — **11** plé ... foul ... **pîs**fël ... dôhzd.

NOTES

(1) N'oubliez pas, nous « dépensons » le temps en anglais. Passer les vacances : *to spend the holidays.*

Quatre-vingt-sixième leçon

1 Les parents de David passèrent un dimanche anglais traditionnel :
2 Ils se levèrent tôt et allèrent à l'église.
3 Quand ils revinrent, Mme Wilson mit le rôti dans le four
4 pendant que M. Wilson prenait le journal du dimanche et s'asseyait pour le lire.
5 Juste avant le déjeuner, il versa deux verres de Xérès et ils burent tous les deux.
6 Mme Wilson servit la nourriture et ils s'assirent pour manger.
7 Après le déjeuner, qui a consisté en rosbif, pommes de terre (et) choux de Bruxelles et fruits,
8 ils firent tous les deux la vaisselle.
9 Quand tout fut rangé, Mme Wilson sortit dans le jardin
10 et M. Wilson s'assit devant la télévision.
11 Il avait l'intention (*prog.*) de regarder une pièce de théâtre, mais il avait bien mangé (était plein) et tout était si paisible qu'il s'assoupit.

THEY BOTH DID THE WASHING UP
86

NOTES (continued)

(2) *While,* ici (voir leçon 85, N° 2) : pendant que.

(3) *To put :* mettre. *To put on :* mettre un vêtement. *To take off :* enlever. *To put back :* remettre. *To put away :* ranger les affaires.

(4) Expression qui amuse les français lorsqu'un touriste malheureux le traduit littéralement. Se dit très couramment en anglais pour indiquer qu'on ne peut plus manger (voir, en allemand, *ich bin satt*).

12 **La**ter on, Mrs **Wil**son came* in from the **gar**den and made* some tea.
13 In the **ev**ening, Mr **Wil**son did the **cross**word while Mrs **Wil**son did some **knit**ting.

12 lété. — 13 **kros**-oueud ... **nï**tïng.

EXERCISES

1 We would both come if we had the **mo**ney. — 2 While he was **rea**ding, the **chil**dren were **figh**ting. — 3 You should **al**ways tell the truth. — 4 When you have put the joint in the **o**ven, **we**'ll have a glass of **sher**ry. — 5 Will you both do the **wa**shing-up please?

Fill in the missing words :

1 *Je veux que, tous les deux, vous rangiez la vaisselle.*

I . . . . you . . . . . . put . . . . the disches.

2 *Avant de regarder une pièce, vous devriez lire le texte.*

. . . . a . . . . , you . . . . . .

. . . . the text.

3 *J'en ai marre! Asseyez-vous devant la télévision et taisez-vous.*

I'm fed up! . . . . the television

and . . . .

12 Plus tard, Mme Wilson rentra du jardin et fit du thé.
13 (Dans) le soir, M. Wilson, fit des mots croisés pendant que Mme Wilson faisait du tricot.

---

4 *Pendant que tu lis le journal je ferai un petit somme.*

. . . . . you . . . . the paper, ...

. . . . a little.

5 *Il versait un whisky pendant qu'ils s'asseyaient.*

He . . . . . . a whisky . . . . . they . . . .

. . . .

EXERCICES

1 Nous viendrions tous les deux si nous avions l'argent. — **2** Pendant qu'il lisait les enfants se battaient (étaient battant). — **3** Vous devriez toujours dire (dites) la vérité. — **4** Quand tu auras (as) mis le rôti au (dans) four, nous prendrons un verre de Xérès. — **5** Voulez-vous faire la vaisselle tous les deux s.v.p. ?

Corrigé

1 want - both to - away. — **2** Before watching - play - should read. — **3** Sit in front of - keep quiet. — **4** While - are reading - I'll doze. — **5** poured - while - were sitting down.

Second wave: 37th Lesson

Eighty-seventh (87th) Lesson

A talkative neighbour

1 — I must tell* you about my holiday!

2 Eventually (1), we had to go* to France. We couldn't get* a hotel anywhere (2) in Spain.

3 Have you ever been to France? No? You should go* there some day, it's fascinating.

4 We couldn't get* a charter, so we had to take* a normal flight, which was expensive,

5 but it was worth it (3), it was much more comfortable.

6 — I should start planning my holidays soon. We have been talking (N. 1) about them for ages.

7 — Anyway, we flew* to Nice and spent* ten days in the South of France.

8 When we couldn't find* a hotel, we stayed in what they call "pensions".

9 They're like Bed and Breakfasts in London, but dearer.

10 Then we flew* up to Paris. You must know* Paris?

PRONUNCIATION :

2 evèntchëlï ... koudënt ... ènïouair. — 3 shoud ... fahsïnétïng. — 4 koudënt ... tchahtë ... nohmël flaït. — 5 oueufit ... keumftëbël. — 6 tohkïng ... édjëz. — 7 ènïoué ... flou. — 8 stéd. — 9 vé-eu ... dîrë. — 10 flou.

Quatre-vingt-septième leçon

Un voisin bavard

1 Je dois vous racconter (au sujet de) mes vacances!
2 Finalement, nous avons été obligés d'aller en (à) France. Nous n'avions pas pu trouver un hôtel où que ce soit en Espagne.
3 Êtes-vous jamais allé (été) en (à) France? Non? Vous devriez y aller un de ces jours, c'est fascinant.
4 Nous ne pouvions pas avoir un charter, alors nous avons été obligés de prendre un vol normal, ce qui était cher,
5 mais ça valait la peine, c'était beaucoup plus confortable.
6 Je devrais commencer à préparer mes vacances bientôt. Nous en parlons depuis longtemps (des âges).
7 Alors, nous avons volé jusqu'à Nice et nous avons passé dix jours dans le sud de la France.
8 Quand nous ne pouvions pas trouver un hôtel, nous avons séjourné dans ce qu'ils appellent [des] « pensions ».
9 Elles sont comme des « *Bed and Breakfasts* » à Londres, mais plus chères.
10 Puis nous sommes allés à Paris en avion. Vous devez connaître Paris?

NOTES

(1) *Eventually* est un faux ami et se traduit par « finalement ».
(2) *Somewhere :* quelque part. *Anywhere :* où que ce soit, nulle part (correspondant à *something* et *anything*).
On trouve aussi *nowhere,* donc : *I could find it nowhere :* je n'ai pu le trouver nulle part; ou : *I couldn't find it anywhere.*
(3) *To be worth :* valoir. *This watch is worth 10 pounds :* Cette montre vaut 10 pounds. *It's worth it :* ça vaut la peine.

Vous exercez-vous parfois à compter?

11 — Yes, **ac**tually **(4)** I've been there a few times...

12 — Well, you should go* back. It's an ex**ci**ting city and it...

13 — I **re**ally must go now, Joan will be **wai**ting for me. Thanks for the chat.

11 **ak**tchouli. — **12** eks**aï**t'ing. — **13** tchat.

EXERCISES

1 **A**ctually, I don't know him at all. — **2** But I'd love to meet him one day. — **3** Would that be **pos**sible? — **4** What could we do to ar**range** it? — **5** What a **pi**ty! He **was**n't **a**ble to come.

Fill in the missing words :

1 *Nous prîmes l'avion jusqu'à Nice où nous louâmes une voiture.*

We . . . . to Nice . . . . . we . . . . . a car.

2 *Elle ne pouvait pas se permettre une machine à laver l'année dernière.*

She . . . . a washing machine . . . . year.

3 *Quand je rentrerai, elle sera en train de faire la cuisine.*

When I . . . . , she . . . . . . cooking.

4 *Vous devez m'écouter, c'est très important.*

You . . . . , it's very important.

11 Oui, effectivement, j'y suis allé (été) quelques fois...
12 Eh bien , vous devriez y revenir. C'est une ville passionnante et elle...
13 Je dois vraiment partir maintenant, Joan va m'attendre (*prog.*). Merci pour la causette.

NOTES (continued)

(**4**) Encore un faux ami, *actually* veut dire « en fait », « effectivement », alors que *at present* est la traduction de « actuellement ».

5 *Même si nous avions le temps, nous ne pourrions nous permettre d'y aller.*

. . . . if we . . . the time, we . . . .

. . . . . . to go.

EXERCICES

1 En réalité, je ne le connais pas du tout. — **2** Mais j'aimerais le rencontrer un jour. — **3** Serait-ce possible? — **4** Que pourrions-nous faire pour mettre ça au point? — **5** Quel dommage! Il n'a pas pu venir.

Corrigé

1 flew - where - hired. — **2** couldn't afford - last. — **3** get back (go home) - will be. — **4** must listen to me. — **5** Even - had - couldn't afford.

Second wave: 38th Lesson

Eighty-eighth (88th) Lesson

1 — Hel**lo** Joan! **So**rry, I'm late. I've just (**1**) met* old **Bar**ker. He's so **bor**ing.
2 He **star**ted **tel**ling* me **about** his **ho**liday: "You must go here, You should go there".
3 — **Ac**tually, we should start **thin**king* **about** our **ho**liday you know*.
4 — Yes; where did we say we would (**2**) go*?
5 — Well, you said* we would (**N. 2**) go* **ei**ther to Spain or to **Scot**land.
6 — Ah, but I've also been **thin**king* of Wales since I met* a **col**league who went* there last **year**.
7 — Oh, no! You **pro**mised we could go* **abroad** this **year**!
8 — Yes, but that was be**fore** I re**ceiv**ed my bank **sta**tement. Wales is **chea**per than Spain.
9 — Yes, but I want a sun tan! I've **e**ven bought* a new bi**ki**ni.
10 — Well, it's **su**nny in Wales, the **sce**nery is fan**tas**tic... and **we**'re broke (**3**).
11 — You're im**pos**sible! I'm **go**ing* to the **tra**vel **a**gent's to**mo**rrow to book two seats on any (**4**) plane. Good**night**!
12 **Da**vid sighed as Joan slammed the door.

PRONUNCIATION

1 sôh **boh**rïng. — **3** **ak**tchioulï. — **4** ouî ououd. — **5** **aï**vë. — **6** ouélz sïns ... **kohl**îg. — **7** ë**brohd**. — **8** rë**sîvd** ... **stét**mënt. — **9** seun tann ... boht bï**kî**nï. — **10** **seu**nï ... **sîn**ërï ... brôhk. — **12** saïd ... slammd. —

Quatre-vingt-huitième leçon

1 Bonjour Joan! Excuse-moi, je suis en retard. Je viens de rencontrer (j'ai juste rencontré) le vieux Barker. Il est tellement ennuyeux.
2 Il a commencé à me raconter ses vacances : « Vous devez aller ici, vous devriez aller là ».
3 En fait, nous devrions commencer à penser à nos vacances, tu sais.
4 Oui ; où avons-nous dit que nous irions?
5 Bien, tu as dit que nous irions ou en (à) Espagne ou en (à) Ecosse.
6 Ah, mais j'ai pensé aussi (j'ai été pensant) au (à) Pays de Galles depuis que j'ai rencontré un collègue qui y est allé l'année dernière.
7 Ah non! tu as promis que nous pourrions aller à l'étranger cette année!
8 Oui, mais c'était avant que je reçoive mon relevé de banque. Le Pays de Galles est moins cher que l'Espagne.
9 Oui, mais je veux un bronzage! J'ai même acheté un nouveau bikini.
10 Eh bien, c'est ensoleillé au Pays de Galles, le paysage est superbe... et nous sommes fauchés.
11 Tu es impossible! Je vais chez l'agent de voyage demain pour réserver deux places dans n'importe quel avion. Bonne nuit!
12 David soupira comme Joan claquait la porte.

NOTES

(1) *I've just :* je viens de... *He has just eaten :* il vient de manger. Nous venons de nous acheter une maison : *we've just bought a house.*

(2) *Will,* au passé, devient *would. You say you will go,* devient *you said you would go.*

(3) *To break (broke, broken) :* casser. Il s'est cassé le bras : *he broke his arm. We're broke :* nous sommes fauchés.

(4) N'importe lequel. *Take anything you want :* prenez n'importe quoi (tout) ce que vous voulez.

13 He sat* down in an **arm**chair and poured him**self** a Scotch
14 and be**gan*** to look at the **tra**vel **a**gent's **bro**chures.

13 ah**m**tchair ... pohd.

EXERCISES

1 She said she would take me to **Lon**don. — **2** I **cou**ldn't **he**ar what he was **sa**ying, so I left. — **3** May I help you? — Yes, I would like some infor**ma**tion, please. — **4** Can you lend me **twen**ty pence. — I'm **so**rry, I'm broke. — **5** You must choose **ei**ther one or the **o**ther.

Fill in the missing words:

1 *Je l'attends depuis dix heures et il n'est pas encore là.*

I . . . . waiting for him . . . . . ten and he . . . . . here . . .

2 *Il dort depuis que nous avons quitté Londres.*

He has . . . . we . . . . London.

3 *Oui, mais c'était avant que je ne reçoive mon relevé de compte.*

Yes, but . . . . before . . . . my . . . . - . . . .

4 *Ni toi ni elle ne pourrait le faire.*

. . . . you . . . she . . . .

13 Il s'assit dans un fauteuil (et) se versa un Scotch
14 et commença à regarder les brochures de l'agent de voyage.

5 *Il m'a dit qu'il me montrerait son fauteuil. C'est le nouveau modèle.*

He . . . . . . he . . . . me . . . . It's the . . . .

EXERCICES

1 Elle a dit qu'elle m'ammènerait à Londres. — 2 Je ne pouvais pas entendre ce qu'il disait, alors je suis parti. — 3 Puis-je vous aider? — Oui, j'aimerais un renseignement (de l'information), s.v.p. — 4 Pouvez-vous me prêter 20 pence. — Je suis désolé, je suis fauché. — 5 Vous devez choisir ou [l']un ou l'autre.

Corrigé

1 have been - since - isn't - yet. — 2 been sleeping since - left. — 3 that was - I received (got) - bank-statement. — 4 Neither - nor - could do it. — 5 told me - would show - his armchair - new model.

Nous continuons à aller en avant : c'est maintenant l'anglais courant que nous voyons ensemble. Si vous vous sentez un peu « dépaysé » ne vous en étonnez pas : c'est comme les premières semaines que vous passeriez en Angleterre. Mais l'habitude viendra vite. Déjà vous pouvez en juger par la facilité relative de votre deuxième vague.

Second wave: 39th Lesson

Eighty-ninth (89th) Lesson

About Wales

1 Wales, unlike Scotland, is politically united to England.

2 The whole (1) of Wales is mountainous and there is much breath-taking scenery.

3 The main industry is coal-mining and the majority of the Welsh live around the industrial towns.

4 These are in the South.

5 The Welsh language—a Celtic language—survives more than in Scotland, but it is difficult to speak.

6 The Welsh have a deep love of poetry and music and the international festival is famous throughout (2) the world.

7 Wales has contributed much to the language and politics (3) of England.

8 The son and heir (4) of the monarch is given* the title: "The Prince of Wales", but this has no political significance.

PRONUNCIATION

1 pëlitïkëlï iounaïtëd. — 2 hôhl ... maountënës ... brèf-tékïng sînërï. — 3 kohl maïnïng ... mëjorïtï ... ouèlsh ... ëraound ... ïndeustriël. — 5 lanngouïdj ... kèltïk ... sëvaïvz. — 6 dîp ... pôhëtrï ... miouzïk ... intënashnël ... frou-aoutt. — 8 air ... monnëk ... taïtël ... prïnns ... sïgnifïkëns.

Quatre-vingt-neuvième leçon

Au sujet du Pays de Galles

1 Le Pays de Galles, contrairement (non comme) à l'Ecosse, est uni politiquement à l'Angleterre.

2 Tout le Pays de Galles est montagneux et il y a beaucoup de paysages à vous couper le souffle.

3 L'industrie principale est le charbonnage et la majorité des Gallois habitent autour des villes industrielles.

4 Celles-ci sont dans le sud.

5 La langue galloise — une langue celte — survit plus qu'en Ecosse, mais elle est très difficile à parler.

6 Les Gallois ont un amour profond de la poésie et de la musique et le festival international est connu à travers le monde [entier].

7 Le Pays de Galles a beaucoup contribué à la langue et à la politique de l'Angleterre.

8 Le fils et l'héritier du monarque reçoit (est donné) le titre de « Prince de Galles », mais ceci n'a pas de signification politique.

NOTES

(1) *Whole :* entier. *The whole family :* la famille entière. *The whole of Wales :* le Pays de Galles en entier.

(2) Notez la prononciation [frou-aoutt] *through :* à travers. *Throughout the world :* à travers le monde entier. *Out,* ici dans un sens, donne un sens plus complet que *through* tout seul.

(3) La politique : *politics* (pluriel); l'économie : *economics* (matière d'étude). L'adjectif « politique » se traduit par *political.*

(4) La prononciation est la même que pour *air* (l'air). Il est un des rares mots ou l' « h » n'est pas aspiré (existent aussi *hour, honour* [ohnë]).

9 Now, **an**swer these **ques**tions:

10 Does the Welsh **lan**guage still e**xist**?

11 What is the main **in**dustry in Wales?

12 What is the **sce**nery like?

13 Who is the Prince of Wales? (**N. 7**).

10 ègzist.

EXERCISES

1 Throughou**t** **En**gland, there are many **ex**cellent pubs. — **2** The Prince of Wales is heir to the throne. — **3** Is that your comb? — No, it's hers. — **4** You have been to **Chi**na? What is it like? — **5** **Cou**ldn't you try and help me?

Fill in the missing words:

1 *N'a-t-elle pas pu faire mieux que ça?*

. . . . she . . . . than . . . . ?

2 *Il est d'une telle bonne humeur qu'il a invité tout le monde.*

He is in . . . . a good . . . . that he . . . .

3 *Je n'ai pas aimé le premier film. — Non, moi non plus.*

. . . . the first film. — No, ...

4 *Vous avez l'air très fatigué. Entrez et asseyez-vous.*

You . . . . Come . . and . . . .

9 Maintenant, répondez à ces questions :
10 Est-ce que la langue galloise existe encore?
11 Quelle est l'industrie principale du (en) Pays de Galles?
12 Comment est le paysage?
13 Qui est le Prince de Galles?

5 *Toute la famille est allée à la campagne. Il n'y a personne.*

. . . . family has . . . .

. . . . There is . . - . . .

EXERCICES

1 Partout [en] Angleterre, il y a beaucoup de pubs excellents. — **2** Le Prince de Galles est [l']héritier au trône. — **3** Est-ce votre peigne? — Non, c'est le sien (à elle). — **4** Vous êtes allé en Chine? Comment est-ce? — **5** Ne pourriez-vous pas essayer [de] m'aider?

Corrigé

1 couldn't - do better - that. — **2** such - mood - has invited everybody (everyone). — **3** I didn't like - neither did I. — **4** look very tired - in - sit down. — **5** The whole - gone to the country - no-one (nobody).

Second wave: 40th Lesson

Ninetieth (90th) Lesson

1 A **Scot**sman who was **dri**ving* home one night, ran* **in**to (**1**) a car **dri**ven* by an **Eng**lishman.
2 The Scot got* out of the car to a**pol**ogise and **of**fered the **Eng**lishman a drink from a **bot**tle of **whis**ky.
3 The **Eng**lishman was glad (**2**) to have a drink.
4 — Go on, said the Scot, have a**no**ther drink.
5 The **Eng**lishman drank* **gra**tefully (**3**). — But don't you want one? he asked the Scot.
6 Per**haps**, the **o**ther re**plied**, when the po**lice** have gone.

---

7 The park-**kee**per walked up to a tramp who was **slee**ping* on a bench in Green Park.
8 Hey! you! he **shou**ted, I'm **go**ing to shut* (**4**) the park gates!
9 Al**right**, re**plied** the tramp, try not to (**5**) slam them.

---

10 When Mrs **Da**vis told* her **hus**band that guests were **co**ming* to **din**ner that night,
11 he went* out **in**to the hall and hid* all the um**brel**las.

PRONUNCIATION

1 draïvïng ... naït. — **2** ë**pohl**ëdjaïz ... **oh**féd. — **3** gladd. — **5 grét**fëlï. — **6** pë**happs**. — **7** pahk-**kî**pë ... trammp ... bèntch. — **8** hé you ... géts. — **9** rë**plaïd** ... slamm. — **10 dé**vïs ... gèsts. — **11** hohl ... eum**brè**llë

Quatre-vingt-dixième leçon

1 Un Ecossais, qui rentrait (*prog.*) chez lui en voiture un soir (une nuit) percuta (courut dans) une voiture conduite par un Anglais.
2 L'Ecossais sortit de la voiture pour s'excuser et offrit à l'Anglais un « coup » (une boisson) d'une bouteille de whisky.
3 L'Anglais fut heureux d'avoir à boire (une boisson).
4 Allez-y, dit l'Ecossais, prenez-en un autre (boisson).
5 L'Anglais but avec reconnaissance. — Mais vous n'en voulez pas (un)? demanda-t-il à l'Ecossais.
6 Peut-être, répondit l'autre, quand la police sera (ont) partie.

---

7 Le gardien du parc marcha vers (jusqu'au) le vagabond qui dormait (*prog.*) sur un banc dans Green Park.
8 Eh! vous! cria-t-il, je vais fermer les portes du parc.
9 Ça va, répondit le vagabond; tâchez de ne pas les claquer.

---

10 Quand Mme Davis dit à son mari que des invités venaient dîner (*prog.*) cette nuit,
11 il sortit dans le hall et cacha tous les parapluies.

NOTES

(1) *To run :* courir. *To run into :* rentrer dans. *To run out of :* épuiser les stocks de. *We've run out of petrol :* nous n'avons plus (épuisé les réserves) d'essence.

(2) *I'm glad to see you :* je suis content de vous voir. *Glad* est un mot poli qui est moins fort que *happy*.

(3) *He's grateful :* il est reconnaissant. *I'm grateful for your help :* je suis reconnaissant de votre aide.

(4) *To shut = to close :* fermer.

(5) Tâcher de ne pas : *try not to. I told him not to use my car :* je lui ai dit de ne pas utiliser ma voiture.

12 — What's the **ma**tter? asked his wife, are you a**fraid some**one will steal* them?

13 — It's not that, re**plied** her **hus**band, but I'm a**fraid some**one might **rec**ognise them.

12 stîl. — 13 maït rèkëgnaïz.

EXERCISES

1 Do you mind if I shut the **win**dow? I'm cold. — 2 No, but try not to slam it. — 3 There **is**n't e**nough whis**ky for both of us. — 4 He was **ve**ry glad to see me a**gain a**fter all this time. — 5 He kept that **bot**tle of **whis**ky for a **ye**ar be**fore o**pening it.

Fill in the missing words:

1 *Il se pourrait qu'il travaille dans une librairie, mais je n'en suis pas sûr.*

He . . . . in a . . . . - . . . . . but . . . .

2 *Il se pourrait qu'il pleuve, nous ferions mieux de prendre nos parapluies.*

. . . . rain, we . . . . take . . . .

3 *Il essaie de ne pas faire de fautes, mais c'est trop difficile pour lui.*

He tries . . . . any . . . . , but . . . . too difficult . . . .

12 Qu'y a-t-il? demanda sa femme, as-tu peur que quelqu'un les vole?
13 Ce n'est pas ça, répondit son mari, mais j'ai peur que quelqu'un puisse les reconnaître.

4 *Elle était très reconnaissante de son aide quand elle avait des problèmes.*

. . . . . . very . . . . for . . . help when

. . . . . . problems.

5 *Il est si difficile de ne pas rire, elle est si drôle.*

. . . . . . difficult . . . . . laugh, ...

. . funny.

EXERCICES

1 Cela vous ennuyerait-il si je ferme la fenêtre? J'ai (suis) froid. — **2** Non, mais essayez [de] ne pas la claquer. — **3** Il n'y a pas assez de whisky pour nous deux. — **4** Il était très content de me revoir après tout ce temps. — **5** Il garda cette bouteille de whisky pendant un an avant de l'ouvrir.

Corrigé

1 might work - book-shop - I'm not sure.— **2** It might - had better - our umbrellas. — **3** not to make - mistakes - it's - for him. — **4** She was - grateful - his (her) - she had. — **5** It is so - not to - she is so.

Second wave: 41st Lesson

90th LESSON

Ninety-first (91st) Lesson

REVISION AND NOTES

Notes à relire : 86ᵉ leçon : (3) - **87ᵉ :** (2) - **88ᵉ :** (1), (2) - **89ᵉ :** (3) - **90ᵉ :** (1), (4).

1 We have been talking. — Voici la forme progressive du *présent perfect* [voir leçon 84, (2)] et qui traduit le « faux présent » français. Je vis ici depuis trois ans : *I've been living here for three years.* Elles parlent depuis deux heures : *they've been talking for two hours.*

On l'utilise pour une action qui a duré (donc « progressive ») et qui dure encore (donc « présent ») ou qui vient de se terminer (*perfect*). Ceci ne s'applique pas, bien sûr, aux verbes de perception involontaire (*see, hear, know,* etc.) qui, eux, n'ont pas de forme progressive. Pour dire : ils se connaissent depuis leur enfance, on dit : *they have known one other since their childhood.*

Depuis : se traduit *for* s'il s'agit d'une mesure de temps (*for three hours, for six years, for a long time*), et *since* s'il s'agit d'un point de départ de l'action (*since their childhood, since last Saturday, since my birthday*).

C'est un automatisme à acquérir que la pratique mettra en place. Ne vous bornez pas à apprendre ces quelques règles isolément.

2 Would est, comme nous le savons, l'auxiliaire du conditionnel. N'oubliez pas que ce petit mot veut dire également : voudriez-vous... ? *Would you tell me...* ? : voudriez-vous me dire... ?

Mais il pourrait y avoir une confusion entre il irait : *he would go,* et il voudrait aller. Comment l'éviter? En mettant *he would like* (contraction : *he'd like*) *to go.* Ne vous effrayez pas, il a fallu que les enfants

Quatre-vingt-onzième leçon

anglais apprennent ces mêmes choses. Et comment ont-ils fait? **En parlant tous les jours.** Ils se débrouillent bien maintenant!

3 Quelques expressions idiomatiques. — Nous avons vu, dès le début, cette expression : *Oh dear!* que nous traduisons, tantôt par « Oh, la, la! », tantôt par « Mon Dieu! ». Bien sûr, il n'y a pas de vraie traduction possible. *Oh dear!* est un soupir d'ennui, ou de regret, ou de désespoir, quand on est en retard, quand on a oublié quelque chose, quand quelqu'un ne vous comprend pas, etc. Il est tout à fait de bon ton, et n'offense pas du tout.

Alright est le même que *O.K.* (*Okay*) et veut dire « ça va », « d'accord », etc.

Never mind : ne vous vous laissez pas gêner par..., ça ne fait rien.

Pour capter la « saveur » de l'anglais, il s'agit plutôt de « sentir » quand ces expressions sont utilisées, que de pouvoir les traduire exactement.

4 Ne pas... : *not to.* Tâchez de ne pas claquer la porte : *try not to slam the door.* Il m'a dit de ne pas bouger : *he told me not to move.*

5 *Holiday :* on doit dire *on holiday;* mais autrement on parle aussi bien de *summer holiday* que de *summer holidays.* Ce mot peut être singulier ou pluriel à discrétion.

6 *The stairs :* l'escalier. *Upstairs :* en haut. *Downstairs :* en bas. N'oubliez pas : *she ran dowstairs* (elle a descendu l'escalier en courant).

7 Notez la différence de ton entre la leçon 88 et 89 : la conversation, avec peu d'adjectifs, des contractions, des *Ah* et des *well* et la description : phrases plus longues, language plus imagé (même stylisé).

8 **Locutions à bien retenir.** 1 *I've been waiting for two hours.* — 2 *Try not to make a noise.* — 3 *What's the matter?* — 4 *He might recognise them.* —

Ninety-second (92nd) Lesson

1 — Jack, I'm **free**zing. Close the **win**dow, it's cold **out**side.

2 — You want me to get out (**N. 1**) of bed and close the **win**dow,

3 but if I do, it won't be warm (**1**) out**side.**

PRONUNCIATION :

1 frîzïng ... klôhz ... **aout**saïd. — **2** **ouïn**dôh.

5 *What is Wales like?* — 6 *I'm afraid I'm broke.* — 7 *She said she would come at ten.* — 8 *It's not worth it.* — **9** *Put your things away.*

9 Traduction. — 1 J'attends depuis deux heures. — 2 Tâchez de ne pas faire de bruit. — 3 Qu'y a-t-il? — 4 Il se peut qu'il les reconnaisse. — 5 Comment est le Pays de Galles? — 6 Je crains d'être fauché. — 7 Elle a dit qu'elle viendrait à 10 heures. — 8 Ça n'en vaut pas la peine. — 9 Ranger vos affaires.

Nous ne mettrons plus d'astéristiques après les verbes **to go, to get** *et* **to say,** *car vous les connaissez maintenant, n'est-ce pas?*

Second wave: 42nd (revision) Lesson

Quatre-vingt-douzième leçon

1 Jack, je gêle (*prog.*). Ferme la fenêtre, il fait (est) froid dehors.
2 Tu veux que je sorte (me sortir) du lit et que je ferme la fenêtre,
3 mais, si je le fais, il ne fera (sera) pas chaud dehors.

NOTES

(1) En anglais, on est assez précis pour la température. *Hot :* chaud; *warm :* assez chaud (une chaleur confortable); *cool :* frais et *cold :* froid.
Il fait assez chaud : *it's warm.* La chaleur se dit : *heat.*

4 — Do (2) tell* me about Mrs Haines' di**vorce**.
5 — I'd pre**fer** you to ask Mrs Haines her**self**! (**N. 2**)
6 We ex**pect** (3) her to ar**rive** at eight o'clock.
7 — I hope the train will be on time. I don't like **wai**ting.

---

8 He'd like them to intro**duce** them**selves** be**cause** he has for**got**ten* their names.
9 We've asked them to come* round (4) for drinks this **eve**ning,
10 but they would like to come* to **din**ner.

---

11 — Would you like me to make* reser**va**tions for the **thea**tre?
12 — No thanks, **I'll** do it my**self.**

---

13 — I'd like you to say a **pra**yer be**fore** your **meal**.
14 — But why? My **mo**ther is a good cook.

3 ouôhnt. — 4 hénz dïv**ohs**. — 5 hë**sèlf**. — 6 èk**spèkt**. — 8 hîd ... întrë**dious**. — 9 ouîv. — 10 ououd. — 11 rèzë**vé**shënz ... **fl**eutë. — 12 maï**sèlf**. — 13 aïd ... **prair**.

EXERCISES

1 Will you ask him your**self**; I **hav**en't e**nough** time. — **2** Shall I do it, or do you want her to do it? — **3** We ex**pect** them to bring a **bot**tle of wine. — **4** I'd pre**fer** them to bring a cake. — **5** How much time will you need to **fin**ish?

4 Parlez-moi du divorce de Mme Haines.
5 Je préfère que vous demandiez (vous demander) à Mme Haines elle-même!
6 Nous nous attendons à ce qu'elle arrive à 8 heures.
7 J'espère que le train sera à l'heure. Je n'aime pas attendre.

---

8 Il aimerait qu'ils se présentent (eux présenter eux-mêmes) parce qu'il a oublié leurs noms.
9 Nous les avons invités (demandés) à venir prendre un verre (pour boissons) ce soir,
10 mais ils aimeraient venir dîner.

---

11 Aimeriez-vous que je fasse (me faire) des réservations pour le théâtre?
12 Non merci, je le ferai moi-même.

---

13 J'aimerais que vous me disiez une prière avant votre repas.
14 Mais pourquoi? Ma mère est une bonne cuisinière.

NOTES (continued)

(**2**) *Do,* ici, sert à renforcer le verbe; c'est une sorte d'impératif. *Do sit down :* je vous en prie, asseyez-vous.

(**3**) Il y a une différence entre *to wait for someone* (attendre quelqu'un) et *to expect something* (s'attendre à quelque chose). *He expects to make a lot of money :* il s'attend à faire beaucoup d'argent.

(**4**) *Round,* ici, est gratuit. On aurait pu dire *to come for drinks. Round* donne l'idée de venir chez nous. Son emploi est idiomatique.

EXERCICES

1 Voulez-vous lui demander vous-même; je [n']ai pas assez [de] temps. — **2** Voulez-vous que je le fasse, ou voulez-vous qu'elle le fasse? — **3** Nous [nous] attendons à ce qu'ils apportent une bouteille de vin. — **4** Je préfèrerais [qu']ils apportent un gâteau. — **5** Vous aurez besoin de combien de temps [pour] finir?

Fill in the missing words :

1 *Vous voulez que je vous présente la fille là-bas?*

. . you . . . . you to that girl over there?

2 *Je prendrai la voiture si le métro est en grève.*

. . . . the car . . the tube . . . .

3 *Nous nous attendons à ce qu'elle arrive à environ dix heures vingt.*

We . . . . to arrive . . . .

4 *Il ne va pas se marier; il n'aime pas dépenser de l'argent.*

He . . . . . get married. He . . . . money.

Ninety-third (93rd) Lesson

1 He stopped **smo**king **(1)** last week and has been un**bear**able **(2)** **e**ver **(3)** since.

PRONUNCIATION : 1 eun**bair**ëbël.

NOTES

(1) **Attention!** Il faut bien retenir les formules dans cette leçon pour pouvoir reconnaître un changement de sens

5 *A quelle heure veux-tu que je vienne?*

. . . . time . . . . to come?

Corrigé

1 Do - want me to introduce. — **2** I'll take - if - is on strike. — **3** expect her - about twenty past ten. — **4** won't - doesn't like spending. — **5** What - do you want me.

Second wave: 43rd Lesson

Quatre-vingt-treizième leçon

1 Il [s']est arrêté de fumer la semaine dernière et a été insupportable (jamais) depuis.

NOTES (continued)

éventuel. Par exemple, *to stop to smoke :* s'arrêter **pour** fumer.

(2) *I can't bear him :* je ne peux pas le supporter. *He is unbearable :* il est insupportable.

(3) Ici, *ever* est gratuit. Il renforce le *since* et donne l'idée de : depuis le moment que. Encore un usage idiomatique.

2 He en**joys** **tea**sing his wife a**bout** her **spen**ding,

3 but, to a**void** **cau**sing an **ar**gument, he **al**ways a**grees** (**4**) with her in the end.

4 The **cri**minal de**nied** **ro**bbing the bank, but there were too **ma**ny **wit**nesses.

5 Would you mind not **smo**king? This is a non-**smo**king com**part**ment.

6 It's no use **try**ing to run* be**fore** you can walk.

7 That new film about **Swit**zerland is worth **see**ing*.

8 I**ma**gine **be**ing a **pop**-star. It must be great!

---

9 A **la**dy who felt* sorry (**5**) for a **beg**gar in**vi**ted him into the **kit**chen.

10 On the **ta**ble, there were some sar**di**nes and some smoked **sal**mon.

11 The **beg**gar im**me**diately be**gan*** **ea**ting* the smoked **sal**mon.

12 — There are some sar**di**nes as **well**, said the **la**dy in a loud voice.

13 — I pre**fer** the smoked **sal**mon, re**plied** the **beg**gar.

14 – But it's more ex**pen**sive, com**plained** his un**wi**lling **hos**tess.

15 — Yes I know **la**dy... but it's **wor**th it!

2 ènn**djoïz** **tî**zïng. — **3** ë**voïd** **koh**zïng ... **ah**gioumënt ... ë**grîz**. — **4** dë**naïd** ... **ouït**nësëz. — **6** ious ... reun ... ouohk. — **7** **souït**zëlënd ... **sî**-ïng. — **8** ï**mà**djïn ... **pop**-stah ... grét. — **9** **so**rrï ... **bè**gë. — **10** sah**dî**nz ... smôhkt **sà**mën. — **12** az**ouèl** .. laoud voïs — **14** këm**plénd** .. eun**ouï**lïng. — **15** **oueu**fït.

2 Il aime taquiner sa femme au sujet de ses dépenses,
3 mais, pour éviter de causer une dispute, il se met toujours d'accord avec elle à la fin.
4 Le criminel nia avoir dévalisé la banque, mais il y avait trop de témoins.
5 Cela vous dérangerait-il de ne pas fumer? Ceci est un compartiment non-fumeurs.
6 Il est inutile d'essayer de courir avant de savoir (pouvoir) marcher.
7 Ce nouveau film sur la Suisse vaut la peine d'être vu.
8 Imaginez que vous soyiez (étant) une pop-star. Ce doit être formidale (grand)!

---

9 Une femme apitoyée (sentait désolé pour) par un mendiant, l'invita [à venir] dans la cuisine.
10 Sur la table, il y avait des sardines et du saumon fumé.
11 Le mendiant commença immédiatement à manger le saumon fumé.
12 Il y a des sardines aussi, dit la femme d'une voix (dans une voix) forte (bruyante).
13 Je préfère le saumon fumé, répondit,le mendiant.
14 Mais c'est plus cher, se plaignit son hôtesse peu disposée.
15 Oui, je sais, Madame..., mais ça les vaut [bien]!

HE ENJOYS TEASING HIS WIFE
ABOUT HER SPENDING
93

NOTES (continued)

(4) *To agree with someone :* être, se mettre d'accord avec quelqu'un. *He agrees with me :* il est d'accord avec moi. *An agreement :* un accord.

(5) *To feel sorry for someone :* avoir, ressentir de la peine pour quelqu'un. *I feel sorry for that poor man :* j'ai de la peine pour ce pauvre homme.

EXERCISES

1 It's no use asking him, he **does**n't know **an**ything a**bout po**litics. — **2** Whose is this **dic**tionary? — I think it's his. — **3** Go and see that new film, it's **re**ally worth it. — **4** Will you lend me some **mo**ney? — I'm **so**rry, I can't af**ford** it. — **5** He has been a**sleep e**ver since we left the **sta**tion.

Fill in the missing words :

1 *Il s'arrêta de parler quand son patron entra.*

He . . . . when . . . .

. . . . . .

2 *Ça vaut la peine d'apprendre une langue étrangère, c'est très utile.*

It's . . . . a . . . .

. . . ., it's very . . . . . .

3 *Elle s'est arrêtée pour regarder dans une vitrine.*

She stopped . . . . a shop window.

Ninety-fourth (94th) Lesson

A letter

1 **Dear Da**vid,
Thanks very much for your last **le**tter.

2 I hope you are both well. I'm **tho**roughly **(1)** en**joy**ing my new job.

PRONUNCIATION :

1 **dé**vïd ... lahst. — **2** **feu**rëlï èn**djoy**ïng.

4 *Je vous plains, mais je n'y peux rien.*

I . . . . for you, but . . . . . . do anything.

5 *A qui est ce carnet de chèques? — Il est à ma femme.*

. . . . this . . . . - . . . . .? — It's . . . .

EXERCICES

1 Il est inutile de [le] lui demander, il ne connaît rien à (autour) [la] politique. — **2** A qui est ce dictionnaire? — Je pense [que] c'est [le] sien. — **3** Allez (et) voir ce nouveau film, ça vaut réellement la peine. — **4** Voulez-vous me prêter de [l']argent? — Je suis désolé, je ne peux pas me le permettre. — **5** Il dort (a été endormi) (jamais) depuis [que] nous avons quitté la gare.

Corrigé

1 stopped talking (speaking) - his boss came in. — **2** worth learning - foreign language - useful. — **3** to look at. — **4** feel sorry - I can't. — **5** Whose is - cheque-book - my wife's.

Second wave: 44th Lesson

Quatre-vingt-quatorzième leçon

Une lettre

1 Cher David, merci beaucoup pour ta dernière lettre.
2 J'espère que vous allez bien tous les deux. J'aime (*prog.*) vraiment mon nouvel emploi.

NOTES

(1) *Thorough* [feurë] veut dire « à fond ». *To make a thorough enquiry :* faire une enquête à fond. *Thoroughly :* profondément. Se dit d'habitude dans les locutions :

3 The **per**son whose po**si**tion I've (**2**) **ta**ken re**sig**ned last month.

4 I can under**stand** why, be**cause** there's a lot of work to do.

5 I'm **wri**ting* to ask you a **fa**vour.

6 Could you get me some infor**ma**tion on trade **u**nions?

7 I had to give a **lec**ture last week and I **cou**ldn't find* e**nough de**tails.

8 I should have asked you **ear**lier, but you know how it is.

9 Since I last (**3**) saw* you, **no**thing much has **hap**pened.

10 I've been **wo**rking hard for a month and I've had so **li**ttle spare time! (**4**)

11 I saw* Pete last week. You know, of course, that he's **ma**rried.

12 In fact he's been **ma**rried for **o**ver a **year** (**5**).

3 houz pëzïshën ... rëzaïnd. — **5** raïting ... févë. — **6** koud ... ïnfëméshen. — **7** lèktchë ... ëneuf dîtélz. — **8** eulië. — **10** aïv hahd ... spair. — **11** soh pît.

3 La personne dont j'ai pris la place a démissioné le mois dernier.
4 Je comprends (peux comprendre) pourquoi, parce qu'il y a beaucoup de travail (à faire).
5 Je t'écris pour te demander un service.
6 Pourrais-tu m'obtenir des renseignements sur les syndicats?
7 J'ai dû (j'avais à) donner une conférence la semaine dernière et je n'ai pas pu trouver assez de détails.
8 J'aurais dû te le demander plus tôt, mais tu sais comment c'est.
9 Depuis que je t'ai vu la dernière [fois], rien de spécial (rien beaucoup) n'est arrivé.
10 Je travaille dur depuis un mois et j'ai eu si peu de temps libre!
11 J'ai vu Pete la semaine dernière. Tu sais, bien sûr, qu'il est marié.
12 En fait, il est marié depuis plus d'un an.

NOTES (continued)

I'm thoroughly enjoying myself : je m'amuse tout à fait; ou *I'm thoroughly bored :* je suis complément assommé.

(2) N'ayant pas de tutoiement (celui de notre traduction est fait pour mieux rendre le sens français) l'Anglais se sert des contractions dans les lettres pour indiquer la familiarité. **Ceci ne se fait pas dans les lettres d'affaires,** etc.

(3) *Since I last saw you* (depuis la dernière fois que je vous ai vu) est plus idiomatique que *since the last time I saw you. When you last came... :* quand vous êtres venu pour la dernière fois.
Quand « dernier » a le sens « le plus récent », on le traduit : *the latest.* Le dernier roman de Simenon : *Simenon's latest novel;* mais le dernier roman de Dickens : *Dickens' last novel.*
Rappelons que « depuis » se traduit par *for* pour une mesure (depuis combien de temps?) et *since* pour une situation (depuis quand?).

(4) *Spare :* supplémentaire. *A spare tire :* un pneu de secours. *Spare parts :* des pièces détachées.

(5) Puisqu'être marié n'est pas une action qui se fait continuellement (d'habitude), on n'utilise pas la forme progressive, mais le « present perfect » simple.

13 He **a**lways used to (**6**) say: "**Ma**rriage is a great insti**tu**tion,

14 but who wants to live in an insti**tu**tion?".

15 Look at him now! There's no more news, so i'll say good**bye**. **Loo**king **for**ward to (**7**) **hea**ring from you soon,

16 Your friend, George.

13 **oh**louéz ioustou ... **mà**rïdj ... ïnstï**tiou**shën. — **14** lïv. — **15** niouz ... **aï**l ... **fo**houëd ... **hî**rïng. — **16** frènnd, djohdj

---

EXERCISES

1 I used to like cakes when I was **youn**ger. — **2** I have been **wor**king hard since I last saw you. — **3** I hope he will be **a**ble to get some infor**ma**tion for me. — **4** She has only been to **Aus**tria once. — **5** She for**got** her purse, so she had to **bor**row some **mo**ney.

Fill in the missing words :

1 *Nous attendons avec impatience d'aller en vacances.*

We are . . . . to . . . . . on holiday.

2 *Studd, le peintre connu, vivait ici à une époque.*

Studd, the well- . . . . . painter . . . . here.

3 *L'homme dont la valise était volée s'appelle Sanders.*

The man . . . . . suitcase . . . . is . . . . . . Sanders.

13 Il disait toujours (avait l'habitude de dire) : « le mariage est une institution superbe,
14 mais qui veut vivre dans une institution? ».
15 Regarde-le (à lui) maintenant! Il n'y a plus de nouvelles, donc je vais [te] dire au revoir. En attendantd'avoir de tes nouvelles (écoutant) bientôt,
16 Ton ami, George.

NOTES (continued)

(**6**) *To use* [iouz] : utiliser, mais *used to* [ioust tou] : avait l'habitude de. *I used to smoke :* j'avais l'habitude de fumer.

(**7**) *To look forward to :* attendre avec impatience. *I'm looking forward to seeing you* (notez le « -ing » du second verbe) : J'attends le plaisir de vous voir. Formule très courante.

---

4 *Il travaille dans cette Société depuis trois ans.*

He . . . . for this company . . .

. . . .

5 *Où avez-vous mis le pneu de rechange? — Je ne m'en souviens pas.*

Where . . . . the . . . . . tire? — I

. . . .

EXERCICES

1 J'aimais [les] gâteaux quand j'étais plus jeune. — **2** Je travaille (ai été travaillant) dur depuis [la] dernière fois [que] je vous ai vu. — **3** J'espère [qu']il pourra obtenir des renseignements pour moi. — **4** Elle est allée seulement une fois en (à) Autriche. — **5** Elle a oublié son porte-monnaie, donc elle a dû emprunter de [l']argent.

Corrigé

1 looking forward - going. — **2** -known - used to live. — **3** whose - was stolen - called. — **4** has been working - for three years. — **5** did you put - spare. — don't remember.

Second wave: 45th Lesson

Ninety-fifth (95th) Lesson

A favour

1 — Oh is that George's **le**tter? I **hav**en't seen* him for a long time.

2 In fact, since (**1**) that **pa**rty last **year**. How is he?

3 — Oh he's fine. He needs some help with his new job.

4 — Yes, he's **wor**king in that school with a strange name.

5 — You mean* **Hun**gerford? It's a school that (**2**) has an **ex**cellent repu**ta**tion.

6 — How long has he been **tea**ching* there?

7 — For a month. Since a**no**ther **tea**cher re**sig**ned. He seems to be en**joy**ing him**self**.

8 — May I read* the **le**tter? — Of course. It's **o**ver there on top (**3**) of the tele**vi**sion.

9 — He **al**ways asks for infor**ma**tion which is **di**fficult to find.

10 — Not **re**ally. We've got lots of files at the **o**ffice.

11 — I hope he **does**n't ex**pect** you to write a book!

PRONUNCIATION :

1 djohdj'z. — **2** **pah**tï. — **3** faïn. — **4** stréndj. — **5** mîn **heun**gëfëd ... **è**ksëlënt rèpiou**té**shën. — **6** **tî**tchïng. — **7** rë**zaï**nd ... sîmz. — **8** mé aï ... tèlë**vï**zhën. — **9** faïnd. — **10** faïlz. — **11** ek**spèkt**.

Quatre-vingt-quinzième leçon

Une faveur

1 Oh, est-ce la lettre de George? Je ne l'ai pas vu depuis (un) longtemps.
2 En fait, depuis cette soirée l'année dernière. Comment va-t-il?
3 Oh, il va bien. Il a besoin d'aide avec son nouvel emploi.
4 Oui, il travaille (*prog.*) dans cette école au (avec un) nom étrange.
5 Tu veux dire Hungerford. C'est une école qui a une réputation excellente.
6 Depuis combien de temps (combien long) y travaille-t-il (a été travaillant)?
7 Depuis un mois. Depuis qu'un autre professeur a démissionné. Il semble s'y plaire.
8 Puis-je lire la lettre? — Bien sûr. Elle est là-bas sur (haut de) la télévision.
9 Il demande (pour) toujours des renseignements qui sont (est) difficiles à trouver.
10 Pas vraiment. Nous avons beaucoup de dossiers au bureau.
11 J'espère qu'il ne s'attend pas à ce que tu écrives (toi écrire) un livre!

NOTES

(1) *For a long time/Since last year* [voir leçon 91, n°(1)].

(2) Encore un rappel : *that* peut remplacer *which* et *who(m)* au relatif **sans rien changer au sens.**

(3) *Top :* le haut; *bottom :* le bas. *On top of the mountain :* en haut de la montagne. *At the bottom of the stairs :* en bas de l'escalier.

12 — No, just a few lines with the main points. It won't take* too long.

13 — I hope not. — **I**'ll start straight aw**ay** and I should be **fin**ished by (**4**) to**mor**row at the **la**test.

12 laïnz ... poïnts ... ouôhnt. — **13** strét ëoué ... shoud ... **lé**tëst.

EXERCISES

1 It should be **fin**ished by next week. — **2** It might rain to**mo**rrow. — Oh, I hope not. — **3** How long will it take to write a book. — **4** He seems to be **ma**king good **pro**gress. — **5** As **u**sual, **no**thing works in this house!

Fill in the missing words :

1 *Il y travaille depuis un mois. Depuis que George a démissionné.*

He . . . . there . . . a month.

. . . . . George . . . .

2 *Si vous partez tout de suite, vous arriverez d'ici neuf heures.*

If . . . ., you will arrive . . . . . . o'clock.

3 *Je ne comprends pas ce qu'il veut dire exactement.*

I . . . . . understand . . . . he . . . .

Second wave: 46th Lesson

12 Non, juste quelques lignes avec les points principaux. Ça ne prendra pas trop longtemps.
13 J'espère que non (pas). — Je commencerai tout de suite et je devrais avoir fini (être) d'ici (par) demain au plus tard.

NOTES (continued)

(**4**) *By,* ici, prend le sens de « d'ici » demain. *You must tell me by three o'clock :* vous devez me dire d'ici trois heures.

---

4 *Il ne s'attend pas à ce que tu écrives un livre. — J'espère que non.*

He doesn't . . . . . . you . . . . a book. —

. . . .

5 *Vous attendez depuis combien de temps? — Depuis une heure.*

. . . . have you . . . . waiting? — . . . an

hour.

EXERCICES

1 Ça devrait être fini d'ici [la] semaine prochaine. — **2** Il se peut qu'il pleuve demain. — Oh, j'espère [que] non. — **3** Combien de temps faudra-t-il (prendra) [pour] écrire un livre? — **4** Il semble faire [de] bons progrès. — **5** Comme d'habitude, rien [ne] marche dans cette maison

Corrigé

1 has been working - for - Since - resigned. — **2** you leave straight away - by nine. — **3** don't - what - means exactly. — **4** expect - to write - I hope not. — **5** How long - been - For.

Étudier une langue par la méthode « Assimil » n'est-il pas une distraction au moins aussi agréable que les mots croisés ou autres jeux d'esprit? Ou encore plus enrichissant que de regarder la télévision? Vous rendez-vous compte des progrès que vous avez faits **sans peine***?*

95th LESSON

Ninety-sixth (96th) Lesson

Health

1 Do you remember, in Lesson fifty seven, John had to see the doctor?

2 In England, you do not pay* the doctor or the hospital and you pay* only a small charge (1) for the dentist.

3 This is because of the National Health Service, which pays* all medical costs (2).

4 It is financed in part by contributions called National Insurance payments.

5 Every working man (3) or woman has to make* a single (4) National Insurance contribution every week.

6 It is the responsibility of the employer to make* sure that the payments are made.

7 He deducts a sum from the worker's wage or salary (5) and then adds his own contribution.

8 The rest of the money for the National Health Service comes* from general taxation (6).

PRONUNCIATION

2 pé ... **hos**pïtël ... tchahdj ... **dèn**tïst. — 3 **nash**nël hèlf **seu**vïs ... péz. — 4 **faï**nanst ... kontrï**biou**shënz ... in**shou**rënts **pé**mënts. — 5 **sïn**gël. — 6 èm**ploï**-ë ... shour. — 7 dë**deukts** ... ouédj ... ôhn. — 8 tak**sé**shën.

Quatre-vingt-seizième leçon

[La] santé

1 Vous rappelez-vous, dans [la] leçon 57, John avait dû (avait à) voir le docteur.
2 En Angleterre, vous ne payez pas le docteur ou l'hôpital et vous ne payez seulement qu'une petite somme pour le dentiste.
3 Ceci est dû (à cause) du Service National de la Santé, qui paie tous les frais médicaux.
4 Il est financé en partie par les contributions appelées : « Paiements d'Assurance Nationale ».
5 Chaque homme ou femme qui travaille (travaillant homme) doit (est obligé de) faire une contribution à l'(d')Assurance Nationale chaque semaine.
6 C'est la responsabilité de l'employeur de s'assurer (faire sûr) que les paiements soient faits.
7 Il déduit une somme des gages ou du salaire du travailleur et puis il ajoute sa propre contribution.
8 Le reste de l'argent pour le Service de Santé National vient des impôts (taxation générale).

NOTES

(1) *To charge :* faire payer. *They charged me thirty pence for a glass of water! :* Ils m'ont fait payer 30 p pour un verre d'eau! Donc *the charge* c'est la somme due. On voit sur les notes, en Angleterre, *Service charge 10 %.*

(2) *To cost :* coûter. Les frais médicaux : *medical costs.*

(3) On dit *a working man* pour un homme qui travaille et *a worker* pour un travailleur. *Workman :* ouvrier.

(4) *Single :* simple, une seule. *A single ticket :* un aller simple (l'aller-retour s'appelle : *a return ticket*). *She's single :* elle est célibataire.

(5) En anglais, nous faisons la différence entre *a wage,* qui est payé toutes les semaines (d'habitude en espèces), et *a salary,* qui est payé tous les mois. Le mot *income* égale « revenu » en français.

(6) *A tax :* un impôt. Les impôts (le système) se dit *taxation. A taxpayer :* un contribuable; *income tax :* les impôts sur le revenu. Des marchandises hors taxe : *duty*

9 Those whose **in**comes are too low can ob**tain** what is called Supple**men**tary **Ben**efit.

10 This is a **wee**kly allo**ca**tion and is **fi**nanced en**ti**rely by **gen**eral ta**xa**tion.

11 The State also pays* "**pen**sions" to **pe**ople in re**ti**rement (**7**).

12 These **pe**ople are known* as "**se**nior **ci**tizens".

13 So, when you go to the **doc**tor's or, for **som**ething more **se**rious, the **hos**pital,

14 you do not have to **wo**rry **about** the cost.

9 ïnnkeumz ... seuplëmènntrï bènëfït. — 10 ouîklï allëkéshën ... entaï-ëlï. — 11 stét ... pènshënz ... rëtaï-eumënt. — 12 nôhn ... sînïeu. — 13 sîrieus. — 14 oueurï.

EXERCISES

1 Be**cause** of fog, the plane will be de**layed**. — 2 Old **pe**ople, known as "**se**nior **ci**tizens", re**ceive pen**sions. — 3 Is his **ill**ness **se**rious **doc**tor? — I hope not. — 4 Make sure that the bed is made be**fore go**ing out. — 5 The **per**son whose **in**come is too low can ob**tain** a **wee**kly allo**ca**tion.

9 Ceux dont les salaires sont trop bas peuvent obtenir ce qui est appelé : « Bénéfice supplémentaire ».
10 C'est une allocation hebdomadaire et qui est financée entièrement par les impôts.
11 L'Etat paie aussi des retraites (pensions) aux gens à la (dans) retraite.
12 Ces gens s'appellent (sont connus comme) les « citoyens seniors ».
13 Donc, lorsque vous allez chez le (au) médecin ou, pour quelque chose de plus grave, à l'hôpital,
14 vous n'avez pas à [vous] inquiéter du coût.

NOTES (continued)

free goods. La T.V.A. se dit *V.A.T.* en anglais (*value added tax*).

(7) *To retire :* prendre sa retraite. *In retirement* (ou *retired*) : à la retraite.

EXERCICES

1 A cause du brouillard, l'avion sera retardé. — **2** [Des] personnes âgées (vieilles), appelées (connues comme) « citoyens seniors », reçoivent [des] pensions (retraite). — **3** Est-ce grave sa maladie, docteur? — J'espère [que] non. — **4** Assurez-vous (faites sûr) que le lit soit fait avant [de] sortir. — **5** La personne dont le revenu est trop bas peut obtenir une allocation hebdomadaire.

Fill in the missing words:

1 *L'homme dont la voiture a été volée peut la retrouver au commissariat.*

The man . . . . . car has . . . . can find it . . the police-station.

2 *Vous n'êtes pas obligé de faire le service militaire en Angleterre.*

You . . . . do . . . . in England.

3 *Assurez-vous que les portes soient bien fermées à clef avant de sortir.*

. . . . that . . . . are locked . . . .

4 *N'allez-vous pas voir cette nouvelle pièce de théâtre?*

. . . . . . you going . . . . . that . . . . ?

5 *A qui est la responsabilité?*

. . . . . is the . . . .

Ninety-seventh (97th) Lesson

1 Learn this **les**son as **u**sual, then **an**swer the **fol**lowing **ques**tions with the help of the pre**ce**ding **les**son.
2 How much did **Da**vid have to pay* the **doc**tor when he was ill?
3 What does **Na**tional Health **Ser**vice mean*?
4 How is the **Na**tional Health **Ser**vice **fi**nanced?
5 Whose (**1**) responsi**bi**lity is the **wee**kly contri**bu**tion?
6 Who has to make* **Na**tional In**su**rance contri**bu**tions?
7 Does the em**plo**yer pay* **any**thing?
8 Who re**ceives** Supple**men**tary **Be**nefit?
9 Who are **se**nior **ci**tizens?

Corrigé

1 whose - been stolen - at. — **2** do not have to - military service. — **3** Make sure - the doors - before going out. — **4** Aren't - to see - new play. — **5** Whose - responsibility?

A bird in the hand is worth two in the bush (boush) : *un bon tiens vaut mieux que deux tu l'auras (un oiseau dans la main vaut deux dans le buisson).*

Et nous avons trouvé cette variante amusante du proverbe, dite par Mae West : **A man in the house is worth two in the street.**

Second wave: 47th Lesson

Quatre-vingt-dix-septième leçon

1 Apprenez cette leçon comme d'habitude, puis répondez aux questions suivantes avec l'aide de la leçon précédente.
2 Combien David dut-il payer au (le) médecin quand il était malade?
3 Que veut dire « National Health Service »?
4 Comment le N.H.S. est-il financé?
5 Qui est responsable de la contribution hebdomadaire?
6 Qui doit contribuer à l'Assurance Nationale?
7 Est-ce que l'employeur paie quelque chose?
8 Qui reçoit le bénéfice supplémentaire?
9 Qui sont les citoyens seniors?

PRONUNCIATION : 1 azi**ou**zhël. — **3** **na**shnël ... mîn. — **4** hèlf. — **5** **ouî**klï kontrï**biou**shën. — **6** in**shou**rënts. — **7** èm**ploï**-ë. — **8** rë**sîvz**. — **9** **sî**nïeu.

NOTES

(1) *Whose* dans le sens de à qui (est)?

10 Two little boys who were visiting the British Museum stopped to look at an Egyptian mummy.

11 The mummy was covered with bandages and had a sign with 1215 B.C. (2) (one thousand two hundred and fifteen) around its (3) neck.

12 — I wonder (4) what that sign means*, said one of the boys.

13 — That must be the number of the car which knocked him over (5), replied his friend.

10 ëdjïpshën meumï. — 11 keuvëd ... banndëdjëz ... saïn ... faouzënd ... fïftîn bî sî (B.C.) ëraound. — 12 oueundë. — 13 nokt ... ôhvë.

EXERCISES

1 Our phone was broken and we couldn't receive any calls. — 2 We'd offer to help if it wasn't useless. — 3 You should have paid the man straight away. — 4 If she did her hair differently she could look nice. — 5 I might not pay my contribution this week.

Fill in the missing words :

1 *Si nous faisons une soirée la semaine prochaine, qui pourra venir?*

If we . . . . a party . . . ., who . . . .

. . . .?

10 Deux petits garçons qui visitaient (*prog.*) le British Museum s'arrêtèrent pour regarder (à) une momie égyptienne.
11 La momie était couverte de bandeaux et avait un écriteau (signe) autour du cou avec « 1215 B.C. »
12 Je me demande ce que cet écriteau veut dire, dit un des garçons.
13 Ça doit être le numéro de la voiture qui l'a écrasé, répondit son ami.

NOTES (continued)

(**2**) B.C. [bî sî] : *Before Christ* (avant Jésus-Christ). Nous trouvons également A.D. pour les dates après la naissance du Christ (latin : *Anno Domini*).

(**3**) Comme une momie n'a pas de sexe (en évidence du moins!) on est obligé d'utiliser le possessif neutre *its*.

(**4**) *To wonder :* se demander; *wonderful :* merveilleux.

(**5**) *To knock :* frapper (à la porte, etc.). *To knock over :* faire tomber en frappant; ici écraser.

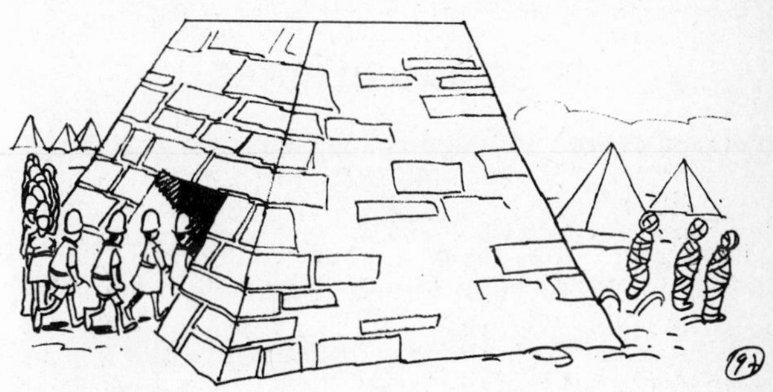

EXERCICES

1 Notre téléphone était en panne (cassé) et nous ne pouvions recevoir aucun (quelque) appel. — **2** Nous [nous] proposerions [d']aider si ce n'était inutile. — **3** Vous auriez dû payer l'homme tout de suite. — **4** Si elle (faisait ses cheveux) se coiffait autrement, elle pourait être (regardée) jolie. — **5** Il se peut que je ne paie pas ma cotisation cette semaine.

2 *Pourriez-vous me dire ce que « weekly contribution » veut dire?*

. . . . . you . . . . me . . . . "weekly contribution" . . . . . ?

3 *A cause de la pluie, le match a été annulé.*

. . . . the . . . . , the match . . . . cancelled.

4 *Dois-je payer quelque chose pour le service?*

. . . . I pay . . . . for the . . . . ?

Ninety-eighth (98th) Lesson

REVISION AND NOTES

Notes à relire : 92e leçon : (3) - **93e :** (4) - **94e :** (3), (6) - **95e :** (1), (2) - **96e :** (4) - **97e :** (3).

1 You want me to go : vous voulez que j'aille (parte). — Notez cette formule particulière qui vous évite le subjonctif (très peu usité en anglais). Le « truc », c'est de ne **jamais traduire le « que »** et le reste vient tout seul.

On l'appelle « accusatif et infinitif », le pronom étant l'accusatif (les noms propres ne peuvent changer, bien sûr). *I prefer him to tell me :* je préfère qu'il me le dise. *Do you want him to shut the window :* voulez-vous qu'il ferme la fenêtre?

Comme nous vous disons souvent : laissez-nous vous guider, la pratique fera le reste!

5 *La bouteille était couverte de poussière et avait des toiles d'araignée autour du goulot.*

The bottle was . . . . dust and . . .

cobwebs . . . . . . the neck.

Corrigé

1 gave/had - next week - will be able to come. — **2** could - tell - what - means. — **3** Because of - rain - has been. — **4** Must - anything - service. — **5** covered with - had-around.

Second wave: 48th Lesson

Quatre-vingt-dix-huitième leçon

2 Myself, yourself. — Vous savez déjà que le réfléchi est utilisé seulement pour éviter une confusion éventuelle. Je ferai ceci moi-même : *I'll do this myself.* Demandez-lui vous-même : *ask him yourself.* Servez-vous : *help yourselves* (plus d'une personne).

Attention avec les personnes du pluriel : ils se voient toutes les semaines : *they see* **one another** *each week.* Nous nous parlons : *we talk to one another* (*we talk to ourselves* voudrait dire que chacun se parle à lui-même).

3 La forme progressive (revenons-y) ne s'emploie pas pour une action habituelle mais pour ce qui est en train de se faire, ou déjà commencé en intention. Que fait-elle? — Elle est sténodactylo : *what does she do? — She's a shorthand typist* [shoht-hand taï-pist].

Au passé, le progressif indique une action qui a duré un certain temps (qui correspond souvent à l'imparfait français). *He was working when the telephone rang :* il travaillait quand le téléphone sonna.

4 N'est-ce pas. — Une règle : si la question est au positif, le n'est-ce pas est au négatif et vice versa.

Quelques exemples : *She's upstairs, isn't she?* (elle est en haut n'est-ce pas?) *She isn't upstairs, is she?* (elle n'est pas en haut n'est-ce pas?) *He wants this, doesn't he?* (il veut ceci, n'est-ce pas?) *They don't want this, do they?* (ils ne veulent pas ceci n'est-ce pas?) *He won't come, will he?* (il ne viendra pas n'est-ce pas?) *You will come, won't you?* (vous viendrez n'est-ce pas?) *We can't help you, can we?* (nous ne pouvons pas vous aider n'est-ce pas?) *They shouldn't go, should they?* (ils ne devraient pas partir n'est-ce pas?) *He would accept, wouldn't he?* (il accepterait, n'est-ce pas?).

5 *Whose is this handbag? :* à qui est ce sac à main? *Whose responsibility is it? :* à qui est la responsabilité? *The man whose car is outside :* l'homme dont la voiture est dehors. Le monsieur dont le fils est médecin : *the gentleman whose son is a doctor* (*whose* est utilisé pour les choses animées et les êtres).

6 To wonder; veut dire littéralement : s'émerveiller, d'où *wonderful :* merveilleux. Mais son sens le plus usuel est : « se demander ». *I wonder if she is happy :* je me demande si elle est heureuse?

7 To look forward to : attendre avec impatience. *We're looking forward to our holidays :* nous attendons nos vacances avec impatience. *I look forward*

to hearing from you : j'attends le plaisir de vous lire (entendre).
(*Forward* veut dire littéralement « en avant »).

8 Locutions à bien retenir. — 1 *I want you to come straight away.* — 2 *She doesn't like waiting.* — 3 *I stopped smoking last week.* — 4 *We can't bear him.* — 5 *I feel sorry for you.* — 6 *Since I last saw you.* — 7 *We used to like him.* — 8 *I'll be finished by tomorrow.* — 9 *He charged me ten pounds.* — 10 *I wonder if he's better.*

9 Traduction. — 1 Je veux que vous veniez tout de suite. — 2 Elle n'aime pas attendre. — 3 J'ai arrêté de fumer la semaine dernière. — 4 Nous ne pouvons pas le supporter. — 5 Je vous plains. — 6 Depuis la dernière fois que je vous ai vu. — 7 Nous l'aimions à une époque. — 8 J'aurai (je serai) fini d'ici demain. — 9 Il m'a fait payer 10 livres. — 10 Je me demande s'il va mieux.

Second wave: 49th (revision) Lesson

Ninety-ninth (99th) Lesson

Emergency...!

1 — The **nin**ety ninth **les**son re**minds** (**1**) me of the po**lice**.

2 — Why? — Be**cause**, if there is an e**mer**gency and you need the po**lice**

3 or an **am**bulance or the **fire**-bri**gade**,

4 you **sim**ply **di**al nine-nine-nine (**2**). The **o**perator re**plies** im**me**diately :

5 — E**mer**gency. Which **ser**vice do you re**qui**re?

6 — Ex**cuse** me, I'm a **for**eigner (**3**). Could you show me how to use the phone?

7 — Of course, sir. Have you got your **num**ber?

8 If not, we can look it up (**4**) (**N. 1**) in the di**rec**tory.

9 Right. Now first, you lift the re**cei**ver and wait for the tone.

10 Next, you **di**al your **num**ber and wait un**til** it rings.

11 You must have two pence **rea**dy.

12 When the **per**son **an**swers, you push your coin **in**to (**5**) the slot and talk.

PRONUNCIATION :

1 naïntï naïnf ... rë**maïndz.** — **2** ë**meu**djënsï ... pl**ïs.** — **3 amm**bioulëns ... **faï**eu brï**géd**. — **4 daï**-ël ... **oh**përétë ... ïm**î**dïëtlï. — **5** rï**kouaï**-eu. — **6 for**ënë. koud ... iouz ... fôhn. — **8** daï**rèk**tërï. — **9** raït ... rë**sî**vë ... ouét ... tôhn. — **10 daï**-ël. — **11** pènns **rè**dï. — **12 ahn**sëz ... poush ... koïn.

Quatre-vingt-dix-neuvième leçon

Urgence...!

1 La 99e leçon me rappelle (de) la police.
2 Pourquoi? — Parce que, s'il y a une urgence et [que] vous ayiez besoin de la police
3 ou d'une ambulance ou des pompiers (brigade de feu),
4 vous composez simplement le 999. L'opératrice répond immédiatement :
5 Urgence. (Le)quel service voulez-vous (requérez-vous)?

6 Excusez-moi, je suis (un) étranger. Pourriez-vous me montrer comment utiliser le téléphone?
7 Bien sûr, Monsieur. Avez-vous votre numéro?
8 Sinon, nous pouvons le chercher (regarder en haut) dans l'annuaire.
9 Bien. Alors (maintenant) d'abord, vous soulevez le combiné (récepteur) et attendez la tonalité.
10 Ensuite (prochain), vous faîtes votre numéro et attendez jusqu'à ce que ça sonne.
11 Vous devez avoir deux pence prêts.
12 Quand la personne répond, vous enfoncez (poussez dedans) votre pièce dans la fente et vous parlez.

NOTES

(1) *To remind :* rappeler quelque chose à quelqu'un. *This reminds me of him :* ceci me rappelle de lui. *Please remind me to post the letter :* rappelez-moi de poster la lettre s'il vous plaît.
To remember : se rappeler, se souvenir. *I remember, when I was young :* je me rappelle quand j'étais jeune.

(2) *A dial :* un cadran; *to dial :* faire un numéro de téléphone (les numéros « s'épellent » en anglais).

(3) *A stranger :* un étranger (qu'on ne connaît pas); *a foreigner :* quelqu'un d'un autre pays; *a foreign car :* une voiture étrangère; *a strange car :* une voiture étrange, bizarre.

(4) *To look at :* regarder; *to look for :* chercher. *To look up :* chercher dans un dictionnaire, un annuaire.

(5) *To push :* pousser; *to push into* enfoncer dans.

13 You see? It's not at all **com**plicated.
14 — Yes, I see. **Thank**you, you're very kind.
15 — Not at **all.** Good**bye.**

14 kaïnd. — **15** notat**ohl**.

EXERCISES

1 This **pho**tograph re**minds** me of my home town. — **2** **Di**al your **num**ber and wait for the tone. — **3** Push your coin **in**to the slot and speak. — **4** Please ex**cuse** me, I'm a **for**eigner. — **5** Could you show me how to use it?

Fill in the missing words :

1 *Pouvez-vous vous rappeler où vous avez mis mon portefeuille?*

. . . you . . . . you . . . my my wallet?

2 *Il paraît que je lui rappelle son petit-fils.*

It . . . . . that I . . . . his grand-son.

3 *J'avais besoin d'un tournevis mais j'ai dû utiliser un couteau.*

I . . . . . . a screwdriver but I . . . . a . . . . .

4 *Il utilise le même stylo depuis presque dix ans.*

He . . . . the . . . . pen . . . almost ten years.

13 Vous voyez? Ce n'est pas du tout compliqué.
14 Oui, je vois. Merci, vous êtes très gentil.
15 Pas du tout. Au revoir.

5 *Avez-vous l'adresse? Sinon, on peut demander à quelqu'un.*

. . . . the address? . . . . . we can

. . . .

EXERCICES

1 Cette photographie me rappelle ma ville natale. — **2** Composez votre numéro et attendez la tonalité. — **3** Enfoncez votre pièce dans la fente et parlez. — **4** Veuillez m'excuser, je suis (un) étranger. — **5** Pouvez-vous me montrer comment l'utiliser?

Corrigé

1 Can - remember where - put. — **2** seems - remind him of. — **3** needed - had to use - knife. — **4** has been using - same - for. — **5** Have you got/do you have - If not - ask someone/somebody.

Don't forget to practise the irregular verbs.

Second wave: 50th Lesson

Hundredth (100th) Lesson

1 This is our **hun**dredth **les**son. If you have spent* an **av**erage of half an hour, revision in**clu**ded,

2 on each of the pre**ce**ding ones, it makes* a **to**tal of **near**ly **fif**ty **hour**s.

3 Are you pleased with the re**sult** of your work?

4 **Ob**viously, you do not know* by heart **ev**ery word and **ev**ery (**1**) ex**press**ion we have seen: that would be too **per**fect.

5 **Lear**ning* a **for**eign **lan**guage is a **mat**ter (**2**) of **pa**tience, **reg**ular **dai**ly repe**ti**tion—and **op**timism (**3**).

6 **Some**body once said that **Eng**lish was like Mount **Ev**erest:

7 be**cause** **ac**cess is **ea**sy, but the **sum**mit is im**poss**ible to reach.

8 We think* this is wrong be**cause** **no**body speaks* his own **lan**guage **per**fectly.

9 You must try, by **reg**ular **prac**tice, to climb as high as you want, un**til** you feel* **com**-fortable.

10 But be **care**ful! In **or**der (**4**) not to fall*, you must **prac**tise as **of**ten as **poss**ible.

PRONUNCIATION :

1 heundrëf ... **av**rïdj ... rï**vï**zhën. — **2** îtch ... prï**sî**dïng ... **tôh**tël ... **aou**euz. — **3** plîzd ... rë**zeult**. — **4 ob**viëslï ... haht ... eks**prèsh**ën ... ououd. — **5 for**ën ... **pé**shënts ... rèpë**tî**shën ... **op**tïmïzëm. — **6** maount **è**vërëst. — **7 ak**sès ... **seu**mït ... rîtch. — **8** rong. — **9** traï ... klaïm ... haï ... fîl **keum**ftëb'l. — **10 kair**fël ... **oh**dë ... fohl ... **of**ën. —

Centième leçon

1 Ceci est notre centième leçon. Si vous avez passé (dépensé) une moyenne de une demi-heure, révision incluse,
2 sur chacune des leçons précédentes, cela fait un total de presque cinquante heures.
3 Êtes-vous content du (avec le) résultat de votre travail?
4 Évidemment, vous ne savez pas par cœur tous les mots et toutes les expressions que nous avons vus : ça serait trop parfait.
5 Apprendre une langue étrangère est une question (matière) de patience, de répétition quotidienne régulière — et d'optimisme.
6 Quelqu'un a dit une fois que l'anglais est comme le mont Everest :
7 parce que l'accès [en] est facile, mais [que] le sommet est impossible à atteindre.
8 Nous pensons que ceci est faux parce que personne ne parle sa propre langue parfaitement.
9 Vous devez essayer, par la pratique régulière, de grimper aussi haut que vous [le] voulez, jusqu'à ce que vous vous sentiez bien (confortable).
10 Mais faites attention (soyez)! Pour ne pas tomber, vous devez vous exercer aussi souvent que possible.

NOTES

(1) « Chaque », peut se dire *each* ou *every*. *Each* a plutôt le sens de « chacun », alors qu'*every* est plus général et signifie plutôt « tout » ou « tous ».

(2) *A matter* est non seulement la matière, mais aussi une affaire, une question. *It's a matter of time :* c'est une question de temps. *What's the matter? :* qu'y a-t-il?

(3) Les mots qui se terminent en « -ism » en anglais ont une syllabe de plus dans la prononciation : **op**tïmïsëm. *Communism :* komiounisëm, etc.

(4) *An order :* une commande, un ordre; *in order to :* afin de.

Too many cooks spoil the broth : trop de cuisiniers gâchent le bouillon (en France : gâtent la sauce).

11 You will learn new words and ex**press**ions and for**get*** them, and learn them **again** and for**get*** them once more.
12 But you are **mak**ing* **pro**gress. Com**pare** what you know* now with what you knew* three months **ago.**
13 The **har**dest and most **te**dious part of your work is done; be**fore** long, you will speak* **flu**ently.
14 But re**mem**ber: in **or**der to stay on the **moun**tain, you need **dai**ly **prac**tice.

11 fëgèt. — 12 këm**pair** ... nôh naou. — 13 tîdïëus ... deun. — 14 sté.

EXERCISES

1 You **can**not learn all the vo**ca**bulary by heart. — 2 **No**body here speaks Chi**nese.** — 3 Sit down on the **so**fa. Are you **com**fortable? — 4 You must work in **or**der to earn **mo**ney. — 5 Be **care**ful not to fall. That wall is very high.

Fill in the missing words :

1 *Jusqu'à ce que vous puissiez parler couramment l'anglais, lisez-en tous les jours.*

. . . . . you . . . speak English . . . . , read . . . . day.

2 *Mangez tant que vous voulez; il y en a d'autre.*

Eat . . . . you want; . . . .

3 *Il faut faire très attention afin de ne pas tomber.*

You . . . . be very . . . . in . . . . fall.

11 Vous apprendrez de nouveaux mots et expressions et les oublierez (oubliez), et les rapprendrez et les oublierez une fois de plus.
12 Mais vous faites (*prog.*) des progrès. Comparez ce que vous savez maintenant avec ce que vous saviez il y a trois mois.
13 La partie la plus dure et la plus ennuyeuse de votre travail est faite; avant longtemps, vous parlerez couramment.
14 Mais rappelez-vous : pour rester sur la montagne, vous avez besoin de la pratique quotidienne.

4 *Je suis très content du travail de mon fils.*

I am very . . . . my . . . .

5 *Il se peut qu'il ait tort, mais je ne le pense pas.*

He . . . ., but I . . . .

so.

EXERCICES

1 Vous ne pouvez apprendre tout le vocabulaire par cœur. — 2 Personne ici [ne] parle [le] chinois. — 3 Asseyez-vous sur le divan. Êtes-vous bien (confortable)? — 4 Vous devez travailler afin de gagner [de l']argent. — 5 Faites attention (soyez prudent) [de] ne pas tomber. Ce mur est très haut.

Corrigé

1 Until - can - fluently - some every. — 2 as much as - there is more. — 3 must - careful - order not to. — 4 pleased with - son's work. — 5 might be wrong - don't think.

Second wave: 51st Lesson

Hundred and first (101st) Lesson

Some stories

1 *Confirmed* **ba***chelor* (**1**). — Be**lieve** me, all **wo**men are silly; I have only met* one in**tel**ligent **wo**man in my whole life.
2 — Why **did**n't you **mar**ry her then?
3 — I asked her, but she re**fu**sed me.

---

4 **Bar***ber :* — Have I shaved you be**fore** sir?
5 **Cus***tomer.* — No, I got those scars **du**ring the war.

---

6 — **Lis**ten, **To**mmy, if you **pro**mise **ne**ver to say that rude word **again**, I will give* you ten pence.
7 — Oh, I know* a**noth**er that is worth at least **fif**ty pence!

---

8 The **ma**nager of a large firm (**2**) **cri**ticised an emplo**yee** for his ine**ffi**ciency.
9 The emplo**yee** was so an**noyed** that he **star**ted **cri**ticising the way in which the **com**pany was run* (**3**).
10 — Are you the **ma**nager of this **com**pany? the **ma**nager asked him **fu**riously.

PRONUNCIATION :

1 kën**feu**md **bà**tchëlë. bë**lîv** ... **ouï**mïn ... **ouou**mën ... hôhl laïf. — 2 **dï**dënt. — 3 rë**fiou**zd. — 4 **bah**bë ... shévd. — 5 **keus**tëme ... skahz ... ouoh. — 6 **lï**sën ... roud. — 7 oueuf. — 8 **mà**nëdjë ... feum **krï**tïsaïzd ... èmmploï-î ... ïnë**fï**shënsï. — 9 ë**noïd** ... **keum**pënï. — 10 **fiou**rieuslï.

Cent-unième leçon

Des histoires

1 [Le] célibataire endurci (confirmé). — Croyez-moi, toutes les femmes sont bêtes; j'ai rencontré seulement une femme intelligente dans ma vie entière.
2 Pourquoi ne l'avez-vous pas épousée alors?
3 Je lui ai demandé, mais elle (m')a refusé.

---

4 *Le coiffeur.* — Vous ai-je déjà rasé (avant) monsieur?
5 *Le client.* — Non, j'ai eu ces cicatrices pendant la guerre.

---

6 Écoute Tommy, si tu promets de ne jamais redire ce mot vulgaire, je te donnerai 10 p.
7 Ah, j'en connais un autre qui vaut au moins 50 p.!

---

8 Le directeur d'une grande société critiqua un employé pour son inefficacité.
9 L'employé était tellement fâché qu'il commença à critiquer la façon dont la société était dirigée (courue).
10 Êtes-vous le directeur de la société? lui demanda le directeur furieusement.

NOTES

(1) Nous avons vu l'adjectif *single.* Un célibataire se dit *bachelor* et une célibataire est *spinster.* Malheureusement ce mot a le même sens « péjoratif » que vieille fille et l'on préfère *single woman.*

(2) *A firm, a company,* signifient une firme, une société; mais *a society* est une association.

(3) *To run :* courir; *to run a company :* diriger une société.

11 — Of course not, said the employee.
12 — Then don't talk like a fool! shouted the manager.

---

13 A pessimist reminds us that a cup is half empty
14 and an optimist reminds us that it is half-full.

12 foul! shaoutëd. — 13 rëmaïndz.

EXERCISES

1 He was so angry, he started shouting. — 2 How much is your Swiss watch worth? — 3 He was criticised for his inefficiency. — 4 He speaks English like an Englishman. — 5 Weren't you supposed never to say that word?

Fill in the missing words :

1 *Et si nous buvions un verre de whisky? — Non merci, je n'en veux pas.*

. . . . a glass of whisky — No thankyou

. . . .

2 *Pourquoi ne m'aviez-vous pas dit que vous jouiez aux échecs?*

. . . . you . . . . me . . . . you played

. . . . .?

3 *Ça ne vaut pas la peine d'essayer, vous ne gagneriez pas.*

It . . . ., you . . . . . not

. . .

11 Bien sûr [que] non, dit l'employé.
12 Alors ne parlez pas comme un sot! cria le directeur.

---

13 Un pessimiste nous rappelle qu'une tasse est [à] moitié vide.
14 et un optimiste nous rappelle qu'elle est [à] moitié pleine.

4 *Veuillez le remercier de sa gentillesse.*

Please . . . . . him . . . his kindness.

5 *Je vous remercie infiniment. — De rien.*

Thankyou . . . . much . . . . . . — Not . . . . .

EXERCICES

1 Il était tellement fâché [qu']il a commencé [à] crier. — **2** Combien vaut votre montre suisse? — **3** Il fut critiqué pour son incompétence. — **4** Il parle l'anglais comme un Anglais. — **5** N'étiez-vous pas supposé [de ne] dire jamais ce mot?

Corrigé

1 How about - I don't want one/any. — **2** Why didn't - tell - that - chess. — **3** isn't worth trying - would - win. — **4** thank - for. — **5** very - indeed - at all.

Second wave: 52nd Lesson

Hundred and second (102nd) Lesson

1 Outside the art **gal**lery:
— I liked that exhi**bi**tion very much,
2 es**pe**cially the **mo**dern **pain**ting of a man on a horse.
3 — How do you know* it was a man on a horse?
4 — Well, it was **ob**vious, **was**n't it?
5 — In that case, it **cou**ldn't have been a **mo**dern **pain**ting.

---

6 A **mo**ther had just **scol**ded her son and he **star**ted **cry**ing.
7 At that (**1**) **mo**ment, his **fa**ther came* in.
8 — What's the **mat**ter with you? he asked.
9 The child **tur**ned his back and said **no**thing.
10 — Come on! (**2**), said his **fa**ther, tell **Da**ddy.
11 The son turned round:
— If you must know, I've just had an **ar**gument with your wife!

---

12 *Em***ploy***er.* — We're **loo**king for **some**one who is **us**ed to (**3**) **or**dering men.
13 *Man.* — In that case, you want my wife.

---

14 Do not for**get*** to learn a few ir**reg**ular verbs from time to time.

PRONUNCIATION :

1 aout**saïd** ... èksï**bï**shën. — 2 ëspè**sh**ëlï. — 4 **ob**viës ... ouo**z**ënt ït. — 5 **kou**dënt. — 6 **skol**dëd ... **craï**-ïng. — 7 **môh**mënt. — 8 **mà**të ... ahskt. — 9 **teu**nd. — 10 sed ... **da**ddï. — 11 **ah**gioumënt. — 12 emm**ploï**-eu ... **ious**tou. — 14 fë**gèt** ... taïm.

Cent-deuxième leçon

1 A l'extérieur d'une galerie [d']art : J'ai beaucoup aimé cette exposition,
2 surtout le tableau (peinture) moderne d'un homme à (sur un) cheval.
3 Comment savez-vous que c'était un homme sur un cheval.
4 Bien, c'était évident, n'est-ce pas?
5 Dans ce cas, ça ne serait pas (n'aurait pas pu être) un tableau (une peinture) moderne.

---

6 Une mère venait de (avait juste) gronder son fils et il commença à pleurer.
7 A ce moment, son père entra (dans).
8 Qu'est-ce que tu as? demanda-t-il.
9 L'enfant tourna le (son) dos et ne dit rien.
10 Allons dit son père, dis à papa.
11 Le fils se retourna : Si tu veux (dois) savoir, je viens (j'ai juste) d'avoir une dispute avec ta femme!

---

12 *L'employeur.* — Nous cherchons (*prog.*) quelqu'un qui a l'habitude de commander les hommes.
13 *L'homme.* — Dans ce cas, vous voulez ma femme.

---

14 N'oubliez pas d'apprendre quelques verbes irréguliers de temps en temps.

NOTES

(1) Ce, cette, se disent *that* au passé.

(2) *Come on! go on! :* va-donc! vas-y! allons! *To go on :* continuer.

(3) *I'm used to* [ioust tou] : j'ai l'habitude de... *He's used to working hard :* il a l'habitude de travailler dur.
Remarquez que cette forme (avec *to look forward to...*) est une exception car c'est la seule occasion où l'on trouve *-ing* après *to.*

EXERCISES

1 It could have been **Da**vid, but I'm not sure. — 2 I've just **fin**ished **break**fast, so I'm not **hun**gry. — 3 How old was she last **bir**thday? I don't like to ask — 4 I heard a **sym**phony by **Mo**zart on the **ra**dio. — 5 What's the **mat**ter with you? — I'm **afraid** I've got a cold.

Fill in the missing words :

1 *Elle venait de finir de parler lorsque le téléphone a sonné.*

She . . . . speaking . . . .

the phone . . . .

2 *Ne vous inquiétez pas, j'ai l'habitude de conduire à droite.*

Don't . . . . . , I . . . . driving . .

. . . .

3 *Il prenait des photos pour un livre qu'il avait écrit.*

He . . . . photos . . . a book he . . .

. . . .

4 *Je pensais qu'il était romancier. — Pas du tout, c'est un photographe.*

I . . . . he was . novelist. — . . . . . all,

. . . . . photographer.

5 *Ça n'aurait pas pu changer quoi que ce soit.*

That . . . . changed . . . .

EXERCICES
1 Ça aurait pu être David, mais je n'en suis pas sûr. — **2** Je viens de (j'ai juste) finir [le] petit déjeuner, donc je n'ai (suis) pas faim. — **3** Quel âge avait (était)-elle [à son] dernier anniversaire? Je n'aime pas [le] demander. — **4** J'ai entendu une symphonie de (par) Mozart à la radio. — **5** Qu'avez-vous. — Je crains [d']avoir un rhume.

Corrigé

1 had just finished - when - rang. — **2** worry - am used to - on the right. — **3** was taking - for - had written. — **4** thought - a - Not at - He's a. — **5** could not have - anything.

One man's meat is another man's poison : la viande de l'un (homme) et le poison de l'autre (ce qui est valable pour une personne n'est pas toujours valable pour tout le monde).

Second wave: 53rd Lesson

Hundred and third (103rd) Lesson

1 An Englishman uses an average of one thousand words in his spoken vocabulary.

2 His reading vocabulary is much larger —between three and four thousand,

3 but many of these words are not used in everyday (1) communication (2).

4 When you come* to the end of this course (3), you will be able to use about three thousand English words.

5 The English vocabulary is composed of roughly 50% (fifty per cent) Latin words and 50% Germanic ones,

6 so there are often two words to describe the same thing,

7 but don't worry! only those who do* crossword puzzles, or play word-games, know* the thousands of unusual words in the language.

8 English also "adopts" words very easily, so that often people do not realise that they are foreign words,

9 so all nationalities feel* at home speaking English!

PRONUNCIATION :

1 àvrïdj ... spôhkën. — 2 rîdïng. — 3 iouzd ... èvrïdé këmiounïkéshën. — 4 kohs ... iouz. — 5 reuflî ... pësènnt. — 6 ofën. — 7 peuzëlz ... faouzendz ... euniouzhël. — 8 rîëlaïz ... fohrën. — 9 nashnalitîz.

Cent-troisième leçon

1 Un anglais utilise une moyenne de mille mots dans son vocabulaire parlé.
2 Son vocabulaire de lecture est beaucoup plus important — entre trois mille et quatre mille mots.
3 Mais beaucoup de ces mots ne sont pas utilisés dans la communication de tous les jours.
4 Quand vous arriverez (venez à) la fin de ce cours, vous pourrez utiliser environ trois mille mots anglais.
5 Le vocabulaire est composé d'à peu près 50 % [de] mots latins et 50 % [de] mots germaniques;
6 aussi, il y a souvent deux mots pour nommer la même chose,
7 mais ne vous inquiétez pas! seuls ceux qui font [des] mots-croisés, ou jouent aux jeux d'esprit (de mots), connaissent les milliers de mots insolites dans la langue.
8 [L']anglais « adopte » aussi [des] mots très facilement, alors souvent [les] gens ne [se] rendent pas compte qu'ils sont des mots étrangers,
9 alors toutes [les] nationalités [se] sentent à l'aise (chez eux) [en] parlant anglais.

NOTES

(1) *Daily :* quotidien; *everyday :* de tous les jours.

(2) Rappelons que les mots qui se terminent en « -ion » sont accentués sur l'avant-dernière syllabe.

(3) *A course :* est une série de leçons; un cours se traduit par : *a lesson.*

10 — **Doc**tor, tell* me **fran**kly what is wrong with me: not in **La**tin or Greek, but in **sim**ple, plain words.

11 — There is **no**thing wrong with you; you are a **drun**kard and a **glu**tton.

12 — Oh! Well say it in **La**tin and Greek, so I can tell* my wife!

10 ronng ... plén. — 11 **dreun**këd ... **gleu**ttën.

EXERCISES

1 Both ideas are interesting, but the first one is too formal. — 2 Has he written his book yet? — 3 He is used to borrowing from me, and I let him. — 4 We've already seen that play. — 5 Distribution of wealth is an important part of Socialist ideology.

Fill in the missing words :

1 *Quand tu auras fini ce travail, viens m'aider s'il te plaît.*

. . . . you . . . . that job, come . . .

help me . . . . . .

2 *La personne à qui il a emprunté cette veste veut qu'on la lui rende.*

The person . . . . he . . . . that

jacket . . . . . it back.

10 Docteur, dites-moi franchement ce que j'ai (est mauvais avec moi) : pas en latin ou [en] grec, mais en mots simples et ordinaires.
11 Vous n'avez rien; vous êtes un ivrogne et un gourmand.
12 Oh! Alors, dites-le en latin et [en] grec, afin que je puisse [le] dire [à] ma femme!

---

3 *Dites-lui d'entrer, voulez-vous?*

. . . . to . . . ., will you?

4 *Il y a beaucoup de mots qui sont pareils dans les deux langues.*

. . . . many words . . . . . are . . .

. . . . in . . . . languages

5 *L'Angleterre est plus froide que l'Italie, mais les gens sont plus calmes.*

England is . . . . Italy, but the . . . . . .

are . . . . . .

EXERCICES

1 [Les] deux idées sont intéressantes, mais la première (une) est trop formelle. — **2** A-t-il écrit son livre maintenant? — **3** Il a l'habitude de m'emprunter [des choses] et je le laisse [faire]. — **4** Nous avons déjà vu cette pièce de théâtre. — **5** [La] distribution de la richesse est une partie importante de [l']idéologie socialiste.

Corrigé

1 When - have finished - and - please. — **2** from whom - borrowed - wants. — **3** Tell him - come in. — **4** There are - which/that - the same - both. — **5** colder than - people - calmer.

Second wave: 54th Lesson

Hundred and fourth (104th) Lesson

Aphorisms

1 Don't **cri**ticise so**ci**ety: **o**nly those who can't get* **in**to it do that.

2 The **o**nly way to get* rid of a temp**ta**tion is to **yi**eld to it.

3 An ex-**Pre**sident, re-**vi**siting the White House: "It's a nice place to **vi**sit, but I pre**fer** to live here".

4 The best way to for**get*** your **trou**bles is to wear* tight (**1**) shoes.

5 An en**thusi**astic young priest: "What a **beau**tiful moon! And it's in my **pa**rish!".

6 **Mo**ney **can**not buy* you friends, but it can buy* you a **be**tter class of **e**nemy.

7 Man, to a **wo**man who ac**cu**sed him of **be**ing drunk:

8 "**Ma**dam, **you** are **u**gly—but to**mor**row **I** will be **so**ber".

9 It's not that **mo**ney makes* **ev**erything good; it's that no **mo**ney makes* **ev**erything bad.

10 The **o**nly way to be**have** to a **wo**man is to make* love to (**2**) her if she is **beau**tiful, and to **some**one else if she is plain (**3**).

11 Your health comes* first, you can hang (**4**) your**self la**ter.

PRONUNCIATION :

1 së**saï**etî. — **2** tèm**té**shën ... **yî**-ëld. — **4** **treu**bëlz ... ouair taït. — **5** en**fouzï**-astic ... prîst. — **7** dreunk. — **8** **eu**gli. — **10** bï**hév** ... plén. — **11** hèlf.

Cent-quatrième leçon

Aphorismes

1 Ne critiquez [pas la] société : seuls ceux qui ne peuvent y entrer [le] font (ça).
2 La seule façon de [se]débarrasser d'une tentation est d'y succomber.
3 Un ancien Président, revisitant la Maison Blanche : « C'est un endroit bien à visiter, mais je préfère [y] vivre (ici) ».
4 La meilleure façon d'oublier vos ennuis est de porter des chaussures trop justes (serrées).
5 Un jeune prêtre enthousiaste : « Quelle (une) belle Lune ! Et c'est dans ma paroisse ! ».
6 [L']argent ne peut vous acheter [d']amis, mais il peut vous acheter une meilleure classe d'ennemis.
7 [L']homme, à une femme qui l'accusait d'être ivre :
8 « Madame, **vous** êtes laide — mais demain **je** serai sobre ».
9 Ce n'est pas que [l']argent rend (fait) tout bon; c'est que pas [d']argent rend tout mauvais.
10 La seule façon de [se] comporter envers (à) une femme est de lui faire la cour si elle est belle, et à quelqu'un [d']autre si elle est inintéressante.
11 Votre santé est capitale (vient premier), vous pouvez (vous) pendre plus tard.

NOTES

(1) *Tight :* serré ou trop juste. *To be in a tight situation :* être dans une situation difficile, voire dangereuse. *To be tight with money :* être radin; et *to be tight,* tout court, veut dire : « être bourré ».

(2) Lorsque cette phrase — d'Oscar Wilde — fut écrite, l'expression voulait dire : « faire la cour à... »; mais, maintenant, elle a pris le même sens qu'en français.

(3) *Plain :* sans décoration, sans envergure, lorsqu'il s'applique à une personne; mais « uni » quand il s'applique à un tissu. *A striped tie :* une cravate rayée; *a plain tie :* une cravate unie.

(4) Attention à ce verbe, parce qu'il a deux formes : une

12 A fool is **som**eone who walks **in**to his friend's an**tique** shop and shouts: "What's new?"

12 anntîk.

EXERCISES

1 Have you read what he has written? — **2** I've never actually read his books but I've heard of them. — **3** We were charged thirty pence for a cup of tea! — **4** He won't be here tomorrow, he's going on a business trip. — **5** Be careful! that gun is loaded.

Fill in the missing words :

1 *Elle aimerait voir un spécialiste, mais ils prennent trop cher.*

She . . . . to . . . a specialist, but they . . . . . . too . . . .

2 *Actuellement, il travaille dans une banque, mais il aimerait changer.*

. . . . , he . . . . in a bank, but . . . . like . . . .

3 *Ce voyage aurait été trop épuisant, c'est pourquoi nous n'y sommes pas allés.*

That . . . . would . . . . too exhausting, that's . . . we . . . .

4 *Je ne pouvais pas voir ce qui se passait, j'étais trop loin de l'écran.*

I . . . . see . . . . was happening, I was . . . . the screen.

12 Un sot est quelqu'un qui entre dans la boutique d'antiquités de son ami et [qui] crie : « Quoi de neuf? ».

NOTES (continued)

irrégulière : *to hang, hung, hung* (pendre quelque chose); et la forme **régulière :** hang, hanged, hanged, qui veut dire : « pendre quelqu'un ». A ne pas confondre!

5 *Sa maison ressemble à un château; il doit être très riche.*

His house .... a castle, he ....

very rich.

EXERCICES

1 Avez-vous lu ce qu'il a écrit? — **2** En fait, je n'ai jamais lu ses livres mais j'en ai entendu parler (entendu d'eux). — **3** On nous a demandé trente pence pour une tasse de thé. — **4** Il ne sera pas là (ici) demain, il va en (un) voyage d'affaires. — **5** Faites attention! ce fusil est chargé.

Corrigé

1 would like - see - charge - much. — **2** At present - is working - he would - to change. — **3** trip - have been - why - didn't go. — **4** couldn't - what - too far from. — **5** looks like - must be.

Second wave: 55th Lesson

Hundred and fifth (105th) Lesson

REVISION AND NOTES

Notes à relire. — 100e leçon : (1), (3) - **102e : (1)**, (3).

1 Phrasal verbs. — Ce sont des verbes qui changent de sens selon la préposition qui les suit (postposition). Comme nous l'avons vu, *to get* en est un spécialiste. En voici d'autres :

To look at : regarder. *He looked at the painting* (il regarda le tableau);

To look for : chercher. *We're looking for a new typist* (nous cherchons une nouvelle dactylo);

To look after : s'occuper de. *Helen is looking after the kids* (Hélène s'occupe des gosses);

To look up : chercher dans un livre. *Look this word up in the dictionary* (cherchez ce mot dans le dictionnaire);

To look forward to : attendre avec impatience. *I'm looking forward to seeing you* (j'attends avec impatience de vous voir)
Rappelons que cette expression, et une ou deux autres (leçon 102, **N. 3**) est suivie exceptionnellement du *-ing.*

Nous en verrons d'autres pendant nos cours.

2 Used to. — Expression très utile qui signifie une habitude que l'on a perdue, ou une chose qui se faisait à une époque et que l'on ne fait plus. *I used to like sweets when I was a child :* j'aimais les bonbons quand j'étais enfant. *We used to go to the country once a week :* nous avions l'habitude d'aller à la campagne une fois par semaine.

Ne pas confondre avec *to be used to :* avoir l'habitude de : *I'm used to this car* (j'ai l'habitude de cette

Cent-cinquième leçon

voiture). Pour celui-ci, le deuxième verbe est au gérondif (c'est-à-dire *-ing*).

3 Annoyed est moins fort que *angry*. Le premier est plutôt : « fâché », et le deuxième est : « en colère ». *Bored* veut dire « ennuyé », dans le sens de « assommé ».

4 Locutions à bien retenir. — 1 *Dial this number.* — 2 *It's a matter of time.* — 3 *He did it in order to earn money.* — 4 *Of course (not).* — 5 *He's just had breakfast.* — 6 *He's working in London at present.*

5 Traduction. — 1 Faites ce numéro (de téléphone). — 2 C'est une question de temps. — 3 Il l'a fait afin de gagner de l'argent. — 4 Bien sûr (que non). — 5 Il vient de prendre le petit déjeuner. — 6 Il travaille à Londres actuellement.

Seconde wave: 56th (revision) Lesson

Hundred and sixth (106th) Lesson

We must make a decision

1 — We must (**N. 1**) de**cide** where to go for our **hol**idays.

2 We should have de**cid**ed months **ago** (**N. 2**).

3 — **I'll** be down in a **min**ute. I've got to **fin**ish (**1**) this **ar**ticle I'm **wri**ting*.

4 — Have you got **ev**erything you need? — Yes thanks.

5 Joan picked up a **bro**chure and read* : "To be **su**re of ob**tain**ing a place, it is **nec**essary to book (**2**) well in ad**vance**".

6 And, in **an**other one : "You must book **ear**ly to **avoid** the rush" (**3**).

7 Joan was very **an**gry be**cause** it was al**rea**dy the **mi**ddle of June and they had done **no**thing.

8 Well, if you're **go**ing to do **some**thing, you should do it **pro**perly, she thought*.

9 She looked through (**4**) the pile of **bro**chures and then went to make* a cup of tea.

10 **Da**vid, **hav**ing **fin**ished his **ar**ticle, came* down**stairs**.

11 He stopped and picked up the post (**5**) from the mat.

PRONUNCIATION :

1 dë**saïd**. — **2** ë**gôh**. — **3** **ah**tïkël. — **5** pïkt ... **brôh**shë rèdd ... sh**ou**ë ... pléss. — **6** **eu**lï ... ë**voïd**. — **7** ohl**rè**dï ... djoun. — **8** **pro**pëlï ... foht. — **9** frou ... païl . — **11** stop ... pïkt ... pôhst.

Cent-sixième leçon

Nous devons prendre (faire) une décision

1 Nous devons décider où aller pour nos vacances.
2 Nous aurions dû nous décider il y a des mois.
3 Je descends tout de suite (je serai en bas dans une minute). Je dois finir cet article que j'écris (*prog.*).
4 As-tu tout ce qu'il te faut. — Oui, merci.
5 Joan ramassa une brochure et lut : « Pour être sûr d'obtenir une place, il est nécessaire de réserver bien à (dans) l'avance ».
6 Et, dans une autre : « Vous devez réserver tôt pour éviter la foule ».
7 Joan était très en colère parce qu'on était (c'était) déjà au (le) milieu de juin et ils n'avaient rien fait.
8 Bien, si on veut faire (vous allez faire) quelque chose on doit (vous devriez) le faire comme il faut, pensa-t-elle.
9 Elle feuilleta (regarda à travers) la pile de brochures et puis alla faire une tasse de thé.
10 David, ayant terminé son article, descendit l'escalier.
11 Il s'arrêta et ramassa le courrier sur le (du) paillasson.

NOTES

(1) *I've got to* est semblable à *I have to* : je suis obligé de, mais il est plus idiomatique (encore un *got* !).

(2) *A book :* un livre; *to book :* réserver. Une réservation se dit *a reservation* (à l'hôtel) et *a booking* (au théâtre). Aux U.S.A., cette nuance disparaît et l'on dit *a reservation* partout.

(3) *To rush :* se hâter; *the rush :* affluence. *The rush hour :* heure de pointe.

(4) *To look through :* feuilleter (litt., regarder à travers). Voir leçon 105, **N. 1.**

(5) *To post :* poster. Le courrier se dit : *the post,* ou *the mail.* Les P.T.T. anglais s'appellent le *G.P.O.* (*General Post Office*). La poste : *the post office.*

Que les nouveaux mots ne vous découragent pas : vous les retrouverez dans les leçons suivantes, et ils vous deviendront peu à peu familiers.

12 — Oh look, still more **bro**chures. We've got more than we need.
13 Joan was **fur**ious: "You need a stick of **dy**namite to move you!", she **shou**ted.
14 — Oh come on; don't be **an**gry. Make* the tea.
15 — Make* it your**self**! **shou**ted Joan and went out **slam**ming the door.
16 **Da**vid **scra**tched his head: "But what did I do?"

13 **fiour**ieus ... **daï**nëmaït ... mouv ... **shaou**tëd. — 14 dôhnt. — 16 **skra**tcht ... hèdd.

EXERCISES

1 We should have bought it when we had the **mo**ney. — 2 She was **try**ing to a**void** an **ar**gument. — 3 He went out **clo**sing the door **qui**etly. — 4 You might have a touch of 'flu. — 5 You may **bor**row it but you can't keep it.

Fill in the missing words :

1 *Il faut réserver à l'avance afin d'éviter l'attente.*

You . . . . in advance in . . . . . to . . . . . waiting.

2 *Est-ce que vous avez tout ce qu'il vous faut?*

Have you . . . everything you . . . . ?

3 *Il faut absolument que je finisse ce roman avant qu'il ne me le demande.*

I've . . . . . finish this . . . . . before he . . . . me . . . it.

12 Oh, regarde, encore d'autres (plus de) brochures. Nous en avons plus qu'il ne nous en faut.
13 Joan était furieuse : « Tu as besoin d'un bâton de dynamite pour te déplacer (bouger) ! », cria-t-elle.
14 Oh, allons ne sois pas fâchée. Fais le thé.
15 Fais-le toi-même cria Joan et sortit en claquant la porte.
16 David se gratta la (sa) tête : « Mais qu'ai-je fait? ».

HE CAME IN CLOSING
THE DOOR QUICKLY
106

4 *Arrêtez! j'en ai plus qu'il ne m'en faut.*

. . . .! I've got . . . .

5 *Il faut que je m'en aille, j'ai un rendez-vous avec le médecin.*

I . . . . go, I've got an . . . . with the . . . . . .

EXERCICES

1 Nous aurions dû l'acheter quand nous avions l'argent. — **2** Elle essayait (d')éviter une querelle. — **3** Il sortit [en] fermant la porte doucement — **4** Il se peut que vous ayiez une légère grippe. — **5** Vous pouvez l'emprunter mais vous ne pouvez pas le garder.

Corrigé

1 must book - order - avoid. — **2** got - need. — **3** got to - novel - asks - for. — **4** Stop - more than I need. — **5** must - appointment - doctor.

Second wave: 57th Lesson

Hundred and seventh (107th) Lesson

Too many experts

1 Despite the fact that there are many more jobs today than twenty years ago :

2 computer operators, airline pilots (1), television engineers, even astronauts;

3 unemployment (2) remains a serious problem.

4 We are in the age of specialisation and the expert.

5 Students are no longer (3) safe studying a general subject, like literature;

6 to be sure of a job, they must specialise.

7 Some people work by telling* others what to do.

8 There are educational experts, scientific experts, all sorts of expert.

9 There is a saying which goes : "Too many chiefs and not enough Indians".

10 Sometimes, this is the case in modern industry.

11 Also, people do not always work as efficiently as they could.

12 There is a law which states : "Work expands so as (4) to fill the time available for its completion".

PRONUNCIATION :

1 dëspaïtt. — 2 këmpioutë ohpërétë, airlaïn païlët ... èndjïnî-ë ... astrënoht. — 3 eunèmploïmënt. — 4 édj ... spèshëlïzéshën ... èkspeut. — 5 stioudënts ... séf ... lïtrëtchë. — 6 spèshëlaïz. — 8 èdioukéshënël ... saï-ëntïfïk ... sohts. — 9 sé-ïng ... gôhz ... tchîfs ... ëneuf ïndiënz. — 10 késs ... inndëstrï. — 11 efïshëntlï ... koud. — 12 loh ... stéts ... ekspàndz ... ëvélëbël ... këmplîshën.

Cent-septième leçon

Trop d'experts

1 Malgré le fait qu(e)'il y a beaucoup plus d'emplois aujourd'hui qu'il y a vingt ans :
2 opérateurs d'ordinateur, pilotes de ligne, ingénieurs de télévision, même astronautes;
3 le chômage reste un problème grave.
4 Nous sommes à l'âge de la spécialisation et [de] l'expert.
5 Les étudiants ne sont plus en sécurité (sûrs) en étudiant une matière (sujet) générale, comme la littérature;
6 pour être sûrs d'un emploi, ils doivent se spécialiser.
7 Quelques personnes (gens) travaillent en (par) disant aux autres quoi faire.
8 Il y a les experts de l'éducation, les experts scientifiques, toutes sortes d'experts.
9 Il y a un dicton qui court (va) : « trop de chefs et pas assez d'indiens ».
10 Parfois, c'est le cas dans l'industrie moderne.
11 Aussi, les gens ne travaillent pas aussi efficacement qu'ils [le] pourraient.
12 Il y a une loi qui dit que : « Le travail s'allonge (étend) de manière à remplir le temps disponible pour le faire (sa terminaison).

NOTES

(1) *A pilot :* un pilote d'avion; un pilote de courses : *a racing driver.*

(2) *Unemployment :* le chômage; *to be unemployed :* être au chômage; un chômeur : *a jobless person.*

(3) Ne ... plus : *no longer.* Je ne fume plus : *I no longer smoke*
On trouve aussi la formule *any more. He doesn't work here any more : he no longer works here :* (il ne travaille plus ici).

(4) *So as to* est une forme littéraire pour *in order to* (afin de). On l'évite dans la conversation parce que les petits mots ont tendance à être « avalés » et ne s'entendent pas.

13 It means* that, if you have two hours to do a job (**5**), what**e**ver (**N. 3**) it is,
14 the job will take* two hours, **e**ven if you could **fi**nish it **soo**ner.

13 mînz ... ouotèvë. — 14 **sou**në.

EXERCISES

1 He is head of a team of com**pu**ter **o**perators. — 2 De**spi**te the **num**ber of jobs a**vai**lable, — 3 unem**ploy**ment re**mains** a **ser**ious **prob**lem. — 4 This job will take too long, please give me a hand. — 5 He is no **lon**ger an **air**line **pi**lot; at **pre**sent, he is an **as**tronaut.

Fill in the missing words :

1 *Il ne peut plus se permettre une femme de ménage, c'est trop coûteux.*

He can . . . . a "help", it . . . . . costly.

2 *Malgré le brouillard, l'avion est arrivé à l'heure.*

. . . . the . . . the plane arrived . . . . . .

3 *Vous avez des nouvelles. Dites-les moi, quelles qu'elles soient.*

You've got some . . . . Tell it to me . . . .

4 *Il s'intéresse à tout, surtout aux (les) affaires des autres.*

He . . . . everything, especially the affairs of . . . . . .

13 Ça veut dire que, si vous avez deux heures pour faire un travail, quel qu'il soit,
14 le travail prendra deux heures, même si vous pouviez le finir plus tôt.

NOTES (continued)

(**5**) *A job* est, tantôt un emploi, tantôt un travail. *A work :* une œuvre.

5 *Il s'est fait couper les cheveux; quelle différence!*

He has had . . . . cut; . . . . a difference!

EXERCICES

1 Il est chef d'une équipe d'opérateurs sur ordinateurs. — **2** Malgré le nombre d'emplois disponibles, — **3** [le] chômage reste un problème grave. — **4** Ce travail prendra trop [de temps], donnez-moi un [coup de] main, s'il vous plaît. — **5** Il n'est plus (un) pilote de ligne; actuellement, il est (un) astronaute.

Corrigé

1 no longer afford - is too. — **2** Despite - fog - on time. — **3** news - whatever it is. — **4** is interested in - others. — **5** his hair - what.

Second wave: 58th Lesson

107th LESSON

Hundred and eighth (108th) Lesson

Jobs and industry

1 Let's look at some of the occupations available (1) to people today;
2 as a tradesman (2), you can be a butcher, a greengrocer, a baker.
3 You can be an ironmonger, a milliner, a jeweller or a bookseller, etc.
4 As a craftsman, you can be a joiner, a goldsmith, a watchmaker or a fitter.
5 There are also manual workers, such (N. 4) as bricklayers (3);
6 then there are the professions: teacher, doctor, lawyer or broker.
7 Military service was abolished in England in May 1963
8 (nineteen sixty three)
9 so the armed services are also considered as a career.
10 There are many problems in industry today: strikes (4) are frequent and often serious.
11 The trade unions, which look after (5) their members' interests
12 do not always agree with the employers.

PRONUNCIATION:

1 okioupéshënz ëvélëbël. — 2 trédzmën ... boutchë ... grîngrôhsë ... békë. — 3 aïeunmeungë ... mïlïnë ... djou-ëlë ... bouksèlë. — 4 krahftsmën ... djoïnë ... gôhldsmïf ... ouotchmékë ... fïtë. — 5 mànniouël ... brïklé-ëz. — 6 prëfèshënz; tîtchë ... lohyë ... brôhkë. — 7 mïlïtrï ... ëbolisht. — 9 ahmd ... karî-ë. — 10 straïks ... ohfën. — 11 iouniënz ... ïntrèsts. — 12 ëgrî.

Cent-huitième leçon

[Les] emplois et [l']industrie

1 Regardons (à) quelques-uns des emplois disponibles pour les gens aujourd'hui :
2 en tant que (un) commerçant vous pouvez être (un) boucher, (un) marchand de légumes, (un) boulanger.
3 Vous pouvez être (un) ferronnier, (un) modiste, (un) joaillier ou (un) libraire, etc.
4 En tant qu'(comme)(un)artisan vous pouvez être (un) menuisier, (un) orfèvre, (un) horloger ou (un) ajusteur.
5 Il y a aussi les travailleurs manuels, tels que les maçons,
6 puis il y a les professions [libérales] : professeur, docteur, avocat ou courtier.
7 Le service militaire fut aboli en Angleterre en mai 1963,
8 mil neuf cent soixante-trois,
9 donc les forces armées sont également considérées comme une carrière.
10 Il y a beaucoup de problèmes dans l'industrie aujourd'hui; les grèves sont fréquentes et souvent graves.
11 Les syndicats, qui s'occupent des intérêts de leurs membres
12 ne sont pas toujours en accord avec les employeurs.

NOTES

(1) *Available :* disponible, valable. *This ticket is available for three months :* ce billet est valable trois mois.

(2) *Trade* est, tantôt le métier, tantôt le commerce. *Tradesman :* homme de commerce, commerçant.

(3) *To lay :* poser, placer. *A brick :* brique. On dit aussi *a mason,* mais ceci est plus généralisé. *Free-mason :* franc maçon.

(4) *To strike* a la premier sens de frapper (ce qui décrit, en quelque sorte, les effets d'une grève); *a strike :* une grève; *to go on strike :* faire la grève; *a striker :* un gréviste.

(5) (Voir leçon 105, **N° 1**). *To look after the children :* s'occuper des enfants.

13 If coal-**mi**ners or **rail**waymen go on strike, the re**sults** can be very **se**rious for the country.

14 Such **prob**lems are known as "in**dus**trial re**la**tions".

13 kôhl **maï**nëz ... **ré**louémën. — **14** rë**lé**shënz.

EXERCISES

1 There are no **lon**ger many **gold**smiths in this part of **Lon**don. — **2** I'm a**fraid** I don't a**gree** with you. — **3** Does he be**long** to a trade-**u**nion? — I think so. — **4** Where did you put my watch? — In the **bed**room. — **5** He will be a**vai**lable from eight **thir**ty.

Fill in the missing words :

1 *Pourquoi n'êtes-vous pas dans l'armée? — Le service militaire n'existe plus.*

Why . . . . . . you . . the army? — Military service

. . . . exists.

2 *J'aurais pu être menuisier, mais mon père voulait que je fasse des études.*

I . . . . . have . . . ., but . . father

. . . . to study.

3 *Vous devriez commencer à penser à une carrière, ce n'est jamais trop tard.*

You . . . . . . start . . . . about .

. . . ., it's . . . .

13 Si les mineurs (charbon mineurs) ou les cheminots font (vont en) la grève, les résultats peuvent être très graves pour le pays.
14 De tels problèmes s'appellent « les relations industrielles ».

4 *Je deviendrais médecin si je [le] pouvais.*

I . . . . . become . . . . if . . . . . .

5 *Les deux hommes politiques se sont mis d'accord.*

. . . . politicians . . . . . .

EXERCICES

1 Il n'y a plus beaucoup [d']orfèvres dans ce quartier de Londres. — **2** Je crains [de] ne pas être d'accord avec vous. — **3** Appartient-il à un syndicat? — Je [le] crois (ainsi). — **4** Où avez-vous mis ma montre? — Dans la chambre. — **5** Il sera disponible (à partir) à huit [heures] trente.

Corrigé

1 aren't - in - no longer. — **2** could - been a joiner - my - wanted me. — **3** should - thinking - a career - never too late. — **4** would - a doctor - I could. — **5** Both - agreed.

Second wave: 59th Lesson

108th LESSON

Hundred and ninth (109th) Lesson

Another look

1 We have seen* many new words **re**cently. Let's re**vise** some of them.

2 We should have bought* a new fridge (1) be**fore** the **pri**ces went up (2).

3 No **than**kyou, I al**read**y have more than I need.

4 **Ev**eryone needs **mo**ney, but some need more than **o**thers.

5 If the **do**ckers go on strike, **we**'ll have to stay in the ship.

6 Unem**ploy**ment **ben**efit is a**vai**lable to those who need it.

7 My son the **doc**tor is four and the **law**yer is three.

8 I hate **wal**king past the **jew**eller's with my **girl**-friend.

9 Would you look **af**ter the **ba**by while I go to the shops?

10 **I**den**ti**ty cards were a**bo**lished in **Eng**land **af**ter the war.

11 My boss and I don't **al**ways a**gree**.

12 He picked up a **pen**ny out**side** (3) the bank and the **man**ager em**ploy**ed (4) him.

PRONUNCIATION :

1 rîsëntlï ... rë**vaïz**. — **2** shoud ... boht ... frïdj ... **praï**sëz. — **4 èv**rï-ouen. — **5 do**këz ... ouîl. — **6** eunëm**ploï**mënt. — **7 loh**yë. — **8** hét **ouo**hkïng ... **djou**lëz. — **9** ouaïl. — **10** aï**dèn**tëtï kahdz. — **12 mann**ëdjë.

Cent-neuvième leçon

Un autre regard

1 Nous avons vu beaucoup de mots nouveaux récemment. Révisons-en quelques-uns.
2 Nous aurions dû acheter un nouveau frigo avant que les prix ne montent.
3 Non merci, j'[en] ai déjà plus qu'il ne m'en faut.
4 Tout le monde a besoin d'argent, mais certains en ont besoin plus que les autres.
5 Si les dockers font (vont en) grève, nous devrons rester sur (dans) le bateau.
6 L'allocation de chômage est disponible pour ceux qui en ont besoin.
7 Mon fils le médecin a quatre (est quatre) ans et l'avocat en a (est) trois.
8 Je déteste passer devant le bijoutier (joaillier) avec ma petite amie.
9 Voudriez-vous vous occuper du bébé pendant que je vais aux courses? (aux magasins).
10 Les cartes d'identité furent abolies en Angleterre après la guerre.
11 Mon patron et moi ne sommes pas toujours d'accord.
12 Il ramassa un penny devant (dehors) la banque et le directeur l'embaucha.

NOTES

(1) *Fridge* est la contraction de *refrigerator* et correspond au français « le frigo ».

(2) *To go up :* monter ou augmenter. *The prices went up last week :* les prix ont augmenté la semaine dernière.

(3) *Outside* (dehors) peut avoir aussi le sens de « devant » (un bâtiment) (voir leçon 102, ligne 1).

(4) *An employee :* un employé; *an employer :* un employeur; *to employ :* embaucher. On peut également utiliser (surtout aux États-Unis) le verbe *to hire* (louer) pour embaucher, engager.

13 If you work in this **fac**tory, you must join **(5)** a trade **u**nion.

14. We've got to a**gree** on a sol**u**tion soon.

13 **fak**trï ... djoïn. — **14** sëloushën.

EXERCISES

1 Ex**cuse** me, I think that's mine. — **2** The **doc**kers were on strike and we **coul**dn't get off the ship. — **3** I had to get up **ear**ly, I had an ap**poin**tment with my **law**yer. — **4** Would you get me a **pa**per while I do the **wa**shing-**up**? — **5** The train should have got in half an hour a**go**.

Fill in the missing words :

1 *Elle déteste sortir maintenant qu'elle devient aveugle.*

She hates . . . . now that she . . . . blind

2 *Tout le monde criait en même temps et la vendeuse ne pouvait rien faire.*

. . . . was shouting . . . . . . and the salesgirl . . . . do . . . .

3 *Il n'y a plus de héros romantiques dans la littérature.*

There . . . no . . . . romantic heros in litterature.

4 *Je ne peux pas me mettre d'accord avec vous, je trouve l'idée stupide.*

I can't . . . ., I find . . . .

13 Si vous travaillez dans cette usine vous devez vous inscrire (joindre) à un syndicat.
14 Nous devons arriver bientôt à une solution.

NOTES (continued)

(5) *To join* (se joindre) est un verbe très utile en anglais. *To join the army :* s'engager dans l'armée. *To join a party :* s'inscrire à un parti.

5 *Où dois-je descendre du bus? — L'arrêt après moi.*

Where . . . . I . . .   . . . the bus? The stop

. . . .

EXERCICES

1 Excusez-moi, je pense (que) c'est le mien. — **2** Les dockers étaient en grève et nous ne pouvions pas descendre du bateau. — **3** J'ai dû (avais à) [me] lever tôt, j'avais (un) rendez-vous avec mon avocat. — **4** Voudriez-vous me chercher (obtenir) un journal pendant (que) je fais la vaisselle. — **5** Le train aurait dû arriver il y a une demi-heure.

Corrigé

1 going out - is getting. — **2** Everyone/everybody - at once - could not - anything. — **3** are - more. — **4** agree with you - the idea stupid. — **5** must - get off - after me.

The way to ensure summer in England is to have it framed and hung in a comfortable room. **(Horace Walpole).**

(*To frame :* encadrer; *to hang :* pendre, accrocher un tableau).

Second wave: 60th Lesson

Hundred and tenth (110th) Lesson

1 **Thank**you very much for all your help.—Not at all.

2 **Di**al this **num**ber and ask for Mr Smith's **sec**retary.

3 The **per**son whose **mo**tor-bike was **sto**len* last week is com**plai**ning.

4 That **cou**ldn't have been **Da**vid, he **did**n't say "Hel**lo**".

5 She is **us**ed to **loo**king **af**ter **pe**ople, she is a nurse (**1**).

6 At **pre**sent, she is **wor**king in a **hos**pital, but next month she is **chan**ging jobs.

7 I was charged **twen**ty francs for a cup of tea in **Pa**ris!

8 Ex**cuse** me, I'm a **for**eigner; could you help me? I'm lost (**2**).

9 But you speak* **En**glish **ve**ry well. — I should speak* it **bet**ter.

10 If I learned my **les**sons **bet**ter, I would speak* it **flu**ently.

11 George spent* three months on the **Ri**viera last year.—**Lu**cky George!

12 It's not worth **bu**ying* a new **re**cord-**play**er; I might get one for my **birth**day.

PRONUNCIATION

2 **daï**-ël ... **sè**krëtrï. — 3 **môh**të baïk ... **stôh**lën këm**plé**nïng. — 4 **kou**dënt ... hè**lôh**. — 5 **ious**tou ... neus. — 6 **hos**pïtël ... **tchén**djïng. — 7 tchahdj'd ... frànks. — 8 **for**ënë. — 9 shoud. — 10 leund. — 11 djohdj ... **rï**vï-érë ... **leu**kï. — 12 oueuf ... maït ... **beuf**dé. —

Cent-dixième leçon

1 Merci beaucoup de toute votre aide. — De rien.
2 Faites ce numéro et demandez la secrétaire de M. Smith.
3 La personne dont la moto a été volée la semaine dernière se plaint (*prog.*).
4 Ça n'aurait pas pu être David, il n'a pas dit « Bonjour ».
5 Elle a l'habitude de s'occuper (regardant après) des gens, elle est infirmière.
6 Actuellement, elle travaille (*prog.*) dans un hôpital, mais, le mois prochain, elle change (*prog.*) d'emploi(s).
7 On m'a fait payer vingt francs pour une tasse de thé à (dans) Paris.
8 Excusez-moi, je suis (un) étranger; pourriez-vous m'aider? Je suis perdu.
9 Mais vous parlez très bien l'anglais (très bien). — Je devrais le parler mieux.
10 Si j'apprenais mieux mes leçons, je le parlerais couramment.
11 George a passé trois mois sur la Riviera l'année dernière. — Heureux (chanceux) George!
12 Ce n'est pas la peine d'acheter un nouveau tourne-disques, il se peut que j'en aie un pour mon anniversaire.

NOTES

(1) *Nurse,* du français nourrice, est une infirmière.

(2) *To lose :* perdre. Se perdre : *to get lost. He's lost :* il est perdu. *Get lost! :* fiche le camp!

13 I **was**n't a**ware** (3) she spoke Chi**nese**.
Neither was she.

14 **Hor**ses are **ve**ry strong **a**nimals.

13 ëouér ... spôhk tchaïnîz. naïvë. — 14 **hoh**sëz.

EXERCISES

1 She might buy me a new **re**cord-**pla**yer. — 2 **Nei**ther of us wants to change jobs. — 3 I **was**n't a**ware** that you knew George. — 4 I **hav**en't known him for very long. — 5 Is it worth **sen**ding a **te**legram? I don't think so.

Fill in the missing words:

1 *J'ai perdu mon travail il y a peu de temps.*

A . . . . . . job a little while . . .

2 *La secrétaire de cet homme fait tout son travail pour lui. Quelle chance!*

. . . . secretary does . . . his work . . .

. . . Lucky man!

3 *Je ne sais pas combien il gagne. — Moi non plus.*

I don't know . . . . he . . . . . — Neither . . .

13 J'ignorais qu'elle parlait le chinois. Elle aussi (non plus).
14 Les chevaux sont des animaux très forts.

NOTES (continued)

(**3**) *To be aware :* être au courant; *to be unaware :* ignorer.

---

4 *Actuellement, elle travaille dans un hôpital, mais elle va changer de travail.*

. . . ., she . . working . . a hospital, but

she . . . . to change . . . .

5 *Il a l'habitude d'aider les gens, c'est un guide.*

He is . . . . . . helping people, ... guide.

EXERCICES

1 Il se peut qu'elle m'achète un nouveau tourne-disques. — **2** Ni l'un ni l'autre de nous [ne] veut changer [de] travail. — **3** J'ignorais que vous connaissiez George. — **4** Je ne le connais pas (ai pas connu) depuis longtemps (très long). — **5** Ça vaut la peine [d']envoyer un télégramme? — Je ne pense pas (ainsi).

Corrigé

1 lost my - ago. — **2** That man's - all - for him. — **3** how much - earns - do I. — **4** At present - is - in - is going - jobs. — **5** used to - he's a.

Second wave: 61st Lesson

Hundred and eleventh (111th) Lesson

Clever answers

1 *Young author:* Why have you put* my novel with the medical books?
2 *Publisher:* — Because I found* it excellent for sending* (1) people to sleep.

---

3 *Teacher.* — What is wrong with this sentence: "The horse and the cow is in the field"?
4 *Little girl.* — Please miss, ladies first.

---

5 *Professor* (2). — How do you protect yourself against impure water?
6 *Student.* — I drink* beer.

---

7 *Johnny.* — Grandad, a baby was fed* (3) on elephant's milk and gained twenty pounds in a week.
8 *Grandfather.* — That's impossible. Whose baby?
9 *Johnny.* — The elephant's.

---

10 An aunt wanted to see* which of her nieces was the most polite.

PRONUNCIATION:

1 ohfë ... pout. — 2 peublïshë. — 3 rong ... kaou ... fîëld. — 5 prëfèssë ... ëgénst impiour. — 6 stioudënt ... bîeu. — 7 grànndad ... bébï ... èlëfënt ... génd. — 8 houz. — 10 ahnt ... nîsëz ... pëlaït. —

Cent-onzième leçon

[Les] réponses intelligentes

1 *Le jeune auteur.* — Pourquoi avez-vous mis mon roman avec les livres de médecine?
2 *L'éditeur.* — Parce que je l'ai trouvé excellent pour endormir les gens.

---

3 *Le professeur.* — Qu'y a-t-il de mauvais dans (avec) cette phrase : « le cheval et la vache est dans le champ » ?
4 *La petite fille.* — S'il vous plaît, Mademoiselle, les dames d'abord (premières).

---

5 *Le professeur.* — Comment vous protégez-vous contre l'eau impure?
6 *L'étudiant.* — Je bois de la bière.

---

7 *Johnny.* — Grand-papa, un bébé a été (était) nourri au (sur) lait d'éléphant et a pris (gagné) vingt livres en (dans) une semaine.
8 *Le grand-père.* — C'est impossible. Le bébé de qui?
9 *Johnny.* — Celui de l'éléphant.

---

10 Une tante voulait voir laquelle de ses nièces était la plus polie.

NOTES

(1) *To send :* envoyer. *He sent a letter last week :* il a envoyé une lettre la semaine dernière. *To send someone to sleep :* endormir quelqu'un.

(2) *A teacher* est un professeur d'école et *a professor* est un professeur de faculté. Nous avons vu qu'une conférence se dit *a lecture* [lektchë]; *a lecturer* est un conférencier.

(3) *To feed :* nourrir, donner à manger. *Please feed the cat :* donnez à manger au chat, s'il vous plaît. Nourrir de : *to feed on.* Rappelons : *I am fed up :* j'en ai marre.

11 So she put* one small **ap**ple and one big one on a plate.
12 — Let's see* who has the best **man**ners?
13 — She has, said Joan, **ta**king* the **big**gest.

---

14 Do not for**get*** to learn a few ir**re**gular verbs from time to time.

11 plét. — **12** **mà**nnëz. — **14** leun ... fiou.

EXERCISES

1 Whose **hai**r-brush is this? — My **sis**ter's. — **2** Who has the best **man**ners? I have. — **3** Who wants to go to **Scot**land with me? — We do. — **4** This flour is **ex**cellent for **ma**king cakes. — **5** He sent his son to the shop to buy some wine.

Fill in the missing words :

1 *Ma radio ne marche pas. Qu'est-ce qui ne va pas?*

My radio . . . . What's . . . . it?

2 *C'est le garçon le plus poli que j'aie jamais rencontré.*

. . is the . . . . boy I have . . . . met.

11 Donc elle mit une petite pomme et une grosse (une) sur une assiette.
12 Voyons, qui a les meilleures manières?.
13 C'est elle (elle a), dit Joan en prenant la plus grosse.

---

14 N'oubliez pas d'apprendre quelques verbes irréguliers de temps en temps.

---

3 *Je ne me suis jamais intéressé à l'histoire romaine.*

I have . . . . . been interrested . . . . history.

4 *Bien que je lui aie dit de ne pas le faire, il a insisté.*

. . . . I . . . . him . . . . . do it, he insisted.

5 *Un stylo-bille est excellent pour écrire vite.*

A biro is excellent . . . .

EXERCICES

1 A qui est cette brosse à cheveux? — [Elle est] à ma sœur. — **2** Qui a les meilleures manières? — Moi (j'ai). — **3** Qui veut aller en Écosse avec moi? — Nous (faisons). — **4** Cette farine est excellente pour faire (faisant) [les] gâteaux. — **5** Il envoya son fils [pour] acheter du vin.

Corrigé

1 doesn't work - wrong with. — **2** He - most polite - ever. — **3** never - in Roman. — **4** Although - told - not to. — **5** for writing quickly.

Can you repeat the four anecdotes in today's lesson? Please try again.

Second wave: 62nd Lesson

Hundred and twelfth (112th) Lesson

REVISION AND NOTES

Notes à relire. — 106ᵉ leçon : (1), (2) - **107ᵉ :** (2), (5) **109ᵉ :** (2), (3) - **110ᵉ :** (2).

1 Falloir. — Ce mot n'a pas de traduction exacte : il est traduit, tantôt par *must* (devoir), tantôt par *need* (avoir besoin de). Quelques exemples :

Il faut que je parte : *I must go* (leave);

Il faut que vous fassiez des exercices : *you must do some exercises.*

Avez-vous tout ce qu'il vous faut? : *do you have everything you need?*

Qu'est-ce qu'il me faut encore? : *what else do I need?*

Parfois on le tourne avec *necessary. It is necessary to book :* il faut réserver. Tâchez toujours de trouver une tournure différente en français pour le traduire. Pour l'assimiler... notre devise : la pratique quotidienne.

2 Le passé du conditionnel. — Il ne devrait pas poser de problèmes. Par exemple : elle l'aurait acheté.

D'abord il nous faut un conditionnel, *she would;* ensuite notre auxiliaire du passé, *have : she would have;* et enfin le participe passé, ici *bought;* ce qui nous donne :

she would have bought it.

Avec les verbes défectifs, nous suivons le même système : j'aurais dû lui dire (à lui). Le conditionnel de *must* est *should : I should;* l'auxiliaire du passé, *have : I should have;* et ensuite le participe *told : I should have told him.* Il aurait pu m'aider : *he could have helped me.*

Cent-douzième leçon

3 Whatever : quoi qu'il. *Whatever he says he's wrong :* quoi qu'il dise, il a tort.

Whoever : qui que ce soit. *Whoever phones, don't answer it :* qui que ce soit qui téléphone, n'y répondez pas.

Wherever : *Call me wherever I am :* appellez moi où que je sois.

4 Tel, se traduit par *such.* Il avait un tel accent que je ne pouvais pas le comprendre : *he had such an accent that I couldn't understand him.*

Mais, quand « tel » veut dire « par exemple », on le traduit par *such* **as.** Il aime les auteurs classiques tels Dickens, etc. : *He likes classical authors such as Dickens,* etc.

5 Locutions à bien retenir. — 1 *He'll be down in a minute.* — 2 *We should have decided a month ago.* — 3 *You've got more than you need.* — 4 *Despite his money, he's still unhappy.* — 5 *She no longer works here.* — 6 *How long will the job take?* — 7 *The miners went on strike.* — 8 *A doctor is available all*

night. — 9 *I don't want to join a trade union.* — 10 *Thanks for your help.* — *Not at all.* — 11 *We always get lost in Paris.* — 12 *I might buy a new one.*

6 Traduction. — 1 Il descend tout de suite. — 2 Nous aurions dû nous décider il y a un mois. — 3 Tu as plus qu'il ne te faut. — 4 Malgré son argent, il est toujours malheureux. — 5 Elle ne travaille plus

---

Hundred and thirteenth (113th) Lesson

Another little mystery

1 — I had* a **pro**blem last week, said Mr Hind to his friend the in**spec**tor.

2 — When my **fa**ther died, I in**her**ited his **for**tune of **sev**eral **mil**lion pounds.

3 But, last week, Gregg came* to see* me. He **us**ed to be the **gar**dener

4 un**til** I **fi**red (1) him in De**cem**ber.

5 He told* me that, just be**fore** my **fa**ther died, he was **wor**king out**side** his **win**dow

6 and he heard* Dad **dra**wing* (2) up a new will (3) in **fa**vour of my **bro**ther.

7 My **fa**ther and I had **ar**gued **about** **some**thing at the end of No**vem**ber,

PRONUNCIATION :

1 haïnd. — 2 daïd... **foh**tchoun. — 3 **ious**tou bî **gah**dnë. — 4 **faï**-ëd. — 5 aoutt**saïd**. — 6 heud ... **drohï**ng ... ouïl ... **fé**vë. — 7 **ah**gioud. —

ici. — 6 Combien de temps prendra le travail? — 7 Les mineurs firent grève. — 8 Un docteur est disponible toute la nuit. — 9 Je ne veux pas m'inscrire à un syndicat. — 10 Merci de votre aide. — De rien. — 11 Nous nous perdons toujours à Paris. — 12 Il se peut que j'en achète un nouveau.

Second wave: 63rd (revision) Lesson

Cent-treizième leçon

1 J'ai eu un problème la semaine dernière dit M. Hind à son ami l'inspecteur.
2 Quand mon père est mort, j'ai hérité de sa fortune de plusieurs millions de livres.
3 Mais, la semaine dernière, Gregg est venu me voir. Il était le jardinier (avait l'habitude d'être),
4 jusqu'à ce que je le licencie (l'ai licencié) en décembre.
5 Il m'a dit que, juste avant que mon père meure, il travaillait (*prog.*) devant (dehors) sa fenêtre
6 et il a entendu papa en train de rédiger un nouveau testament en faveur de mon frère.
7 Mon père et moi nous nous étions (s'étaient) disputés au sujet de quelque chose à la fin de novembre,

---

NOTES

(1) *A fire :* le feu. *To fire a gun :* tirer un coup de fusil. Pour licencier quelqu'un on peut dire *to dismiss* ou, plus familièrement, *to fire* (voir *to employ* et *to hire :* embaucher).

(2) *To draw :* dessiner; *to draw up* (un rapport, etc.) : rédiger. Un rédacteur : *an editor.*

(3) *The will :* la volonté. *A will :* un testament (sous-entendu : *my last will,* ma dernière volonté).
He's willing to help us : il est disposé à nous aider.

8 so it was **poss**ible that he had de**cid**ed to **al**ter (**4**) the will.

9 Gregg told* me that the **doc**ument was in his pos**sess**ion and that he would sell* it to me for **fif**ty **thou**sand pounds.

10 He said it was **da**ted No**vem**ber the **thir**ty-first, three days **af**ter the first will,

11 so it was worth a lot of **mo**ney to me.

12 When I re**fused**, he tried to **bar**gain with me. First, he asked for **twen**ty five **thou**sand pounds

13 and then, **fi**nally, ten **thou**sand.

14 — I hope you **did**n't give* him **any**thing, said* the in**spec**tor.

15 — **On**ly my foot in his **back**side, said* Hind. What was Gregg's mi**stake**? (The **an**swer is in **Les**son 119.)

8 **oh**ltë. — **9** **dok**ioumënt ... pëzèshën. — **10** **dé**tëd. — **11** oueuf. — **12** traïd ... **bah**gën. — **13** **faï**nëlï. — **14** hôhp. — **15** **bà**ksaïd ... **ahn**së.

EXERCISES

1 He used to work here un**til** he was fired. — **2** I am used to **wor**king un**til** ten o'clock **e**very night. — **3** This **ca**rpet is a **bar**gain, only **twen**ty three pounds. — **4** I hope you gave him **no**thing. — **5** He said he would sell it to me if I **wan**ted it.

Fill in the missing words:

1 *Comment allez-vous le faire? — Je demanderai de l'aide.*

How . . . . to do it? — I . . . . ask . . . help.

8 donc il était possible qu'il ait (avait) décidé de changer le testament.
9 Gregg m'a dit que le document était en (dans) sa possession et qu'il me le vendrait pour 50 000 livres.
10 Il a dit que c'était daté [du] 31 novembre, trois jours après le premier testament
11 donc [que] ça valait beaucoup d'argent (à moi).
12 Quand j'ai refusé, il a essayé de marchander avec moi. D'abord (premier), il a demandé (pour) 25 000 livres
13 et puis, finalement, 10 000 livres.
14 J'espère que vous ne lui avez rien donné, dit l'inspecteur.
15 Seulement mon pied au (dans son) derrière, dit Hind. Quelle fut l'erreur de Gregg? (La réponse est dans (la) leçon 119.)

NOTES (continued)

(4) *To alter* (du français altérer) : changer les détails de quelque chose.

EXERCICES

1 Il travaillait ici jusqu'à (ce qu'il soit) licencié. — **2** J'ai l'habitude (de) travailler jusqu'à 10 h tous (les) soirs. — **3** Ce tapis est une bonne affaire, seulement £ 23. — **4** J'espère que vous ne lui avez rien donné. — **5** Il a dit (qu')il me le vendrait si je le voulais.

---

2 *J'espère qu'ils ne modifieront pas ce bâtiment, il est tellement beau.*

I hope they . . . . this . . . . , it's

. . beautiful.

3 *Il m'a demandé comment tu allais et je lui ai dit que je ne t'avais pas vu.*

He asked me . . . you . . . . and I . . . . him I . . . not . . . . you.

4 *D'abord il m'a demandé trois mille, ensuite deux et à la fin mille.*

. . . . . he asked me . . . three . . . ., ... two and . . . . thousand.

Hundred and fourteenth (114th) Lesson

Make and do (1)

1 Here are a few **exam**ples of these two verbs.

2 Try and learn these **sen**tences, but it is **re**ally a **ques**tion of **prac**tice.

3 What is she **do**ing*? — She is **ma**king* a **birth**day-cake for her **daug**hter.

4 Be**fore** you go* out, please make your bed and do the washing-**up**.

5 Is he **do**ing well in his new job? — Yes, he's **ma**king a great deal of **mo**ney.

6 They **al**ways make mi**stakes** with this new maths.

PRONUNCIATION :

2 **rî**lï. — 3 **beuf**dé kék ... **doh**të. — 4 ouoshing-**eup**. — 5 dîl. — 6 màfs.

5 *Ça vaut tellement d'argent que personne ne l'achètera.*

It is . . . . money that . . . . . . will buy it.

Corrigé

1 are you going - will - for. — 2 won't alter - building - so. — 3 how - were - told - had - seen. — 4 First - for - thousand, then - finally one. — 5 worth so much - no-one/nobody.

Second wave: 64th Lesson

Cent-quatorzième leçon

Faire

1 Voici quelques exemples de ces deux verbes.
2 Essayez d'(et)apprendre (apprenez) ces phrases, mais c'est vraiment une question de pratique.
3 Que fait-elle (*prog.*)? — Elle fait (*prog.*) un gâteau d'anniversaire pour sa fille.
4 Avant de sortir (vous sortez), fais ton lit s'il te plaît et fais la vaisselle.
5 Se débrouille-t-il (fait-il) bien dans son nouvel emploi? — Oui, il fait (*prog.*) beaucoup d'argent.
6 Ils font toujours des fautes avec ces nouvelles maths.

NOTES

(1) L'emploi de ces deux verbes est quelque peu idiomatique. Comme règle générale, on peut vous dire que *to make* a un sens plus précis que *to do*. Généralement, on emploie *make* s'il s'agit d'une action ou d'une chose nettement déterminée, surtout avec l'idée de construction ou de création. *To do* est utilisé quand le sens est plus vague, plus large. Si vous savez l'allemand, rappelez-vous de *machen* et *tun*.

7 I speak* **En**glish, and e**nough Ger**man to make my**self** under**stood*** (**2**).
8 Make him a**no**ther **o**ffer, I think* he will ac**cept**.
9 I will have **no**thing to do with his firm, I don't trust him (**3**).
10 If you want **some**thing done well, do it your**self**.
11 With all this se**lec**tion, it is **dif**ficult to make a choice.
12 He was **do**ing a **hun**dred miles an **hour** (m.p.h.) on the **mo**torway when the po**lice** stopped him.
13 When you have read* this **les**son, do the **ex**ercises.
14 At the of**fi**cial **o**pening of **Par**liament (**4**), the **mo**narch makes a speech.

7 **ëneuf djeu**mën ... maï**sèlf**. — **8** ëk**sèpt**. — **9** feum ... treust. — **10** deun. — **11** sëlèkshën ... tchoïss. — **12** maïlz ën **aou**-ë ... **môh**të oué ... plîs stopt. — **13** rèdd ... **èk**sësaïzëz. — **14** ë**fish**ël **ôh**pnïng ... **pah**lëmënt ... **mo**nëk ... spîtch.

NOTES (continued)

(2) Notez bien cette formule : Pouvez-vous vous faire comprendre : *can you make yourself understood?*

EXERCISES

1 You are not al**lowed** to do a **hun**dred miles an hour on the **mo**torway. — **2** Check this and see if I have made a mi**stake**. — **3** It's un**like** him to make a re**mark** like that. — **4** Please make your**self** at home. **5** You should have done your work more **qui**ckly.

7 Je parle anglais et assez d'allemand pour me faire comprendre (faire moi compris).
8 Faites-lui une autre offre, je pense qu'il acceptera.
9 Je n'aurai rien à faire avec sa Société, je n'ai pas confiance en lui.
10 Si vous voulez que quelque chose soit bien fait (fait bien) faites-le vous-même.
11 Avec toute cette sélection, il est difficile de faire un choix.
12 Il faisait (*prog.*) du cent (miles) à l'heure sur l'autoroute quand la police l'a fait s'arrêter (l'arrêta).
13 Quand vous aurez (avez) lu cette leçon, faites les exercices.
14 A l'ouverture officielle du Parlement, le monarque fait un discours.

NOTES (continued)

(3) Nous connaissons, dans les affaires, « le trust », qui est une association de plusieurs sociétés, où les biens sont transférés à un comité central : ils y sont « confiés ». *Trust :* la confiance. *Please trust me :* je vous en prie, faites-moi confiance. *We can't trust him :* nous ne pouvons pas lui faire confiance.

(4) Notez la prononciation : **pah**lëmënt.

EXERCICES

1 Vous n'avez pas le droit de faire cent (miles) à l'heure sur l'autoroute. — **2** Vérifiez ceci (pour) voir si j'ai fait une erreur. — **3** Ce n'est pas de lui de faire une observation comme ça. — **4** Je vous en prie, faites comme chez vous (à la maison). — **5** Vous auriez dû faire votre travail plus rapidement.

Fill in the missing words :

1 *Je vous en prie, ne faites pas un discours, remerciez-le simplement.*

Please . . . . a speech; simply . . . . .

him

2 *Je n'ai pas confiance en lui, il prend toujours de mauvaises décisions.*

I don't . . . ., he always . . . . . bad

decisions.

3 *Que faites-vous dans votre Société? — J'essaie de faire de l'argent.*

. . . . do you . . in your . . . .? — I try to . . . .

. . . . .

Hundred and fifteenth (115th) Lesson

Make and do *(continued)*

1 Some more **exam**ples of "make" and "do" :

2 He is **ma**king* a film **about li**ving con**di**tions in a **pea**sant (1) **vi**llage.

3 I **nee**ded his help, but all he could do* was make jokes.

PRONUNCIATION :

2 këndïshënz ... pèzënt. — **3** koud ... djôhks.

4 *Je me fais comprendre facilement : je parle l'anglais.*

I . . . . myself . . . . easily: I speak English.

5 *Il fait beaucoup de bruit. Qu'est-ce qu'il fait?*

He is . . . . a lot of noise. What . . . . ?

Corrigé

1 do not make - thank. — **2** trust him - makes. — **3** What - do - firm - make money. — **4** make - understood. — **5** making - is he doing?

Second wave: 65th Lesson

Cent-quinzième leçon

Faire *(suite)*

1 Encore des exemples de *make* et *do :*
2 Il tourne (fait) (*prog.*) un film sur les conditions de vie dans un village paysan.
3 J'avais besoin de son aide, mais tout ce qu'il a pu faire était [de] plaisanter (faire des plaisanteries).

NOTES

(1) Notez la prononciation [pèzënt]. Malgré la diphtongue (deux voyelles côte à côte), la voyelle est courte (voir *head, pleasant, dead,* etc.).

4 They are **bu**sy **ma**king prepa**ra**tions for their **ho**liday.

5 The smell of good **coo**king makes my mouth **wa**ter (**2**).

6 You're **go**ing* to **mar**ry a millio**naire**? Don't make me laugh!

7 I have no **co**ffee, **you**'ll have to make do (**3**) with tea.

8 He always suc**cee**ds in **mak**ing me **an**gry.

9 Please, make up your mind (**4**), we don't have very much time and the shop is **go**ing to close.

10 What**e**ver you look at **no**wadays, you will see* : "Made in Hong **Kong**".

11 Mrs **Rich**ard's guests were ad**mi**ring a large stuffed (**5**) shark that was **mou**nted on her wall.

12 — My **hus**band and I caught* it on a **fish**ing-trip, said* the proud **ow**ner.

13 — What is it stuffed with? asked one **la**dy.

14 — My **hus**band, re**plied** their **hos**tess.

4 **bï**zï ... prèpë**ré**shënz. — **5** maouf. — **6** lahf. — **7** **you**l. — **8** sëk**sî**dz ... **ann**grï. — **9** maïnd ... klôhz. — **10** ouo**tè**vë ... **naou**-ëdéz. — **11** **rïtch**ëdz gèsts ... ëd**maï**rïng ... steuft shahk ... **maou**ntëd. — **12** koht ... praoud **ôh**në. — **14** **hôhs**tès.

Lors de la « deuxième vague » vous vous exercerez à retraduire le français en anglais et vous y réussirez sans trop de mal, comme vous le faites aujourd'hui pour la 66ᵉ leçon.

4 Ils sont occupés à faire des préparatifs pour leurs vacances.
5 L'odeur de la bonne cuisine me fait venir l'eau à la bouche.
6 Tu vas épouser un millionnaire? Ne me fais pas rire!
7 Je n'ai pas de café, vous devrez vous contenter de thé.
8 Il réussit toujours à me mettre en colère.
9 Décidez-vous, s'il vous plaît, nous n'avons pas beaucoup de temps et le magasin va (*prog.*) fermer.
10 Quoi que vous regardiez, de nos jours, vous verrez : « Fabriqué à Hong Kong ».

11 Les invités de Mme R. admiraient (*prog.*) un grand requin empaillé qui était accroché (monté) sur son mur.
12 Mon mari et moi (je) l'avons pris (attrapé) au cours d'une partie de pêche, dit la fière propriétaire.
13 Avec quoi est-il empaillé? demanda une dame.
14 [Avec] mon mari, répondit leur hôtesse.

NOTES (continued)

(2) *Water :* l'eau; *to water :* mouiller, arroser. W.C. : *water closet.*

(3) *To make do with :* se contenter de.

(4) *To make up one's mind :* se décider. *Mind,* nous l'avons vu, est l'esprit. *I can't make up my mind :* je ne peux pas me décider.

(5) *To stuff :* farcir, empailler; *stuffing :* la farce. *Stuff* est aussi argotique pour « machins », affaires. *Hurry up and move your stuff :* dépêche-toi et bouge tes affaires.

EXERCISES

1 She can **ne**ver make up her mind when she is **sho**pping. — **2** They are **bu**sy making prepa**ra**tions for their de**par**ture. — **3** Don't make me laugh! this is a **se**rious play. — **4** What will **ha**ppen if I don't do my re**vi**sion? — **5** Why must I **al**ways do all the work?

Fill in the missing words :

1 *Je n'ai pas de café, vous devrez vous contenter de thé.*

I haven't . . . . . . coffee, you'll have to . . . .

. . . . . . tea.

2 *Quoi que j'essaie de faire, je réussis.*

. . . . I try . . . . . I . . . .

3 *Il faut que vous vous décidiez maintenant; il n'y a plus de temps.*

You must . . . . . . your mind; there is . . . . . .

time.

Hundred and sixteenth (116th) Lesson

Let's go to Oxford

1 On **Sun**day, **Da**vid de**ci**ded he would go and see* his **pa**rents who lived in **Ox**ford.

2 They **wan**ted to leave* **ear**ly to **avoid** the crowds (**1**), so they got up at half past six.

PRONUNCIATION : **1** dësaïdëd ... **oks**fëd. — **2** ëvo**ïd** ... kraoudz.

4 *Fait-il toujours froid en Angleterre en hiver?*

. . . . always cold . . England . . . .?

5 *Avec quoi est-il fait? — Avec de la farine, des œufs et du beurre.*

. . . . is this made . . . .? — With . . . . , ...

and . . . . . .

EXERCICES

1 Elle (ne) peut jamais se décider quand elle fait les magasins. — 2 Ils sont occupés aux (faisant) préparatifs de (pour) leur départ. — 3 Ne me faites pas rire! c'est une pièce (de théâtre) sérieuse. — 4 Que se passera-t-il si je ne fais pas ma révision? — 5 Pourquoi dois-je toujours faire tout le travail?

Corrigé

1 got any - make do with. — 2 Whatever - to do - succeed. — 3 make up - no more. — 4 Is it - in - in winter. — 5 What - with - flour eggs - butter.

Second wave: 66th Lesson

Cent-seizième leçon

Allons à Oxford

1 Le dimanche, David décida qu'il irait (et) voir ses parents qui habitaient à (dans) Oxford.

2 Ils voulaient partir de bonne heure pour éviter la foule, donc ils se levèrent à 6 h 30.

NOTES

(1) *The crowd :* la foule; *crowded :* encombré.

3 By **se**ven o'clock, they were **rea**dy. They got **in**to the car and set off.

4 — Have you got **ev**erything? said Joan.

5 — Of course I have. I rang* (**2**) Dad last night and told* him we would ar**rive** at about ten.

6 They took* the **mo**torway and were soon **dri**ving* (**N. 1**) **quick**ly tow**a**rds **Ox**ford.

7 — I'm sure we've for**go**tten* **some**thing, said Joan.

8 — No, the **pre**sents are on the back (**3**) seat, and the book Dad **wan**ted is in the glove com**par**tment,

9 our **o**ver-night bag is in the boot—what could we have for**go**tten*?

10 They drove* on in **si**lence. Joan looked at the **coun**tryside.

11 and from time to time glanced (**4**) (**N. 5**) at the spee**do**meter to make* sure they were not **brea**king* (**5**) the **speed-li**mit.

12 — How far to go?—Only a**no**ther **fi**fty miles. **We**'ll be there in an hour.

13 **Sud**denly, the **mo**tor coughed (**6**) and the car be**gan*** to slow down.

14 — Damn! I know what I for**got***. I for**got*** to fill the tank be**fore lea**ving*.

3 **rè**ddï. — **4** sèdd. — **6** **môh**të oué ... **draï**vïng ... të-ou**o**hdz. — **7** shour. — **8** **prè**zënts ... sît ... gleuv këm**pah**tmënt. — **9** **ôh**vë naït ... boutt ... koud. — **10** drôhv ... **saï**lënts ... **keun**trïsaïd. — **11** glahnst ... spi**doh**mïtë ... **bré**kïng. — **12** **ouîl**. — **13** koft ... slôh daoun. — **14** dàmm ... fë**got** ... tannk.

3 À (pour) 7 heures, ils étaient prêts. Ils montèrent dans la voiture et s'en allèrent.
4 As-tu tout? dit Joan.
5 Bien sûr (j'ai). J'ai téléphoné à Papa hier soir et je lui ai dit que nous arriverions à 10 heures environ.
6 Ils prirent l'autoroute et roulèrent (conduisaient) bientôt rapidement vers Oxford.
7 Je suis sûre que nous avons oublié quelque chose, dit Joan.
8 Non, les cadeaux sont sur le siège arrière, et le livre que Papa voulait est dans la boîte à gants,
9 notre sac de voyage est dans le coffre — qu'aurions-nous pu oublier?
10 Ils continuèrent (à conduire) en silence. Joan regardait le paysage
11 et, de temps en temps, jetait un coup d'œil au compteur de vitesse pour s'assurer qu'ils ne dépassaient pas (cassaient) la limitation (de vitesse).
12 Il reste combien à faire (combien loin aller)? — Seulement (encore un autre) 50 miles. Nous y serons dans une heure.
13 Soudainement, le moteur toussa et la voiture commença à ralentir.
14 Zut! je sais ce que j'ai oublié. J'ai oublié de faire le plein (remplir le réservoir) avant de partir.

NOTES (continued)

(**2**) *To ring :* sonner, téléphoner (les Belges disent pareil : je vous sonnerai demain).
A ring est aussi bien une sonnerie qu'une bague.

(**3**) *Back :* arrière, derrière. *The back door :* la porte de derrière.
The back seat : le siège arrière.
Front : avant, devant; *Front door, front seat,* etc.

(**4**) *To glance :* jeter un coup d'œil.

(**5**) *To break* (casser) a aussi le sens d'enfreindre.
To break the law : enfreindre la loi.
To break the speed limit : dépasser la limite de vitesse.
To break a promise : ne pas tenir une promesse.

(**6**) *To cough* [coff] : tousser. *A cough :* une toux.

EXERCISES

1 What time did he ring last night? — **2** How far to go? — Only about **twen**ty miles. — **3** You **shoul**dn't ar**rive** at the **the**atre **du**ring the per**for**mance. — **4** They stopped to fill the tank, then drove on. — **5** Be**fore lea**ving, please lock all the doors and close all the **win**dows.

Fill in the missing words:

1 *Pendant que David conduisait, Joan regardait le paysage.*

While David . . . . Joan . . . . the . . . .

2 *Je l'ai appelé hier pour [lui] dire que nous arriverions vers huit heures.*

I . . . . yesterday . . . . . that we . . . . . arrive . . . . . eight.

3 *Tu as tout? — Bien sûr, qu'est-ce que j'aurais pu oublier?*

. . . . you . . . .—Of course, what . . . . . . have forgotten?

4 *Durant la semaine, il lit pendant trois heures par jour.*

. . . . . . the week, he reads . . . three hours . day.

5 *Assurez-vous que vous n'avez rien oublié.*

. . . . that you . . . . nothing.

EXERCICES

1 [À] quelle heure a-t-il appelé hier soir? — **2** [Il reste] combien à faire (aller)? — Seulement 20 miles environ. — **3** Vous ne devriez pas arriver au théâtre pendant la représentation. — **4** Ils s'arrêtèrent pour faire le plein, puis [ils] continuèrent (conduit sur). — **5** Avant [de] partir, veuillez fermer toutes les portes (à clef) et fermer toutes les fenêtres.

Corrigé

1 was driving - was looking at - countryside. — **2** rang him - to say would - about. — **3** Have - got everything - could I. — **4** During - for - a. — **5** make sure - have forgotten.

Nous rencontrons de plus en plus d'expressions idiomatiques : il ne s'agit pas, bien sûr, d'essayer de les apprendre toutes, mais de se faire une idée de la forme des phrases idiomatiques et des petites locutions telles : of course I have, *etc.*

C'est lors de la **deuxième vague** *qu'il convient de faire des exercices par écrit; mais vous pouvez vous exercer à le faire dès maintenant, si vous voulez.*

Second wave: 67th Lesson

Hundred and seventeenth (117th) Lesson

A slight misunderstanding

1 Fortunately, there was a can of petrol in the boot.

2 David put* that into the tank and they drove* on to a service station.

3 — Fill her up, said David, and you had better check the oil.

4 — Why don't we go and have a cup of coffee? said Joan.

5 — Okay, fine. When he's (1) finished, I'll join you.

6 Joan got out of the car and walked towards the cafeteria.

7 She stopped at a kiosk to buy* a magazine and then went into the café and bought* two coffees.

8 David arrived five minutes later and sat* down.

9 — I'm sorry, love, I should have listened to you,

10 you said we had forgotten* something and you were right.

11 — Yes, it's silly to run* out (2) of petrol on the motorway. You ought to (3) have checked before.

PRONUNCIATION

1 **foh**tchënëtlï ... kànn ... **pè**trël. — 2 **seu**vïs **sté**shën. — 3 **oï**-ël. — 4 dôhnt. — 5 djoïn. — 6 ouohkt tëou**oh**d ... kafë**tî**rië. — 7 stopt ... magë**zîn** ... boht. — 8 **lé**të. — 9 **lï**seund. — 10 sèdd ... raït. — 11 oht.

Cent-dix-septième leçon

Un léger malentendu

1 Heureusement, il y avait un bidon d'essence dans le coffre.
2 David le mit (cela) dans le réservoir et ils continuèrent jusqu'[à] une station-service.
3 Faites le plein (remplissez-le), dit David, et vérifiez (vous avez mieux) l'huile.
4 Pourquoi n'allons-nous pas (et) prendre une tasse de café? dit Joan.
5 O.K., parfait. Quand il aura (a)fini, je viendrai (te joindre).
6 Joan sortit de la voiture et alla (marcha) vers la cafétéria.
7 Elle s'arrêta à un kiosque pour acheter un magazine et puis elle entra dans le café et commanda deux cafés.
8 David arriva cinq minutes après (plus tard) et s'assit.
9 Je m'excuse, chérie, j'aurais dû t'écouter,
10 tu disais que nous avions oublié quelque chose et tu avais raison.
11 Oui, c'est bête de tomber en panne d'essence sur l'autoroute. Tu aurais dû vérifier avant.

NOTES

(1) **Attention!** la contraction ici est celle de *has* et non *is : When he has finished.* C'est plus facile à dire (même pour un Anglais) que les deux « h » qui doivent être aspirés.

(2) *To run out of,* rappelons, veut dire épuiser les stocks de... *To run out of petrol :* tomber en panne d'essence. Tomber en panne se dit *to break down.*

(3) *Ought to* est la même chose que *should,* c'est-à-dire le conditionnel de *must* (attention à la prononciation!). Les deux sont suivis de l'infinitif sans *to : You should go = You ought to go.*

Vous exercez-vous parfois à compter?

12 — **Al**right! I said I was **so**rry, **did**n't I? Let's **fi**nish our **co**ffee and leave*.
13 They got back (**N 2**) into the car and con**tin**ued their **jour**ney in **si**lence.
14 Joan read* her maga**zine** and an **hour la**ter, they ar**ri**ved in **Ox**ford.

12 **dï**dëntaï. — 13 djeunï ... **saï**lents. — 14 rèdd ... **aou**-ë.

EXERCISES

1 What's the **ma**tter? — I think we've run out of **pe**trol. — 2 When they were bored with **dri**ving, they stopped at a **ser**vice-**sta**tion. — 3 You ought to have checked be**fore lea**ving. — 4 It is for**bid**den to break the **speed-li**mit. — 5 When he's **fi**nished, **I**'ll buy you a cup of **co**ffee.

Fill in the missing words:

1 *Nous devrions aller voir mes parents, je ne les ai pas vus depuis longtemps.*

We . . . . go and see . . parents, I haven't

. . . . them . . . a long time.

2 *Je suis très friand de la lecture. J'achète un roman tous les mois.*

I'm very . . . . . . reading. I buy a . . . . .

. . . . . month.

3 *Nous n'avons plus d'essence mais il y a un bidon dans le coffre.*

We've . . . . petrol but . . . . a

. . . in the boot.

12 Ça va! j'ai dit que je m'excusais (étais désolé) n'est-ce pas? Finissons nos cafés et partons.
13 Ils remontèrent dans la voiture et continuèrent leur voyage en silence.
14 Joan lut son magazine et, une heure plus tard, ils arrivèrent à Oxford.

FORTUNATELY, THERE WAS A CAN OF PETROL IN THE BOOT
117

4 *Il vaut mieux vérifier l'huile, je ne veux pas tomber en panne.*

You . . . . check the . . . , I don't want to break down.

5 *Il gagne beaucoup d'argent mais son travail est très ennuyeux.*

He . . . . money but . . . job is very . . . . . .

EXERCICES

1 Qu'est-ce qu'il y a? — Je pense que nous sommes en panne d'essence. — **2** Quand ils étaient las (ennuyés) de (avec) conduire, ils s'arrêtaient à une station-service. — **3** Vous auriez dû vérifier avant (de) partir. — **4** Il est interdit d'enfreindre (casser) la limite [de] vitesse. — **5** Quand il aura (a) fini, je vous achèterai une tasse de café.

Corrigé

1 ought to - my - seen - for. — **2** fond of - novel every. — **3** run out of - there is - can. — **4** had better - oil. — **5** earns a lot of - his - boring.

Second wave: 68th Lesson

Hundred and eighteenth (118th) Lesson

At the Wilson's

1 **Ox**ford looked very **beau**tiful that **mor**ning. It is not for **no**thing that it is called "The **Ci**ty of **Spi**res".

2 They drove* through the the **cen**tre and soon ar**ri**ved at the **qui**et street where **Da**vid's **pa**rents lived.

3 **Da**vid's **fa**ther **gree**ted (**1**) them at the door.
— Hel**lo**, you look well (**2**) Come* in!

4 Did you have a good trip? **Da**vid and Joan looked at one a**noth**er un**com**fortably (**3**).

5 — Er, yes thanks, it was* al**right**.

6 — Put* your bags down there and come* into the front room (**4**).

7 **Da**vid's **mo**ther was **sit**ting in front of the **fi**re.

8 She stood* up as they came* in and kissed them both.

9 Joan took* a **par**cel from be**hind** her back and gave* it to Mrs **Wil**son.

10 — It's just a little **some**thing I found* in a junk (**5**) ... I mean*, in an an**tique** shop.

11 Mrs **Wil**son **o**pened the **par**cel and took* out a small **si**lver box.

PRONUNCIATION :

1 **spaï**-ëz. — 2 frou ... **sèn**të ... kou**aï**-ët. — 3 **grî**tëd. — 4 eun**keum**ftëblï. — 5 ohl**raït**. — 6 freunt. — 7 **faï**-eu. — 8 kïst. — 9 **pah**sël ... bï**haïnd**. — 10 faound ... djeunk ... ann**tîk**. — 11 **sï**lvë boks.

Post your entry to

NEW YEAR CAR CONTEST

DAILY MAIL, NORTHCLIFFE HOUSE, LONDON, EC4X 1AT. (COMP.)

I submit ..4.. lines for which I enclose P.O./Cheque No.

Value ....

I agree to abide by the full rules. Enter seven selections in a downward line. 4 lines 28p : 6 lines 42p ; 8 lines 56p ; 10 lines 70p ; 12 lines 84p ; 14 lines 98p.

2

Name ...MR DOMINIC JAY...
(Mr, Mrs or Miss. Block letters please.)

Address ...19, OLD NORTHWICK LANE, WORCESTER WR3 7NB...

	28p				14p		14p		14p		14p		14p	
1	J	J	B	J										
2	S	K	J	A										
3	R	L	C	S										
4	K	R	A	B										
5	A	B	H	C										
6	C	A	K	E										
7	B	S	S	D										

ENTRIES MUST BE RECEIVED BY THURSDAY, JANUARY 29.

CUT HERE

erything else.

in service

Sealink

Lots more.

Information correct at time of going to press.

ULOGNE • DOVER-BOULOGNE • DOVER-DUNKIRK • FOLKESTONE-OSTEND • HOLYHEAD-DUN LAOGHA

ITH-GUERNSEY • HEYSHAM-DOUGLAS • PORTSMOUTH-JERSEY • PORTSMOUTH-GUERNSEY

Cent-dix-huitième leçon

Chez les Wilson

1 Oxford était (regardait) très beau ce matin. Ce n'est pas pour rien qu'on l'appelle « la Cité des clochers ».
2 Ils traversèrent (conduisirent à travers) le centre et bientôt ils arrivèrent à la rue tranquille où habitaient les parents de David.
3 Le père de David les accueillit à la porte. — Bonjour, ça à l'air d'aller (vous regarder bien). Entrez!
4 Avez-vous fait (eu) un bon voyage? David and Joan se regardèrent d'un air gêné (non confortable).
5 Euh, oui, merci, ça a été.
6 Posez vos bagages là et venez dans le salon (pièce d'avant).
7 La mère de David était assise devant le feu.
8 Elle se leva lorsqu'ils entrèrent et les embrassa tous les deux.
9 Joan prit un paquet (de) derrière son dos et le donna à Mme Wilson.
10 C'est juste un petit quelque chose que j'ai trouvé dans un magasin de bric-à-brac... Je veux dire d'antiquités.
11 Mme Wilson ouvrit le paquet et [en] sortit une petite boîte en argent.

NOTES

(1) *To greet :* accueillir, saluer. *He greeted me with a smile :* il m'a salué d'un sourire. *Greetings :* salutations. L'on écrit sur des cartes de Noël : "*Christmas Greetings*". Carte de vœux : *greetings card.*

(2) Nous avons vu plusieurs sens de ce verbe; ici : vous avez l'air bien = ça a l'air d'aller.

(3) *Uncomfortable : to feel uncomfortable,* se sentir mal à l'aise; *an uncomfortable silence :* un silence gêné.

(4) Le salon a beaucoup d'appellations en anglais dont : *front room, sitting room, lounge.* Le plus usuel est peut être : *sitting room.*

(5) *Junk,* c'est le bric-à-brac, des articles de très peu de valeur. Aux États-Unis, *junk food* est la nourriture sans valeur nutritive, avec beaucoup de colorants, etc.

12 — Oh, it's **lo**vely! she cried, but what is it?
13 — Well, it's Vic**to**rian. It's a... thing.
14 — Oh good, you don't know* **ei**ther. I can't of**fend** you, can I?
15 I think* **I**'ll put* my **ear**ings in it.

12 kraïd. — **13** vïk**toh**riën ... fïng. — **14** **aï**vë ... ëf**ènnd.** — **15** **î**rïngz.

EXERCISES

1 I've bought you a **pres**ent but I don't know what it is. — **2** I can't af**ford** a new car; **I**'ll have to buy a **se**cond-**hand** one. — **3** She stood up and kissed them both. — **4** I've **ne**ver bought a cow in my life. — **5** They spoke to one a**noth**er for the first time for months.

Fill in the missing words :

1 *Où as-tu mis mes pantoufles? — Là-bas, derrière le fauteuil.*

Where have you . . . . . slippers? — Over there, ... the armchair.

2 *Le bus s'arrête devant le musée. Descendez là.*

The bus stops . . . . the museum. . . . . . . there.

12 Oh, c'est ravissant! cria-t-elle, mais qu'est-ce que c'est?
13 Eh bien, c'est Victorien. C'est une... chose.
14 Ah bon, tu ne sais pas non plus. Je ne veux pas te vexer (t'offenser) n'est-ce pas?
15 Je pense que j'y mettrai mes boucles d'oreilles.

---

3 *Posez vos affaires là et entrez dans le salon avec moi.*

. . . your things . . . . there and . . . .

the front room with . .

4 *Comment s'appelle cette chose là-bas? — Je n'[en] ai aucune idée.*

What is that . . . . . over there . . . . . .? — I have

. . idea.

5 *Vous avez fait un bon voyage? — Non, je n'étais pas bien dans l'avion.*

Did you have . . . .? — No, I was

. . . . in the plane.

EXERCICES

1 Je vous ai acheté un cadeau mais je ne sais pas ce que c'est. — **2** Je ne peux pas me permettre une voiture neuve (nouvelle); je devrai [en] acheter une [d']occasion. — **3** Elle s'est mise debout et les a embrassés tous les deux. — **4** Je [n']ai jamais acheté une vache de ma vie. — **5** Ils se sont parlé (l'un l'autre) pour la première fois depuis [des] mois.

Corrigé

1 put my - behind. — **2** in front of - Get off. — **3** Put - down - come into - me. — **4** thing - called - no. — **5** a good trip - uncomfortable.

Second wave: 69th Lesson

118th LESSON

Hundred and nineteenth (119th) Lesson

REVISION AND NOTES

Notes à relire. — 113ᵉ leçon : (1) - **114ᵉ** : (1), (2) - **115ᵉ** : (1) - **116ᵉ** : (3), (5) - **117ᵉ** : (3).

1 To drive. — Nous l'avons pas mal vu au cours de cette semaine, avec des postpositions différentes. Rappelez-vous de :

He drove on : il continua (en conduisant). *They drove through Oxford :* ils traversèrent Oxford en voiture. *To drive around :* conduire autour. *To drive to London :* aller à Londres en voiture.

Ces formules peuvent être utilisées avec d'autres verbes de mouvement, tels *to walk, to run, to ride,* même *to fly* (voler). Si l'on dit, par exemple, *to cross Oxford by car,* on insiste sur le moyen de transport. De telles expressions sont beaucoup moins courantes.

2 Back. — Encore un mot qui peut changer le verbe. *To go back :* retourner. *To put back :* remettre. *To give back :* rendre. *To take back :* reprendre.

Nous avons vu son emploi pour exprimer « derrière, arrière » (voir leçon 116, **N. 3**).

Cent-dix-neuvième leçon

Comme nom propre, il veut dire « le dos » (*front and back* traduisent également recto et verso).

3 Make and do. — Bien que nous ayons donné une règle de base [*make :* fabriquer, plus précis; *do :* exécuter, plus général; voir leçon 114 (**1**)]; leur emploi est assez idiomatique. C'est seulement la pratique de la langue qui vous aidera à choisir automatiquement celui qui convient.

Pour ceux qui n'ont jamais étudié une langue, un bon exemple de la relative impossibilité (et l'inutilité) de la traduction « mot-à-mot » est formée par l'expression *to make do with :* se contenter de.

4 A little mystery (leçon 113). — Gregg a dit à M. Hind que le second testament de son père, celui qui le déshéritait, était daté du 31 novembre. Or il n'a y que trente jours en novembre! Pour se rappeler du nombre de jours dans un mois, les écoliers apprennent ce petit poème :

Thirty days hath September
April, June and November;
all the rest have thirty one.
Save February, which hath twenty eight days clear
and twenty nine in every leap year.

Ce n'est évidemment pas Shakespeare qui l'a composé, mais néanmoins il est très utile.

NOTES. — *Hath :* ancienne forme de *to have.* — *save :* sauf (se dit *except* maintenant). — *a leap year :* une année bissextile.

5 To glance : jeter un coup d'œil; il y a d'autres verbes qui remplacent les verbes composés en français tels : *to wink :* faire un clin d'œil; *to frown :* faire une grimace; *to fuss :* faire des histoires.

Essayez surtout de les retenir car une traduction littérale du verbe français n'aurait pas de sens.

6 Locutions à bien retenir. — 1 *He tried to bargain with the shop-keeper.* — 2 *It's worth a lot of money.* — 3 *Please make up you mind quickly.* — 4 *I don't trust you.* — 5 *She can make herself understood.* — 6 *Don't make me laugh.* — 7 *Please ring back later.* — 8 *What could we have forgotten?* — 9 *How far to go?* — 10 *Fill her up and check the oil.* — 11 *You look well.*

Hundred and twentieth (120th) Lesson

Some traditions

1 It is **of**ten said that the **En**glish are con**serv**ative (**N. 1**).

2 I pre**fer** to hear* it said that they are tra**di**tionalist.

3 There are many tra**di**tions and **cus**toms in **Bri**tain and some may ap**pear** strange to **for**eigners.

4 For ex**am**ple, on Oc**to**ber the **thir**ty first, one (**1**) can see **chil**dren **ma**king masks from **tur**nips

5 and **put**ting* **can**dles in**side** to **frigh**ten **wit**ches.

6 This is called Hallowe'**en** (**2**) and is the day be**fore** All Saints Day.

PRONUNCIATION : **1** sèdd ... kën**seu**vëtïf. — **2** trë**dïsh**ënëlïst. **3** **keu**stëmz ... ë**pî**eu. — **4** mahsks ... **teu**nïps. — **5** **kann**dëlz ... **fraï**tën **ouï**tchëz. — **6** halo-**în** ... sénnts.

7 Traduction. — 1 Il essaya de marchander avec le commerçant. — 2 Ça vaut beaucoup d'argent. — 3 Je vous en prie, décidez-vous rapidement. — 4 Je n'ai pas confiance en vous. — 5 Elle peut se faire comprendre. — 6 Ne me faites pas rire. — 7 Veuillez rappeler plus tard s'il vous plaît. — 8 Qu'aurions-nous pu oublier? — 9 Combien reste-t-il à faire? — 10 Faites le plein et vérifiez l'huile. — 11 Ça a l'air d'aller (vous avez l'air bien).

Second wave: 70th (revision) Lesson

Cent-vingtième leçon

Quelques traditions

1 On dit souvent (il est souvent dit) que les Anglais sont des conservateurs.
2 Je préfère qu'on dise (entendre dire) qu'ils sont traditionalistes.
3 Il y a beaucoup de traditions et de coutumes en [Grande]-Bretagne et certaines pourraient paraître curieuses aux étrangers.
4 Par exemple (sur), le 31 octobre, on peut voir des enfants faisant des masques avec des navets
5 et mettant des bougies dedans pour effrayer les sorcières.
6 Ceci s'appelle *Hallowe'en* et c'est la veille (jour avant) de la fête de la Toussaint.

NOTES

(1) *One can see :* on peut voir. Lorsque *on* est une constatation générale, nous pouvons utiliser le pronom *one;* mais, de nos jours, ceci fait « précieux ». Aussi essayons au maximum de l'éviter. Regardez dans ce texte les différentes façons de tourner une phrase pour éviter ce mot *one.*

(2) *To hallow* est un verbe qui n'existe maintenant que dans le « Notre Père » (*Our Father who art in heaven*

7 Just before Easter, on Good Friday, you can buy* Hot Cross Buns (**3**).

8 These are delicious spicy cakes, with a cross on them, to remind us of the Crucifiction.

9 The day after Christmas is called Boxing Day.

10 This is because householders used to give little presents or "boxes" to the tradesmen who had served them.

11 Nowadays, it is usual to give* money.

12 Perhaps the most spectacular tradition is "Bonfire Night" or "Guy Fawkes Night".

13 This takes place on the fifth of November and celebrates (**4**) the arrest, in sixteen oh-five (1605),

14 of Guy Fawkes who attempted to blow up the Houses of Parliament.

15 Today, people celebrate by lighting bonfires, setting off (**5**) fireworks and burning* effigies called "guys" (**6**).

NOWADAYS, IT IS USUAL TO GIVE MONEY

7 îstë ... beunz. — **8** dïlïsheus spaïsï ... crousïfikshën. — **9** krïsmës ... boksïng. — **10** haous-holdëz ... trédzmën. — **11** naou-ëdéz. — **12** spektakioulë ... bonnfaï-ëu ... gaï fohkz. — **14** blôh ... pahlëmënt. — **15** laïtïng ... faï-euoueuks ... beunïng èfïdjîz.

7 Juste avant Pâques, le (sur) vendredi saint (bon) on peut acheter des *Hot Cross Buns.*
8 Ce sont de délicieux petits gâteaux épicés, avec une croix dessus (sur eux) pour nous rappeler (de) la crucifixion.
9 Le lendemain (jour après) de Noël s'appelle *Boxing Day.*
10 Ceci (est) parce que les ménages avaient l'habitude de donner de petits cadeaux ou « boîtes » aux commerçants qui les avaient servis.
11 De nos jours, il est usuel de donner de l'argent.
12 La tradition la plus spectaculaire est peut-être « la Nuit des Feux de joie » ou *Guy Fawkes Night.*
13 Elle a (prend) lieu (sur) le 5 novembre, et fête l'arrestation, en 1605,
14 de Guy Fawkes qui tenta de faire sauter les Maisons du Parlement.
15 Aujourd'hui, on la fête en (par) allumant des feux de joie, en faisant partir des feux d'artifice et en brûlant des effigies appelées : *guys.*

NOTES (continued)

hallowed be thy name). Le sens était « louer » (*hallowed :* saint). *E'en* est une ancienne contraction de *evening* (veille), donc la veille de Toussaint. « Veille », en anglais moderne, n'a pas de traduction et on dit *the night before* (sauf pour Noël, où le 24 décembre s'appelle *Christmas Eve*); le lendemain : *the day after.*

(3) *A bun* est une brioche (ou un chignon pour les cheveux).

(4) *To celebrate :* fêter. Une fête se traduit par *party.* N'étant pas un pays catholique, l'Angleterre n'a pas de fêtes, donc il n'y a pas de traduction possible. Une périphrase est nécessaire.

(5) *To set off,* nous l'avons vu, c'est se mettre en route. *They got into the car and set off* (ils montèrent dans la voiture et se mirent en route). *To set off* a aussi le sens de faire mettre à feu (explosion, feux d'artifice).

(6) *Guy* est devenu maintenant un mot argotique (plutôt aux U.S.A.) et correspond à l'argot français « mec, gus », etc.

EXERCISES

1 One can still see this **cus**tom in **cer**tain parts of the **cou**ntry. — **2** He does that do **fri**ghten his **sis**ter. — **3** This **pain**ting re**minds** me of **Tur**ner. — **4** He was **ligh**ting a **fi**re when he was ar**res**ted. — **5** How much must we pay to get in?

Fill in the missing words:

1 *Il y a longtemps, on donnait des cadeaux mais, de nos jours, on donne de l'argent.*

A long time . . . , people . . . . presents but

. . . . give money.

2 *Il se mit debout, ferma la fenêtre et continua à lire.*

He . . . . , ... the window and continued . . . .

3 *On dit que les Anglais sont conservateurs, mais je ne le pense pas.*

It . . . . . . that the English are . . . ., but I . . . . so.

Hundred and twenty-first(121st) Lesson

Some more traditions

1 If you go to the **To**wer of **Lon**don, you will see* six **ra**vens.

4 *Il y a beaucoup de coutumes qui peuvent paraître curieuses aux étrangers.*

. . . . many customs which . . . appear

. . . .

5 *Il a commencé par manger le dessert et a terminé par boire la soupe.*

He . . . . . by . . . . . . the sweet and finished . .

. . . . the soup.

EXERCICES

1 On peut encore voir cette coutume dans certaines parties du pays. — **2** Il fait cela pour effrayer sa sœur. — **3** Ce tableau me rappelle Turner. — **4** Il allumait un feu quand il (a) été arrêté. — **5** Combien doit-on (devons-nous) payer (pour) entrer?

Corrigé

1 ago - gave - nowadays they. — **2** stood up, closed/shut - reading. — **3** is said - conservative - don't think. — **4** There are - strange to foreigners. — **5** began/started - eating - by drinking.

Second wave: 71st Lesson

Cent-vingt et unième leçon

Encore quelques traditions

1 Si vous allez à la Tour de Londres, vous verrez six corbeaux.

PRONUNCIATION : 1 taouë ... révënz. —

2 These birds—or **ra**ther (**1**) their **an**cestors—have been there since the **ele**venth **cen**tury.
3 But, to**day**, they are there for a very im**port**ant **rea**son.
4 Ac**cord**ing to tra**di**tion, the **Bri**tish **Em**pire will re**main on**ly as long as (**2**) there are **rav**ens in the **Tow**er.
5 **No**-one knows* the **rea**son for this **le**gend, but there are **ma**ny sug**ges**tions.
6 One is that a gang of thieves (**3**) broke* **in**to (**4**) the **To**wer while the **sen**tries were a**sleep**,
7 but the **ra**vens made so much noise that the **sen**tries woke* up and were **a**ble to (**5**) kill the thieves.
8 What**ev**er the **rea**son, the birds are fed* every day and re**ceive** a State **pen**sion.

9 **Scot**land and **Ire**land, too, are full of **le**gend and tra**di**tion.

2 beudz ... **rah**vë ... **ànn**sèstëz ... ïlèvënf **sèn**trï. — **4** ë**koh**dïng ... **èmm**paî-ë ... rï**mén**. — **5 lèd**jeund ... sëd**jèst**chënz. — **6** ganng ... fîvz brôhk ... **sèn**trîz. — **7** noïz ... **é**bël. — **8** rï**sîv** ... **pènn**shën. — **9 aï**-ëlënd. —

2 Ces oiseaux — ou plutôt leurs ancêtres — sont là (ont été là) depuis le onzième siècle.
3 Mais, aujourd'hui, ils sont là pour une raison très importante.
4 Selon la tradition, l'Empire britannique durera (restera) tant (aussi long que) qu'il y aura (a) des corbeaux dans la Tour.
5 Personne ne connaît la raison de (pour) cette légende, mais il y a beaucoup d'hypothèses (suggestions).
6 L'une est qu'une bande de voleurs cambriola (cassa dans) la Tour pendant que les sentinelles dormaient,
7 mais les corbeaux firent tellement de bruit que les sentinelles se réveillèrent et purent (furent capables de) tuer les voleurs.
8 Quelle que soit la raison, les oiseaux sont nourris tous les jours et reçoivent une allocation de l'État.
9 L'Écosse et l'Irlande, également, sont pleines de légendes et de traditions.

NOTES

(1) *Rather,* comme adjectif, veut dire : assez. *It's rather important :* c'est assez important (on peut le remplacer par *quite*).
Son autre sens est celui de « plutôt ». *The birds—or rather—their ancestors :* les oiseaux — ou plutôt — leurs ancêtres.

(2) *As long as,* veut dire, littéralement, aussi long que. *This ship is as long as a house :* ce bateau est aussi long qu'une maison.
As long as (ou *so long as*) a aussi le sens de « pourvu que ». *You can go out, as long as you're back by ten :* vous pouvez sortir, pourvu que vous soyez de retour avant 10 heures.

(3) Le singulier de *thieves* est *thief.*

(4) *To break :* casser, enfreindre (une loi). *To break into :* cambrioler, entrer par effraction. *Our house was broken into last night :* notre maison a été cambriolée hier soir (on dit également *to burgle* [**beu**gël]).

(5) *Were able to = could.* Le passé de *can* s'emploie pour éviter la confusion entre *could,* le passé, et *could,* le conditionnel.

10 In **Scot**land, **Christ**mas is not a big feast (**6**). For the Scots, New **Ye**ar's Day is more im**port**ant.

11 This is called "**Hog**manay". At **mid**night, a tall dark man must cross the **thresh**old of your house

12 **car**rying a lump (**7**) of coal, a piece of bread and a **bot**tle of **whis**ky.

13 These **i**tems **sym**bolise warmth, food and drink for the **com**ing **ye**ar.

10 fîst. — 11 **hog**mëné ... tohl ... **frèsh**old. — 12 leump. — 13 **aï**tëmz **sïm**bëlaïz ouohmf.

EXERCISES

1 So long as the birds are there, the **Em**pire will re**main**. — 2 What**ev**er the **rea**son, you **shoul**dn't have done it. — 3 The **bur**glar broke into the house while **ev**eryone was a**sleep**. — 4 The birds have been in the **Tow**er for e**lev**en **hun**dred **ye**ars. — 5 He pre**ten**ded to be a**sleep** in **or**der not to **an**swer.

Fill in the missing words :

1 *Pourvu que vous ne soyez pas en retard, vous pouvez venir quand vous voulez.*

. . . . you . . . not . . . . , you can come when you like.

2 *L'homme était grand, au moins deux mètres.*

The man was . . . . , ... six feet four.

3 *Ils se sont réveillés et ils ont pu tuer les voleurs.*

They . . . . . . and . . . . to kill the . . . .

10 En Écosse, Noël n'est pas une grande fête. Pour les Écossais, le Jour de l'An est plus important.
11 Celui-ci s'appelle *Hogmanay.* A minuit, un homme grand et sombre doit traverser le seuil de votre maison
12 avec (portant) un morceau de charbon, un morceau de pain et une bouteille de whisky.
13 Ces articles symbolisent la chaleur, la nourriture et la boisson pour l'année à venir.

NOTES (continued)

(**6**) *Feast :* un festin, une fête religieuse [voir leçon 120, (**4**)].

(**7**) *A lump* est un morceau informe, autrement dit : *a piece.*

---

4 *Quoi qu'il dise, je ne suis pas d'accord avec lui.*

. . . . he says, I don't . . . . . with . . .

5 *Dans l'année à venir, nous espérons améliorer notre service.*

In the . . . . . . year, we . . . . . . improve our service.

EXERCICES

1 Tant que les oiseaux seront là, l'Empire restera. — **2** Quelle qu'en soit la raison, vous n'auriez pas dû le faire. — **3** Le cambrioleur entra (cassa) dans la maison pendant que tout le monde dormait (était endormi). — **4** Les oiseaux sont (ont été) dans la Tour depuis onze cents ans. — **5** Il faisait semblant de dormir afin de ne pas répondre.

Corrigé

1 So (As) long as - are - late. — **2** tall, at least. — **3** woke up - were able - thieves. — **4** Whatever - agree - him. — **5** coming - hope to.

Second wave: 72nd Lesson

Hundred and twenty-second (122nd) Lesson

Meeting a client (1) at the airport

1 **Da**vid was **wai**ting **ne**ar the ar**ri**val lounge at Heath**row's Ter**minal One.

2 He was **wai**ting for a **cli**ent who was **com**ing* from Ge**ne**va.

3 The loud**spea**ker **crac**kled and he heard* a voice say: "**Bri**tish **Air**ways ann**ounce** the ar**ri**val of Flight One Oh **Se**ven (107) from Ge**ne**va".

4 David **star**ted **loo**king for his **cli**ent. He knew* that the man would be **wear**ing* a car**na**tion in his **bu**tton-hole,

5 and **ca**rrying (**2**) a **co**py of the "**Sun**day Times" **un**der his arm.

6 He caught* sight (**3**) of the man who was tall and grey-**hai**red (**4**) with long **side**-boards.

7 He went **for**ward and said: "You must be Mr Le**gar**de? I'm **Da**vid **Wil**son. How do you do?"

8 They shook* hands. **Da**vid picked up the man's case and said:

9 "**Fol**low me, will you. My car is in the **car**-park, it's just out**side**".

PRONUNCIATION

1 **nîë** ... ë**raï**vël laoundj ... hî**frôhz teu**mïnël. — 2 **klaï**-ënt ... djë**nî**vë. — 3 laoud **spî**kë **kra**këld ... ë**naouns** ... flaït. — 4 niou ... **ouairi**ng ... kah**né**shën ... **beu**tën-hôhl. — 5 **ko**pï. — 6 koht ... gré **haird** ... **saïd** bohdz. — 7 **foh**ouèd. — 8 shouk. — 9 **kah** pahk. —

Cent-vingt-deuxième leçon

Rendez-vous (rencontrer) avec un client à l'aéroport

1 David attendait près de la salle d'arrivée à l'aérogare n° 1 de Heathrow.
2 Il attendait un client qui venait de Genève.
3 Le haut-parleur crachota et il entendit une voix dire : « British Airways annonce l'arrivée du vol 107 en provenance de Genève. »
4 David commença à chercher son client. Il savait que l'homme aurait (porterait) un œillet à la boutonnière
5 et porterait (un exemplaire du) le « Sunday Times » sous le (son) bras.
6 Il aperçut (de) l'homme qui était grand, aux cheveux gris, avec de longs favoris.
7 Il s'avança et dit : « Vous êtes monsieur Legarde? je suis David Wilson. Comment allez-vous?
8 Ils se serrèrent la main(s). David prit (ramassa) la valise de l'homme et dit :
9 « Suivez-moi, voulez-vous? Ma voiture est dans le parking, c'est juste dehors ».

NOTES

(1) Faisons la distinction entre *the customer :* le client qui achète des marchandises et *the client* [klaïënt] qui est celui qui achète les services — d'un avocat par exemple.

(2) N'oublions pas : *to carry,* porter (à la main) et *to wear,* porter un vêtement.

(3) *To catch :* attraper, prendre (un bus ou un train). *Sight :* la vue; *to catch sight of :* apercevoir.

(4) *His hair is too long :* ses cheveux sont trop longs. *Hair :* les cheveux (chevelure); *a hair, hairs :* un poil, les poils. Du premier, on en fait l'adjectif *-haired, long-haired :* chevelu; *grey-haired :* aux cheveux gris.

10 When they were **dri**ving* to**wards Lon**don, **Da**vid said: "**I**'ll take* you to your ho**tel** first, then **we**'ll get some lunch".

11 Mr Le**garde** re**plied**: "**Thank**you. I'm **stay**ing at the **Chur**chill. My **sec**retary booked the room by **tel**ex".

12 At the ho**tel**, the **door**man took* Mr Le**garde**'s case and a**no**ther **ser**vant parked the car.

13 The two men went to the re**cep**tion desk: "My name's Le**garde**, I have a **sin**gle (5) room re**served**".

14 "Yes sir, room two three **se**ven (237). The hall-**por**ter will show you up" (6).

10 ho**tèl**. — 11 **tcheu**tchïl ... boukt ... **tè**leks. — 12 **doh**mën ... **seu**vënt. — 13 rï**sèp**shën ... **sïn**gël ... rï**zeuvd**. — 14 hohl-**poh**të.

EXERCISES

1 I knew he would be **wear**ing a grey hat. — 2 **Fol**low me, will you, **I**'ll take you to your ho**tel**. — 3 You should have booked the room **ear**lier. — 4 He caught sight of his friend in the crowd. — 5 She **could**n't hear the voice of the loud-**spea**ker.

Fill in the missing words:

1 *Sans connaître son nom, je l'ai reconnu à cause de ses vêtements.*

. . . . his name, I recognised him

. . . . his clothes.

2 *Prenez ma valise, voulez-vous, et montrez-moi ma chambre.*

Take my case, ... , and . . . . to

my room.

10 Lorsqu'ils roulèrent vers Londres, David dit : « Je vais vous emmener à votre hôtel d'abord, puis nous irons (obtiendrons) déjeûner ».
11 M. Legarde répondit : « Merci, je suis au (reste au) Churchill. Ma secrétaire a réservé la chambre par télex. »
12 A l'hôtel, le portier prit la valise de M. Legarde et un autre employé (serviteur) gara la voiture.
13 Les deux hommes allèrent au guichet de réception : « Je m'appelle Legarde, j'ai une chambre pour une personne (simple) réservée ».
14 « Oui, Monsieur, chambre 237. Le concierge va vous la montrer ».

NOTES (continued)

(5) *Single or double room? :* une chambre pour une ou deux personnes?

(6) Sous-entendu : *upstairs, up to your room. He'll show you up :* il vous y conduira, vous la montrera.

Remarquez que, comme les numéros de téléphone, les numéros de chambres d'hôtels (et de bus) s'épellent aussi.

EXERCICES

1 Je savais (qu')il porterait (être portant) un chapeau gris. — **2** Suivez-moi, voulez-vous, je vous accompagnerai (prendrai) à votre hôtel. — **3** Vous auriez dû réserver la chambre plus tôt. — **4** Il aperçut (attrapa vue) son ami dans la foule. — **5** Elle ne pouvait pas entendre la voix du haut-parleur.

3 *Je vous aiderais si je pouvais mais je suis trop pressé.*

I . . . . `you if I . . . . . but I am in a

. . . .

4 *Vous êtes sans doute M. Legarde? Je suis David Wilson, comment allez-vous?*

You . . . . . . Mr Legarde? . . . David Wilson,

how . . . . ?

Hundred and twenty-third (123rd) Lesson

How is your English getting on?

1 Have you **no**ticed that **ev**ery day you are **lea**rning new words and ex**pres**sions?
2 You can now hold* conver**sa**tions, read* **no**tices, ask your way—**even** **ar**gue with **some**one!
3 We must con**tin**ue to add new ma**te**rial **ev**ery day,
4 so that (**1**), at the end of the course, you will be **a**ble to under**stand*** **Eng**lish as it is **spo**ken* by the **Eng**lish.
5 We hope that you find* time to re**vise** the past **les**sons, and that, a**bove** all, you do it a**loud** (**2**).

PRONUNCIATION

1 **nôh**tist. — 2 konvë**sé**shënz ... **nôh**tïsëz ... **ah**giou. — 3 më**tî**rïel. —
4 **spôh**k'n. — 5 rë**vaïz** ... ë**laoud**. —

5 *Des centaines et des milliers de gens décollent et atterrissent à Heathrow.*

. . . . and . . . . of . . . . . . take off and land at Heathrow.

Corrigé

1 Without knowing - because of. — 2 will you - show me up. — 3 would help - could - hurry. — 4 must be - I'm - do you do? — 5 Hundreds - thousands - people.

Second wave: 73rd Lesson

Cent vingt-troisième leçon

Comment va votre anglais?

1 Avez-vous remarqué que chaque jour vous apprenez de nouveaux mots et expressions:
2 Vous pouvez maintenant tenir des conversations, lire des écriteaux, demander votre chemin — même vous disputer avec quelqu'un!
3 Nous devons continuer à ajouter du matériel nouveau chaque jour,
4 afin que, à la fin du cours, vous soyez (serez) capable de comprendre l'anglais tel qu'il est parlé par les Anglais.
5 Nous espérons que vous trouvez le temps de réviser les leçons passées, et que, surtout, vous le faites à haute voix.

NOTES

(1) Nous connaissons *in order to* (afin de), apprenons maintenant *so that :* afin que. *You repeat so that you can speak better :* vous répétez afin que vous puissiez mieux parler.
(2) *Loud :* fort, bruyant; *speak louder :* parlez plus fort; *aloud* (ou *out loud*) : à haute voix; *a high voice :* une voix haute, aiguë; *a loudspeaker :* un haut-parleur.

6 This is **vi**tal, be**cause** it helps you to re**mem**ber and to im**prove** your pronun**ci**a**ti**on.
7 You will **al**ways have a slight **ac**cent,
8 but don't **wo**rry: **pe**ople will be **a**ble to under**stand** you, which is most im**por**tant.
9 And, be**si**des, a slight **fo**reign **ac**cent is **char**ming.
10 There are **cer**tain ex**press**ions which you **can**not **re**ally trans**la**te,
11 so you can say them in your own **lan**guage and **pe**ople will say: "How **charm**ing! (**N. 2**).
12 So re**vise** and read* a**loud** **e**very day as much as you can.
13 You will find* that your **En**glish is be**com**ing* more and more **na**tural.

6 **va**ïtël ... im**prouv** ... prëneunsi**é**shën. — 7 **sla**ït **à**ksènt. — 9 bï**sa**ïdz ... **tchah**mïng. — 10 trannz**lé**t. — 12 rï**va**ïz ... rîd. — 13 bï**keum**ing ... **natch**rël.

EXERCISES

1 Let me help you with your **home**work. — No **thank**you. — 2 It is be**com**ing more and more **vi**tal to speak **En**glish. — 3 Let me intro**duce** **Da**vid Hide. — Pleased to meet you. — 4 **Above** all, don't for**get** to take your um**brel**la. — 5 Did you **no**tice her new dress?

Fill in the missing words:

1 *Son anglais devient de plus en plus naturel. Bientôt il pourra parler couramment.*

His English is . . . . and . . . . natural. Soon he . . . . speak fluently.

6 Ceci est essentiel, parce que ça vous aide à vous souvenir et à améliorer votre prononciation.
7 Vous aurez toujours un léger accent,
8 mais ne vous inquiétez pas : les gens pourront vous comprendre, ce qui est le plus important.
9 Et, d'autre part, un léger accent étranger est charmant.
10 Il y a certaines expressions que vous ne pouvez pas vraiment traduire [en anglais],
11 donc vous pouvez les dire et (les) gens diront : « que c'est charmant ! ».
12 Donc révisez et lisez à haute voix tous [les] jours autant que vous pouvez.
13 Vous trouverez que votre anglais devient de plus en plus naturel.

HE SOUNDS LIKE HIS FATHER
KAÏ!
123

EXERCICES

1 Laissez-moi vous aider pour (avec) votre devoir. — Non merci. — 2 Il devient de plus en plus vital [de] parler [l']anglais. — 3 Permettez-moi (laissez) [de] vous présenter David Hide. — Heureux de vous connaître (rencontrer). — 4 Surtout, n'oubliez pas [de] prendre votre parapluie. — 5 Est-ce que vous avez remarqué (noté) sa nouvelle robe?

---

2 *Vous avez un léger accent, mais ne vous inquiétez pas. Vous serez compris.*

You have a . . . . . . accent, but . . . .

You will . . . .

3 *On se serre rarement la main en Angleterre. On le fait une fois seulement.*

People rarely .... in England. It is done .... only.

4 *Lisez tant que vous pouvez. La lecture est extrêmement importante.*

Read as .... can. .... is extremely important.

Hundred and twenty-fourth (124th) Lesson

A little revision

1 In **or**der to help you with your task of revision, to**day** and to**mor**row, we will look **again** at some of the words
2 we have seen* **re**cently, to**ge**ther (**1**) with a few new ones.
3 This **sen**tence may ap**pear dif**ficult to you, but **ac**tually it is **sim**ple.
4 From the top of the Post **Of**fice **Tow**er, you can see* the whole of **Lon**don.
5 **In**dian **coo**king is deli**ci**ous but it can be **ve**ry **spi**cy (**2**).
6 I bought* this **o**vercoat **se**cond-hand. Does it suit (**3**) me?

PRONUNCIATION :

1 tahsk. — **2** **rî**sëntlï, të**gè**vë. — **3** **sï**mmpël. — **4** pôhst ... hôhl. — **5** dïli**sh**ës ... **spa**ïsï. — **6** boht ... **ô**hvë kôht ... sout. —

5 *Surtout parlez aussi souvent que possible.*

. . . . speak . . often . . possible.

Corrigé

1 becoming more - more - will be able to. — 2 slight - don't worry be understood. — 3 shake hands - once. — 4 much as you - Reading. — 5 Above all - as - as.

Second wave: 74th Lesson

Cent-vingt-quatrième leçon

Un peu de révision

1 Afin de vous aider dans (avec) votre tâche de révision, aujourd'hui et demain, nous reverrons (regarderons à nouveau) des mots
2 [que] nous avons vus récemment, ainsi que (ensemble avec) quelques nouveaux.
3 Cette phrase peut vous paraître difficile, mais, en fait, elle est simple.
4 Du haut de la P.O. Tower, vous pouvez voir tout Londres.
5 La cuisine indienne est délicieuse mais elle peut être très pimentée.
6 J'ai acheté ce pardessus d'occasion (deuxième main), me va-t-il?

NOTES

(1) *Together :* ensemble. Ils sortent toujours ensemble : *They always go out together. Together with :* ainsi que (on dit également : *as well as*).

(2) *Spice :* l'épice; *spicy :* épicé ou pimenté. On dit d'une cuisine relevée qu'elle est *hot* (forte) plutôt que chaude. *Variety is the spice of life :* la variété est le piment de la vie.

(3) *To suit* [sout] : convenir à, aller bien. Ce chapeau vous

7 So long as you warn me first, you can take* the lawn-**mo**wer when you like.
8 On No**vem**ber the fifth, **pe**ople set* off **fi**reworks, light* **bon**fires and burn* guys.
9 Al**though** he's **ve**ry in**tel**ligent, he won't pass (4) the e**xam**, he **has**n't worked.
10 My car is parked just out**side** the **ci**nema.
11 I have a room re**ser**ved in the name of **Wil**son.
12 What**ev**er he wants, tell* him to go a**way**, I'm far (5) too **bu**sy.
13 In**side** the **Tow**er, **ra**vens could be seen* **eat**ing from **sil**ver bowls.
14 Would you mind **wai**ting for ten **min**utes, Mr **Wil**son is not back yet.

7 ouohn ... lohn—**mô**-ë. — 8 laït ... gaïz. — 9 ouôhnt ... èg**zam**. — 12 ouo**tè**vë ... **bï**zï. — 13 bôhlz. — 14 maïnd.

WE ALWAYS GO OUT TOGETHER

EXERCISES

1 The whole **fam**ily came to the **wed**ding. — 2 Al**though** he **had**n't worked, he passed the e**xam**. — 3 As it was **rai**ning, I had to **bor**row an **o**vercoat. — 4 He tried to light the **bon**fire but it **did**n't burn. — 5 I'm far too **bu**sy; tell him to come back to**mor**row.

7 Pourvu que vous me préveniez (d'abord), vous pouvez prendre la tondeuse à gazon quand vous voulez (aimez).
8 Le (sur) 5 novembre, les gens allument des feux d'artifice, (allument) des feux de joie et brûlent des effigies.
9 Bien qu'il soit très intelligent, il ne réussira pas à l'examen, il n'a pas travaillé.
10 Ma voiture est garée juste devant le cinéma.
11 J'ai une chambre réservée au (dans le) nom de Wilson.
12 Quoi qu'il veuille, dites-lui de s'en aller, je suis beaucoup (loin) trop occupé.
13 Dans la Tour on pouvait voir des corbeaux mangeant dans des bols d'argent.
14 Cela vous ennuyerait-il d'attendre dix minutes, Monsieur Wilson n'est pas encore de retour.

NOTES (continued)

va très bien : *this hat suits you.* Est-ce que le 25 vous conviendrait? : *would the twenty fifth suit you* (n'oublions pas que *a suit* [sout] = un complet, un costume).

(4) Faux amis! *To take an exam :* passer un examen; *to pass an exam :* réussir un examen (*to fail :* manquer un examen). *Exam* est un diminutif de *examination.*

(5) *Far :* loin; *far too :* beaucoup trop. *He smokes far too many cigarettes :* il fume beaucoup trop de cigarettes. Beaucoup trop loin, pour éviter une forme maladroite, se traduit *much too far.*

Dans les leçons de récapitulation, comme celle-ci et la suivante, n'oubliez pas de faire des renvois aux expressions que vous retenez mal.

EXERCICES

1 Toute la famille est venue au mariage. — **2** Bien qu'il n'ait pas travaillé, il réussit (passa) l'examen. — **3** Comme il pleuvait, j'ai dû emprunter un pardessus. — **4** Il a essayé d'allumer le feu de joie mais il n'a pas pris (brûlé). — **5** Je suis beaucoup (loin) trop occupé; dites-lui (de) revenir demain.

Fill in the missing words :

1 *Bien qu'ils soient collègues, ils se détestent.*

. . . . they are colleagues, they hate . . . .

2 *Du haut de la tour, on peut voir tout Londres.*

From . . . . the tower, you can see the . . . . London

3 *Cette robe verte te va très bien.*

That green dress . . . .

Hundred and twenty-fifth (125th) Lesson

A little revision *(continued)*

1 According to my dictionary, this word means* "carefree".

2 During the night, a burglar broke* into the castle and stole* all her jewels.

3 You erase it with a "rubber", not a "robber" you silly thing.

4 The advertisement says, that if you pour milk onto this cereal (1), it will crackle.

PRONUNCIATION

1 dikshënrï ... kairfrî. — 2 beuglë ... kahsël ... djoulz. — 3 ïréz ... robë. — 4 ëdveutïsmënt ... poh ... sîrïel ... kràkël. —

4 *Cela vous ennuyerait-il d'attendre cinq minutes, il n'est pas encore de retour.*

. . . . . you . . . . for five minutes, he's not . . . .

5 *Je dois prendre rendez-vous. — Est-ce que le 23 vous convient?*

I . . . . . . make an appointment. — Does the twenty-third . . . .?

Corrigé

1 Although - one another. — **2** the top of - whole of. — **3** suits you. — **4** Would - mind waiting - back yet. — **5** have to - suit you?

Second wave: 75th Lesson

Cent-vingt-cinquième leçon

Un peu de révision *(suite)*

1 Selon mon dictionnaire, ce mot veut dire « sans souci ».
2 Pendant la nuit, un voleur cambriola le château et lui a dérobé tous ses bijoux (à elle).
3 Vous l'effacez avec une « gomme », pas un « voleur » petit sot.
4 La publicité dit que, si vous versez (du) lait sur ces céréales, elles croustillent.

NOTES

(1) *A cereal* [sîriël] : une céréale (récolte); veut dire aussi les produits à base de céréales que l'on mange au petit déjeuner, tels les *corn-flakes*, etc.

5 He bought two **se**cond-**hand** loud**spea**kers for his **ste**reo, but they **did**n't work. It was a bad **bar**gain.

6 There is a **but**ton **mis**sing from this **ja**cket, or else (2) I've got an **ex**tra **but**ton-hole!

7 I have no change (3) for the ciga**rette**-ma**chine**. Lend* me **fif**ty pence will you?

8 You ought to stop **smo**king, it's bad for your health.

9 "Your health!", said the **bar**man. "**Chee**rs!", said the **cus**tomer.

10 Let me intro**duce** you to Mr Le**garde**, he has just ar**ri**ved from Ge**ne**va.

11 He seems a **plea**sant (4) man. What does he do?—He's (5) a **den**tist. — Then I was wrong, he's an un**plea**sant man.

12 You will speak* **Eng**lish more and more **flu**ently if you re**vise** a **lit**tle **ev**ery day.

5 boht ... **stè**riô ... **bah**gën. — **6** **dja**kët ... èlls ... **è**kstrë. — **7** tchéndj ... më**shîn**. — **8** oht ... hèlf. — **9** **bah**mën ... **tchî**-ëz ... **keus**temë. — **10** intrë**dious**. — **11** **plè**znt ... **dènn**tïst ... eun**plè**znt. — **12** rïvaïz.

5 Il acheta deux haut-parleurs d'occasion pour sa [chaîne] stéréo, mais ils ne marchaient pas. Ce fut une mauvaise affaire.
6 Il manque un bouton à cette veste (il y a un bouton manquant), ou bien j'ai une boutonnière de plus!
7 Je n'ai pas de monnaie pour le distributeur (machine) de cigarettes. Prête-moi 50 pence veux-tu?
8 Vous devriez vous arrêter de fumer, c'est mauvais pour votre santé.
9 « [A] votre santé! », dit le barman. « A la vôtre! », dit le client.
10 Permettez-moi de vous présenter (à) M. Legarde, il vient d'arriver de Genève.
11 Il semble être un homme agréable (plaisant). Que fait-il? — Il est (un) dentiste. — Alors, j'avais tort. C'est un homme antipathique.
12 Vous parlerez l'anglais de plus en plus couramment si vous révisez un peu tous les jours.

NOTES (continued)

(2) *Something else :* quelque chose d'autre; *or else :* ou bien, autrement. *Do this, or else I'll hit you! :* faites ceci, autrement je vous frapperai! *Elsewhere* [èll-souair] : ailleurs.

(3) *To change :* changer; **mais** le nom *change* égale : la monnaie. Le cours du change : *the exchange* [èks-tchéndj] *rate.*

(4) Malheureusement le mot « sympathique » n'a pas de traduction (le mot *sympathetic* en anglais veut dire « compatissant »). Nous sommes alors obligés de trouver des adjectifs équivalents selon les circonstances. Les plus usuels sont *nice* et *pleasant* [plèzënt].

(5) Lorsqu'on dit en français : « c'est une femme gentille », « c'est un dentiste », **faites attention** de ne pas traduire le pronom par *it* car il s'agit d'une personne. Dites : **she's** *a kind woman,* **He's** a dentist.

EXERCISES

1 I **wou**ldn't like to be a **den**tist, no-one likes them. — 2 You should never be**lieve** ad**ver**tisements. — 3 If you said that, you would be wrong. — 4 There is a **but**ton **mis**sing from my shirt. — 5 Pour the **boi**ling **wa**ter **on**to the **co**ffee.

Fill in the missing words:

1 *Si vous n'aviez pas fermé les portes à clef vous auriez été cambriolé.*

If you . . . . . . locked the doors you . . . . .

. . . . burgled.

2 *Il manque quelque chose. Qu'est-ce que ça pourrait être?*

. . . . . is something . . . . What . . . . .

it . .?

3 *Je n'ai qu'un billet de cinq livres. — Je suis désolé, je n'ai pas de monnaie.*

I've . . . . got a five-pound note. — I'm . . . . . I haven't got any . . . . . .

Hundred and twenty-sixth (126th) Lesson

REVISION AND NOTES

Notes à relire. — **120ᵉ** leçon : (1), (4) - **121ᵉ :** (1), (2), (4) - **122ᵉ :** (2), (4) - **123ᵉ :** (1), (3) - **124ᵉ :** (3), (5) - **125 :** (4), (5).

4 *Qu'est-ce que ce mot veut dire? — Je ne sais pas, je n'ai jamais appris le russe.*

.... does this word ....?—I don't know, I have .... Russian.

5 *Combien coûterait une nouvelle chaîne stéréo? — Beaucoup trop pour moi.*

... much ..... a new stereo ....?—Far ... . for me.

EXERCICES

1 Je n'aimerais pas être (un) dentiste, personne (ne) les aime. — 2 Vous ne devriez jamais croire (aux) publicités. — 3 Si vous disiez cela, vous auriez (seriez) tort. — 4 Il manque un bouton à (de) ma chemise. — 5 Versez l'eau bouillante sur le café.

Corrigé

1 hadn't - would have been. — 2 There - missing - could - be? — 3 only - sorry - change. — 4 What - mean - never learned. — 5 How - would - cost - too much.

Second wave: 76th Lesson

Cent-vingt-sixième leçon

1 **On** (voir 120e leçon). — Ce mot se traduit selon le sens de la phrase. Nous avons vu (120e leçon, n° 1) que la forme *one* est utilisée pour exprimer les idées qui s'adressent à tout le monde (proverbes, etc.). On doit obéir à ses parents : *one must obey one's parents.* Autrement nous l'évitons, car ça fait un peu « précieux ».

Si possible, nous le « personnalisons ». D'ici, on peut voir tout Londres : *from here, you can see the whole of London.* On s'est bien amusé : *we enjoyed ourselves.*

Par ailleurs, on tourne la phrase avec le passif. On lui a volé sa serviette : *his briefcase was (has been) stolen.* On l'appelait le « Cygne d'Avon » : *he was called the "Swan of Avon"* (Shakespeare).

On dit que : *they say that* (c'est-à-dire des gens disent que). On m'a dit que... *I have heard that... (I was told that...).* On m'a dit que je pourrais téléphoner d'ici : *I was told that I could phone from here.* On m'a dit qu'il est un voleur : *I have heard that he's a robber.*

On trouve également : *English spoken : on parle anglais. Wanted - a shorthand typist :* on demande une sténodactylo. On dirait un palais! : *It looks like a palace!*

Donc, nous pouvons voir qu'il est question de sentir la phrase avant de la rendre en anglais. Il n'y a pas de mystère et vous avez, dans votre vocabulaire, tout ce qu'il vous faut pour vous exprimer sans « on ».

2 How charming (123e leçon, ligne 11). — Les exclamations se traduisent par *How...!* ou par *What...!*

How lucky you are! : comme vous avez de la chance! *How hungry I am! :* comme j'ai faim! *How happy she was! :* comme elle est contente! *What a noisy child! :* quel enfant bruyant! *What a miserable day! :* quelle journée triste! *What a lot of people! :* que de monde! *What a lot of noise! :* que de bruit!

3 To miss (rater, manquer). *He missed the train :* il a raté le train. *She shot, but missed the target :* elle tira, mais rata la cible.

I miss you :* vous me manquez. *Do you miss me?* :* est-ce que je vous manque? *They miss Paris :* ils

(*) Remarquez que c'est le contraire de la forme française.

regrettent Paris (Paris leur manque). L'homme auquel il manque un bras : *the man with a missing arm. This jacket has a button missing :* il manque un bouton à cette veste.

Un manque de... : *a lack of.* Il y a un manque de respect dans cette classe : *there is a lack of respect in this class.* Ce thé manque de sucre : *this tea needs sugar* (a besoin de sucre).

4 **Care** (souci, soin). — *To care :* se soucier ou tenir à. *I don't care what he says :* je me moque de ce qu'il dit.

Careless : sans soin. *His work is terribly careless :* son travail est complètement négligé (sans soin).

Be careful : soyez prudent, faites attention, prenez garde.

5 **To suit** et **to fit.** — Deux mots qui se disent pour les vêtements *These trousers don't suit me :* ce pantalon ne me va pas. *Does it suit me? :* me va-t-il? *This coat doesn't fit (me) :* ce manteau n'est pas à ma taille. *These shoes don't fit, they're too big :* ces chaussures ne sont pas à ma taille, elles sont trop grandes.

To suit, a aussi le sens de convenir à. *Any day will suit me fine :* n'importe quel jour me conviendra très bien. *Would Tuesday suit you? :* est-ce que mardi vous conviendrait?

6 To look like et **to sound like.** — *She looks exactly like her mother :* elle ressemble exactement à sa mère. *You look like a clown* [klaoun] : on dirait un clown. *On the telephone, he sounds like his father :* au téléphone, il a la même voix que son père. *This singer sounds like a dying cat! :* ce chanteur! on dirait un chat qui meurt.

7 Pour dire les dates. — Nous vous le rappelons, il s'agit de diviser le chiffre en deux et de lire les moitiés : 1723 = 17 et 23 (*seventeen twenty three*); 1977 = 19 et 77 (*nineteen seventy seven*).

Exceptions : 1800, etc. : *eighteen hundred.* 1902, etc. : *nineteen hundred and two* (ou, dans la conversation : *nineteen-ôh-two).* Les années vingt : *the 20's - the twenties,* etc.; 800 B.C. : *eight hundred bî sî (before Christ).* 1260 A.D. : *twelve sixty é dî (anno domini).*

Nous avons vu que les numéros de téléphone s'épellent, ainsi que les numéros de chambres d'hôtels et de bus. 70556 : *seven-ôh-five-five* (ou *double five*)-six.

8 Fête. — Nous avons parlé des difficultés de traduction « mot-à-mot ». Encore un exemple de ce problème : les mots pour dire des choses bien particulières à un pays. En anglais, on ne peut traduire : croissant, tiercé, jeton de téléphone, livret de famille, etc. etc. et, en sens contraire, on aura du mal à trouver des équivalents de *fish and chip shop, football pools, a half of bitter,* etc. Le plus facile (comme nous le témoigne le « franglais »), est de prendre le mot en même temps que la chose : or, en anglais, nous trouvons des *apéritifs, hors-d'œuvre, tête à tête, chargé d'affaires,* etc. C'est la partie la plus intéressante d'une langue, la culture et les coutumes qu'elle représente. N'êtes-vous pas d'accord?

9 Locutions à bien retenir. — 1 *It may appear strange to you.* — 2 *We've been here for three and a half hours.* — 3 *No one knows the reason.* — 4 *Follow me, will you?* — 5 *Let's go and get some lunch.* — 6 *The porter will show you up.* — **7** *How charming you look tonight.* — 8 *When he sings he sounds like a nightingale* [**na**ïtingél]... *with toothache.* — 9 *Your hair is too long.* — 10 *He's far too busy.* — 11 *You ought to stop smoking.*

10 Traduction. — 1 Ça peut vous paraître étrange. - 2 Nous sommes ici depuis trois heures et demie. — 3 Personne ne connaît la raison. — 4 Suivez-moi, voulez-vous? — 5 Allons déjeuner. — 6 Le portier vous montrera le chemin. — 7 Que vous êtes charmante ce soir. — 8 Quand il chante on dirait un rossignol... qui a mal aux dents. — 9 Vos cheveux sont trop longs. — 10 Il est beaucoup trop occupé. — 11 Vous devriez vous arrêter de fumer.

Languages are the pedigree of nations (Samuel Johnson) : les langues sont le « pedigree » des nations.

Second wave: 77th (revision) Lesson

Hundred and twenty-seventh (127th) Lesson

The news

1 — Would you mind if I turned on (**1**) the tele**vi**sion, **Da**vid? I want to **lis**ten to the news. — Of course not.

2 This is the B.B.C. It is six o'clock and here is the news.

3 The **Gov**ernment to**day** an**noun**ced that it would re**sign**.

4 The Prime **Min**ister made the an**noun**cement in a speech to the **Co**mmons (**2**) this after**noon**.

5 The decision was **ta**ken* in the light of the **re**cent de**feat** of the **Gov**ernment's **Pri**ces and **In**comes **po**licy (**3**).

6 and **al**so **re**cent de**feats** in **lo**cal **by**-elec**tions**. A **Gen**eral Elec**tion** is ex**pec**ted next month.

7 The **ci**vil war in Ru**ta**nia (**4**) con**tin**ues. The **mi**litary **jun**ta which last month over**threw*** the **Gov**ernment

8 ap**peal**ed to**day** to **America for mi**litary aid (**5**).

9 At home **a**gain, the **re**cent strike by **tool**-makers at **Dag**wood's Car Plant has **fin**ished.

PRONUNCIATION

1 Teund ... niouz. — **2** bî-bî-sî. — **3** ënaounst ... rïzaïn. — **4** ënaounsmënt ... komënz. — **5** dïsïzheun ... rîsënt dïfît ... praïsëz ... inkeumz polïsï. — **6** lôhkël baï ëlèkshënz ... djènrël. — **7** sïvël ouoh ... routénië ... mïlïtrï djeuntë ... ôhvëfrou. — **8** ëpîld ... ëmèrïkë ... éd. — **9** toulmékëz ... dagououdz ... plahnt. —

Cent-vingt-septième leçon

Les nouvelles

1 Cela t'ennuyerait-il si j'allumais (tournais sur) la télévision, David? Je veux écouter les informations (nouvelles). — Bien sûr [que] non.
2 Ici la B.B.C. Il est six heures et voici les informations.
3 Le gouvernement a annoncé aujourd'hui qu'il démissionnerait.
4 Le Premier Ministre [en] a fait l'annonce dans un discours à la Chambre des Communes cet après-midi.
5 La décision a été prise à la lumière de la récente défaite de la politique gouvernementale sur les prix et les revenus
6 et aussi [après] la récente défaite aux (dans) élections partielles. Une élection générale est attendue le mois prochain.
7 La guerre civile en Rutanie continue. La junte militaire qui a renversé le gouvernement le mois dernier
8 a aujourd'hui fait appel à l'Amérique pour une aide militaire.
9 Encore chez nous : la récente grève des (par) fabricants d'outillage à l'usine d'automobiles Dagwood's est terminée.

NOTES

(1) *To turn :* tourner; *to turn on :* ouvrir (la télé, un robinet). Le contraire c'est *to turn off.* Si l'ouverture s'effectue à l'aide d'un interrupteur (*a switch :* souïtch), on peut dire *to switch on* et *to switch off.*

(2) *The House of Commons* et *The House of Lords* (les deux chambres du Parlement britannique) s'abrègent très souvent en The Commons et The Lords [lohdz].

(3) La politique (l'art ou science du gouvernement) se traduit par *politics* (toujours au pluriel). La politique (l'action prévue) se dit : *policy.* Ainsi, une police d'assurance : *an insurance policy.*

(4) Pour « angliciser » les pays qui, en français, se terminent en « -ie », on change le « e » final en « a ». L'Albanie : *Albania;* la Roumanie : *Roumania,* etc.

(5) Ici *aid* [èd] et non *help,* parce qu'il s'agit d'une aide matérielle.

10 The men are ex**pec**ted to re**turn** to work on **Wed**nesday.
11 **A** go**ril**la es**caped** from **Lon**don Zoo and at**tac**ked four **pas**sers-by.
12 It was **la**ter re**cap**tured **sa**fely (**6**) and re**turn**ed to its cage.
13 A **spokes**man for **Lon**don Zoo said that the **a**nimal **prob**ably felt* **lone**ly (**7**).
14 **Fi**nally, the **wea**ther **fore**cast: the night will be fine with **scat**tered **show**ers (**8**) in the North.
15 And that is the end of the news (**9**).

10 ou**è**nzdé. — 11 gërîlë ës**képt** ... zou ... ë**takt** ... **pah**sëz baï. — 12 rî**kap**tchëd ... kédj. — 13 **spôhks**mën ... **lôhn**lī. — 14 **faï**nëlï ... **ouè**vë **foh**kahst ... **ska**tëd **shaou**ëz.

EXERCISES

1 Would you mind **tur**ning off the tele**vi**sion, I want to go to bed. — **2** In the light of **re**cent **prob**lems, the di**rec**tor has re**signed**. — **3** A **Gen**eral E**lec**tion is ex**pec**ted next month. — **4** Are you **wor**ried a**bout** the strike? — **5** You al**ready** know e**nough** to **an**swer these **ques**tions.

Fill in the missing words:

1 *Je regarde souvent la télévision, mais je n'écoute jamais les nouvelles.*

I often . . . . . the television, but I . . . . the . . . .

2 *Si le gouvernement est renversé, on peut s'attendre à une (des) politique(s) stricte(s).*

If the Government is . . . ., we can . . . . . . strict . . . .

10 On s'attend à ce que les ouvriers (hommes) reprennent le (reviennent au) travail (sur) mercredi.
11 Un gorille s'est enfui du zoo de Londres et a attaqué quatre passants.
12 Il était repris plus tard sans accident (sûrement) et ramené (était retourné) à sa cage.
13 Un porte-parole du (pour) zoo de Londres a dit que l'animal s'est probablement senti seul.
14 Finalement la météo (temps prévision) : la nuit sera belle avec des averses éparpillées dans le Nord.
15 Et c'est la fin des actualités.

NOTES (continued)

(**6**) *Safe :* sauf, sûr. *Is this cliff safe? :* cette falaise est-elle sûre? *Safely :* sans accident, sans danger. *Did he arrive safely? :* Est-il bien arrivé?

(**7**) *Alone :* seul, sans accompagnement. *He prefers to work alone :* il préfère travailler seul; mais *lonely* a un sens affectif : quelqu'un qui se sent seul, isolé. *She feels lonely when I'm not here :* elle se sent seule quand je ne suis pas là.

(**8**) *A shower (of rain) :* une averse (de pluie); autrement, *a shower* est une douche.

(**9**) Vous rappelez-vous que, malgré l'**s,** *news* est singulier?

SHE FEELS LONELY WHEN I'M NOT HERE

127

EXERCICES

1 Cela vous ennuyerait-il [de] fermer la télévision; je veux aller au lit. — **2** A (dans) la lumière des problèmes récents, le directeur a démissionné. — **3** Des (une) élections générales sont attendues [le] mois prochain. — **4** Vous [vous] inquiétez pour (au sujet de) la grève? — **5** Vous connaissez déjà assez d'anglais [pour] répondre [à] ces questions.

3 *Vous devez apprendre à marcher avant de vouloir courir.*

You . . . . learn . . . . . . before . . . . to run.

4 *Si jamais tu te sens seule, viens me voir tout de suite.*

If . . . . you . . . ., come and see me straight . . . .

5 *Faire un discours est facile, mais je n'aimerais pas en faire un.*

. . . . . . a speech is . . . . but I . . . . like to make . . .

Hundred and twenty-eighth (128th) Lesson

Problems

1 **Pa***tient.* — **Doc**tor, help me. I keep (**N. 1**) **tal**king to my**self.**

2 *Psy***chi***atrist.* — Don't **wor**ry sir, it's not un**com**mon. In fact, **thou**sands of **peo**ple do it.

3 **Pa***tient.* — Yes, but, **doc**tor, you don't **rea**lise how **stu**pid I sound!

PRONUNCIATION :

1 péshënt ... maïsèlf. — 2 saïkaï-ëtrïst ... eunkomën. — 3 rî-ëlaïz ... stioupïd ... saound. —

Corrigé

1 watch - never listen to - news. — **2** overthrown - expect - policies. — **3** must - to walk - wanting. — **4** ever - feel lonely - away. — **5** Making - easy - wouldn't - one.

Lorsque vous écoutez un enregistrement, suivez d'abord sur le livre et imitez mentalement les sons, puis recommencez jusqu'à ce que vous compreniez parfaitement **à l'oreille** *et, enfin, répétez vous-même chaque paragraphe à haute voix, sans l'aide du disque.*

Second wave: 78th Lesson

Cent vingt-huitième leçon

[Des] problèmes

1 [*Le*] *malade.* — Docteur, aidez-moi. Je me parle continuellement.
2 [*Le*] *psychiatre.* — Ne vous inquiétez pas, monsieur, ce n'est pas rare. En fait, des milliers de gens le font.
3 [*Le*] *malade.* — Oui, mais, docteur, vous ne vous rendez pas compte comme j'ai l'air bête!

4 At their first **mee**ting (**1**), a psy**chi**atrist asked his **pa**tient a few **stan**dard **ques**tions.

5 — What is the **dif**ference be**tween** a **lit**tle boy and a dwarf? he asked.

6 — There could be a lot of **dif**ference, re**plied** the **pa**tient.

7 — What, for e**xam**ple?

8 — Well, the dwarf could be a girl, came* the re**ply**.

---

9 — Hel**lo**, I **hav**en't seen* you for **a**ges. Have a drink.

10 — No thanks, I **ne**ver drink*. — **Re**ally, why not?

11 — Well I don't be**lieve** in (**2**) **drin**king* in front of my **chil**dren,

12 and, when I'm **away** (**3**) from them, I don't need to drink!

---

13 — Your **girl**-friend is good-**look**ing, but she limps.

14 — **On**ly when she walks!

4 **stànn**dëd. — **5** **dïf**rents ... douohf. — **6** koud ... rï**plaïd.** — **9** **hav**ënt ... **éd**jëz. — **11** bï**lîv** ... freunt. — **12** ë-ou**é**. — **13** limmps.

EXERCISES

1 **Hav**en't you **e**ver been to see a psy**chi**atrist? You should. — **2** He sounds in**tel**ligent, but he **is**n't **re**ally. — **3** I'm **sor**ry, but I don't be**lieve** in **len**ding **mo**ney. — **4** We've just drunk all your **whis**ky. What a **pi**ty! — **5** I **hav**en't seen him for **a**ges, is he well?

4 A leur première rencontre, un psychiatre posa (demanda son) au malade quelques questions types (standard).
5 Quelle est la différence entre petit garçon et un nain? demanda-t-il.
6 Il pourrait y avoir beaucoup de différences, répondit le malade.
7 Quoi par exemple?
8 Bien, le nain pourrait être une fille, fut (vînt) la réponse.

---

9 Bonjour, je ne vous ai pas vu depuis longtemps (des âges). Prenez un verre.
10 Non, merci, je ne bois jamais. — Vraiment? pourquoi pas?
11 Bien je n'aime pas (ne crois pas en) boire devant mes enfants,
12 et, quand je suis loin d'eux, je n'ai pas besoin de boire.

---

13 Ta petite amie est belle, mais elle boite.
14 Seulement quand elle marche!

NOTES

(1) *A meeting :* une réunion ou une rencontre.

(2) *To believe in... :* croire en. *I don't believe in God :* je ne crois pas en Dieu. *To believe in drinking,* a le sens de : penser que c'est une bonne chose de boire. *I don't believe in talking to strangers :* je ne pense pas que c'est une bonne chose de parler aux étrangers.

(3) *Away :* au loin, parti. *When the cat's away, the mice will play :* quand le chat est parti, les souris jouent (dansent, en français). *Go away :* allez-vous-en.
Avez-vous noté que l'histoire du psychiatre ne peut être appréciée en français? (*dwarf* peut évidemment s'appliquer à un homme ou une femme).

EXERCICES

1 N'êtes-vous jamais allé voir un psychiatre? Vous devriez. — **2** Il a l'air (le son) intelligent, mais il ne [l']est pas réellement. — **3** Je suis désolé, mais je ne tiens pas (crois) à prêter [de l']argent. — **4** Nous venons (juste) [de] boire tout votre whisky. Quel malheur! — **5** Je ne l'ai pas vu depuis des siècles (âges), va-t-il (est) bien?

Fill in the missing words :

1 *Qu'est-ce qu'elle est jolie; et qu'est-ce qu'elle a l'air intelligente.*

How . . . . . . she looks; and . . . intelligent she . . . . . .

2 *Il ne croit pas à la boisson et elle n'a pas besoin de boire.*

He . . . . in drinking and she doesn't . . . .

3 *L'avez-vous vu récemment? — Bien sûr, je l'ai vu jeudi dernier.*

. . . . you . . . . recently? — Of . . . ., I . . . . . . last . . . .

Second wave: 79th Lesson

Hundred and twenty-ninth (129th) Lesson

A few idioms

1 Here are a few idiom**a**tic ex**press**ions you might meet (**N. 2**) when you go to **Eng**land:
2 I've been **sit**ting* down for too long; I've got pins and **nee**dles in my foot.
3 He put* on his new coat **in**side-out and you could see the **price**-tag.

4 *Qui va s'occuper de la maison pendant que nous sommes absents?*

Who . . . . to look . . . . . the house

. . . . . we are . . . . ?

5 *Quelle est la différence entre une « gomme » et un « voleur »?*

. . . . is the difference . . . . a ". . . . . ." and

a ". . . . . ."?

Corrigé

1 pretty - how - sounds. — **2** doesn't believe - need to drink. — **3** Have - seen him - course - saw him - Thursday. — **4** is going - after - while - away. — **5** What - between - "rubber" - "robber"

Avec nos leçons de révision nous vous aidons à revoir les mots nouveaux, mais est-ce que vous faites souvent des renvois, pour retrouver une expression ou un mot oublié?

Cent vingt-neuvième leçon

Quelques idiotismes

1 Voici quelques expressions idiomatiques que vous pourriez rencontrer quand vous allez en Angleterre :
2 Je suis assis depuis trop longtemps; j'ai des fourmis dans le pied (aiguilles et épingles).

PRONUNCIATION

1 ïdiëmatïk ... maït. — **2** pïnz ... nîdëlz. — **3** ïnsaïd aoutt ... praïs-tag.

4 He was a **ve**ry blunt (**1**) man who called a spade a spade.

5 It's not **dif**ficult to do, but there's a knack (**2**) to it.

6 If you wait for a bus at a re**quest**-stop, you must put* out (**3**) your hand to make* the bus stop (**N. 3**).

7 My **hus**band **does**n't under**stand*** me, he takes* me for **gran**ted (**4**).

8 When you buy* on **hi**re-**pur**chase, you make* a down-**pay**ment of **fif**ty pounds and then six**teen** **mon**thly ins**tal**ments (**5**) of eight pounds.

9 All the fruit had gone bad (**6**), but she **coul**dn't stand* (**7**) the **ide**a of **thro**wing* it aw**ay** (**8**).

10 He pre**ten**ded to be a millio**naire**, but **ac**tually he was broke.

11 We will have to put* off the **mee**ting un**til** next **Thurs**day since **no**-body is free.

12 I hope we can eat* soon. I'm starved (**9**)!

4 bleunt ... spéd. — 5 nak. — 6 rïkouest. — 7 téks ... grahntëd. — 8 haï-ëu-peutchës ... pémënt ... ïnstohlmënts. — 9 frout ... stannd ... aï-dî-ëu ... frôhïng ... ëoué. — 10 brôhk. — 11 feuzdé. — 12 stahvd.

NOTES

(**1**) *Blunt* est le contraire de *sharp* (émoussé, aiguisé), lorsqu'on parle d'un couteau, etc. Mais, appliqué aux personnes, *sharp* veut dire fûté et *blunt*, sec; ce qui ne tourne pas autour du pot.
To speak bluntly : parler honnêtement. *To speak sharply to someone :* parler aigrement.

(**2**) *A knack* est un mot familier, qui indique une façon de faire quelque chose; on le traduit par « truc ».

3 Il mit son nouveau manteau sens dessus dessous (intérieur dehors) et on (vous) pouvait voir l'étiquette [avec le] prix.
4 C'était un homme très sec (émoussé) qui appelait un chat un chat (une bêche une bêche).
5 Ce n'est pas difficile à faire, mais il y a un truc (pour ça).
6 Si vous attendez un bus à un arrêt facultatif, il faut tendre la main pour faire arrêter le bus.
7 Mon mari ne me comprend pas, il fait comme si j'étais toujours là.
8 Lorsque vous achetez à crédit (location achat), vous faites un versement de 50 livres et puis 16 mensualités de £ 8.
9 Tous les fruits étaient pourris (allés mauvais), mais elle ne pouvait pas supporter l'idée de les (le) jeter (au loin).
10 Il fit semblant d'être un millionnaire, mais en fait il était fauché.
11 Nous devrons reporter la réunion jusqu'à jeudi prochain, puisque personne n'est libre.
12 J'espère que nous pourrons (pouvons) manger bientôt. Je meurs de faim!

NOTES (continued)

(3) *To put on :* mettre (vêtement, disque). *To put out :* tendre, éteindre (feu, cigarette). *To put off* (ligne 11) : reporter (un rendez-vous, etc.).

(4) *To grant :* octroyer; *a grant :* une subvention, une bourse d'État. L'idiotisme *to take for granted* veut dire que l'on ne tient pas compte de quelqu'un, car on sait qu'il est là.

(5) *To instal :* installer; *an instalment :* un acompte; *weekly instalments :* acomptes hebdomadaires.

(6) *To go bad :* pourrir. Le verbe « correct » pour ça est *to rot*.

(7) On a vu également : *she can't bear...* qui a le même sens.

(8) *To throw :* jeter (une pierre, etc.); *to throw away :* rejeter, se débarrasser de quelque chose.

(9) *To starve* (de l'ancien anglais pour « mourir », vient de l'allemand *sterben*) veut dire « mourir de faim ». On l'utilise ici comme on dirait en français : je crève de faim.

13 **Dad**dy asked me if I **wan**ted a **sports**-car or a yacht. I **coul**dn't care less.

14 What's on (**10**) at the **Gau**mont this week? It **does**n't make* any **dif**ference to me, I'm hard up.

— **13** yot ... kair. — **14** **gôh**mont ... dïffrènts ... hahd eup.

EXERCISES

1 This knife is so blunt that it won't cut. — **2** **Af**ter a week, all the fruit had gone bad. — **3** I **hav**en't **ea**ten for weeks. I'm broke. — **4** He **al**ways puts off his **den**tist's ap**poin**tments. — **5** I can't stand up, I've got pins and **nee**dles in my foot.

Fill in the missing words:

1 *Je ne peux pas supporter cet homme quand il fait semblant d'être un expert.*

I can't . . . . . that man when he . . . . to be an expert.

2 *L'argent me manque toujours à la fin du mois. — Moi aussi.*

I'm always . . . . . . at . . . . . . of the month. — Me . . .

3 *Ce n'est pas difficile mais il y a un truc.*

It's not difficult but . . . . (to it).

4 *Fais attention! Ne mets pas tes gants sens dessus dessous.*

. . careful! Don't . . . your gloves on . . . .

13 Papa m'a demandé si je voulais une voiture de sport ou un yacht. Je m'en fiche.
14 Qu'est-ce qu'on joue (sur) au Gaumont cette semaine? Ça ne me fait pas de différence, je tire le diable par la queue.

NOTES (continued)

(**10**) *What's on :* qu'est-ce qui se joue? se passe? On peut obtenir des bureaux de renseignements touristiques des livrets qui s'appellent : « *What's on in London* » (distractions, etc.).

5 *Vous pouvez casser ce que vous voulez, je m'en fiche.*

You can break ...., I couldn't ....

EXERCICES

1 Ce couteau est tellement émoussé qu'il ne coupera pas. — **2** Après une semaine, tous les fruits étaient pourris (allés mauvais). — **3** Je n'ai pas mangé depuis [des] semaines. Je suis fauché. — **4** Il reporte toujours ses rendez-vous de dentiste. — **5** Je ne peux pas me mettre debout, j'ai des fourmis dans le (mon) pied.

Corrigé

1 stand - pretends. — **2** hard up - the end - too. — **3** there's a knack. — **4** Be - put - inside out. — **5** what you like/want - care less.

Birds of feather flock together (les oiseaux d'une plume s'attroupent ensemble) : qui se ressemble s'assemble (*proverbe*).

Second wave: 80th Lesson

129th LESSON

Hundred and thirtieth (130th) Lesson

Letters (N. 4)

1 In this **les**son and the next one, we will look at **dif**ferent sorts of **let**ter.

2 Dear Mike,
I'm **wri**ting* to thank you and your wife for **hav**ing (1) us last week**end.**

3 We **tho**roughly en**joyed** our**selves**, and it was so nice to see* you and Mary **again.**

4 It was nice, too, to see* **Lon**don **af**ter all this time.

5 Life in the **sub**urbs is **qui**et, but **some**times a bit too **qui**et.

6 On the way home, we gave* a lift (2) to a **hitch-hi**ker (3)—a young **stu**dent **go**ing back to uni**ver**sity.

7 We had a long chat (4)—you know* what Joan is like—

8 and it seems that **stu**dent life has changed from the life you and I knew*.

9 For a start, the kid was **stu**dying "**So**cial Anthro**po**logy" which I **al**ways thought* had **some**thing to do with **mon**keys.

10 Then he told* us that he **didn**'t at**tend** **lec**tures but spent* his time pre**par**ing po**li**tical **meet**ings.

11 At the week**end,** he goes to demon**stra**tions (5).

PRONUNCIATION :

1 sohts. — 2 maïk ... **raï**tïng. — 3 **feu**rëlï enn**djoïd** aouë-**selvz**... naïs. — 5 **seu**beubz. — 6 **hitch-haï**kë ... iounï**veu**sïtï. — 7 tchat. — 8 tchéndjd. — 9 staht ... **steu**dï-ïng **sôh**shël annfrë**po**lédjï ... foht ... **meun**kîz. — 10 **lèk**tchëz. — 11 dèmën**stré**shënz. —

Cent trentième leçon

Les lettres

1 Dans cette leçon et la prochaine (une), nous regarderons [les] différentes sortes de lettres.
2 Cher, Mike, je t'écris pour vous remercier, toi et ta femme, de (pour) nous avoir reçu (eus) le week-end dernier.
3 Nous nous sommes vraiment (profondément) amusés, et c'était si agréable de vous revoir, Marie et toi.
4 C'était agréable aussi de revoir Londres après tout ce temps.
5 La vie dans les faubourgs est calme, mais parfois un peu trop calme.
6 Sur le chemin du retour, nous avons pris un autostoppeur — un jeune étudiant qui rentrait à l'université.
7 On a bavardé longtemps — tu sais comment est Joan —
8 et il semble que la vie d'étudiant a changé par rapport à (de) la vie que toi et moi (je) avons connue.
9 Pour commencer, le gosse étudiait « l'anthropologie sociale », laquelle, je [l']avais toujours pensé, avait quelque chose à voir (faire) avec les singes.
10 Puis il nous a dit qu'il n'assistait pas aux conférences, mais passait son temps à préparer des réunions politiques.
11 Le week-end, il va aux manifestations.

NOTES

(1) *To have someone* (sous entendu *at home*) veut dire recevoir. *Thankyou for having us:* merci de nous avoir reçus.

(2) *A lift :* un ascenseur. *To give someone a lift ou to give a lift to someone :* prendre quelqu'un en voiture. *I'll give you a lift to the station :* je vous accompagnerai à la gare.

(3) *To hitch-hike* (ou, de nos jours, simplement *to "hitch"*) : faire du stop. *A hitch-hiker* (ou *a hitcher*) : (auto) stoppeur.

(4) *To chat* [tchat] : bavarder; *a chat :* une causette.

(5) *A demonstration :* démonstration **ou** une manifestation (politique, etc.).

12 In our day, it **wou**ldn't have been al**lowed**, would it?
13 Do I sound old and in**to**lerant? I sup**pose** I am **re**ally...
14 Thanks a**gain** for your hospi**ta**lity, and I look **for**ward to **see**ing* you both a**gain** soon.
15 **Kin**dest re**gards** to you and your wife, Yours,
David.

12 ëlaoud. — 13 ohld-**fash**ënd ... in**to**lërënt. — 14 **sî**-ïng. — 15 rïgahdz.

WE GAVE A LIFT TO A HITCH-HIKER

EXERCISES

1 On the way home we had to stop at a **ser**vice **sta**tion. — 2 It has **no**thing to do with you. — 3 When I was at school, that would not have been al**lowed**. — 4 He owns three **hou**ses and two **sports**-cars. — 5 We will put off the **mee**ting since **no**body can at**tend**.

Fill in the missing words:

1 *Nous avons écrit trois lettres, dont deux aux amis.*

We . . . . . three letters, two . . . . were to friends.

Second wave: 81st Lesson

12 De nos jour[s], on ne l'aurait pas permis, n'est-ce pas?
13 Ai-je l'air vieux et intolérant? Je suppose que je le suis finalement...
14 Merci encore de votre hospitalité, et j'attends, avec plaisir, de vous revoir tous les deux bientôt.
15 Meilleurs vœux à toi et à ta femme, ton ami (le tien) David.

---

2 *Sur le chemin du retour, nous avons pris un auto-stoppeur.*

On . . . ., we gave . . . . . to a

. . . . .-. . . . .

3 *Est-ce que j'ai l'air fatigué? Je n'ai pas beaucoup dormi récemment.*

Do I . . . . . tired? I . . . . much

recently.

4 *Nous nous sommes bien amusés et nous attendons avec plaisir de vous revoir.*

We . . . . ourselves and we

. . . . to seeing you . . . . .

5 *Son autobiographie n'a rien à voir avec les romans qu'il a écrits.*

. . . autobiography has nothing . . . . the

. . . . . . he . . . .

EXERCICES

1 Sur le chemin du retour, nous dûmes nous arrêter à une station-service. — **2** Ça n'a rien à voir (faire) avec vous. — **3** Quand j'étais à l'école ça n'aurait pas été permis. — **4** Il possède trois maisons et deux voitures [de] sport. — **5** Nous reporterons la réunion puisque personne [ne] peut [y] assister.

Corrigé

1 wrote - of which. — **2** the way home - a lift - hitch-hiker. — **3** sound - haven't slept. — **4** thoroughly enjoyed - look forward - again. — **5** His - to do with - novels - has written.

130th LESSON

Hundred and thirty-first (131st) Lesson

A business letter

1 To**day** we see* a **let**ter from **some**one who is app**ly**ing (**1**) for a job :

2 **D**ear Sir,
I have just read* your ad**ver**tisement (**2**) in the "Situ**a**tions **Va**cant **co**lumn" of the *Times.*

3 I wish to ap**ply** for the post of bi**lin**gual **sec**retary which you are **of**fering.

4 I am **twen**ty three **ye**ars old (**3**) and **sin**gle, live in **Lon**don and own a car.

5 **Af**ter **qua**lifying from St **Dun**stan's Secre**ta**rial **Col**lege in nine**teen sev**enty four (1974), I worked for two **ye**ars in France.

6 I was based in the Bor**deaux re**gion and was **wor**king for an **im**port-**ex**port firm.

7 While there, I per**fec**ted my French which I write* and speak* **per**fectly.

8 I **al**so type and know* both **En**glish and French **short**hand.

9 I will be free from March the **twen**ty third, as my firm is **be**ing **ta**ken* **o**ver (**4**) by a French **com**pany.

10 I hope I may be **gran**ted an **in**terview. Yours **faith**fully,

Marjorie **Wat**son (Miss).

PRONUNCIATION :

1 ëp**laï**-ïng. — 2 rèdd. — ëd**veu**tïsmënt ... sitiou**é**shënz **vé**kënt **ko**lëm. — 3 pôhst ... baï**lïn**giouël. — 4 **sin**gël ... ôhn. — 5 **kouo**lïfaï-ïng ... **deun**stënz ... **ko**lïdj ... frahns. — 6 bést ... **rî**djën. — 7 ouaïl ... pë**fèk**tëd. — 8 taïp ... **shoht**-hannd. — 10 **grahn**tëd ... **in**tëviou ... **fé**foulï, **mah**djërï. —

Cent trente et unième leçon

Une lettre d'affaires

1 Aujourd'hui nous voyons une lettre de quelqu'un qui sollicite un poste :
2 Cher Monsieur, je viens de lire votre annonce dans la colonne « Offres d'emplois » du *Times*.
3 Je souhaite poser ma candidature pour le poste de secrétaire bilingue que vous offrez.
4 J'ai 23 ans (vieille) et célibataire, j'habite à Londres et je possède une voiture.
5 Après m'être qualifiée au (de) St.-D.S.C. en 1974, j'ai travaillé pendant deux ans en France.
6 J'étais basée dans la région de Bordeaux et je travaillais pour une firme d'import-export.
7 Pendant que j'étais là, j'ai perfectionné mon français que (lequel) j'écris et parle parfaitement.
8 Je tape également à la machine, et je connais les deux sténos, anglaise et française.
9 Je serai libre à partir du 23 mars, car ma société est absorbée par une société française.
10 J'espère que l'on m'accordera un entretien. Fidèlement votre Majorie Watson (Mlle).

NOTES

(1) *To apply for a job :* solliciter un poste, poser sa candidature. Une demande : *an application.*

(2) *An advertisement* (marquez bien l'accent tonique) veut dire une publicité et s'abrège très souvent en *advert* ou, plus simplement, *an ad* (*small ads :* les petites annonces). *To advertise* (l'accent change de position) : faire de la publicité. *Publicity :* la publicité, dans le sens très large du terme : annonces + télévision + défilés, etc.).

(3) Cette forme est plus formelle : on dit *I'm twenty* (j'ai 20 ans) mais, dans une candidature, C.V. etc., on écrirait : *I'm twenty years old.* La question *How old are you?* ne change pas.

(4) *To take over :* remplacer; ici, absorber une société.

Commencez-vous à connaître les verbes irréguliers? N'oubliez pas de les répéter chaque fois que vous rencontrez l'astérisque.

11 Perhaps she will be lucky. Here is the reply she received :

12 Dear Miss Watson,
Thankyou for replying to our advertisement so promptly.

13 If you would like to come* to my office on the twenty-third of March at ten o'clock,

14 I will be glad to give* you an interview and a short test in bilingual correspondence.

15 Please confirm this appointment by return of post or by telephoning my secretary.
Yours sincerely;

John Hind

12 prommptlï. — **14** korës**pon**dënts. — **15** kën**feum** ... ë**poïnt**mënt ... r**ïteun** ... sïn**sî**lï ... haïnd.

EXERCISES

1 I want you to reply by return of post. — **2** Are you single or married? — **3** He wanted me to come at ten o'clock but I couldn't. — **4** I will be glad when this lesson is finished. — **5** Do you know English or French shorthand? — Both.

Fill in the missing words:

1 *Après avoir lu votre annonce, j'ai décidé que je veux travailler chez vous.*

After . . . . your . . . . , I have decided . . . . I want to work with you.

2 *Tout le monde s'est mis à écrire, sauf Joan qui regardait par la fenêtre.*

. . . . started . . . ., ... Joan who looked . . . . . the window.

11 Peut-être aura-t-elle de la chance. Voici la réponse qu'elle reçut :
12 Chère Mlle Watson, Merci d'avoir répondu à notre annonce si promptement.
13 Si vous vouliez venir à mon bureau le (sur) 23 mars à 10 heures,
14 je serais heureux de vous accorder (donner) un entretien et [de vous faire passer] une brève épreuve de (en) correspondance bilingue.
15 Veuillez confirmer ce rendez-vous par retour du courrier ou en (par) téléphonant à ma secrétaire. Sincèrement votre, John Hind.

EXERCICES

1 Je veux [que] vous répondiez (répondre) par retour du courrier. — **2** Êtes-vous célibataire ou marié? — **3** Il voulait [que] je vienne (venir) à 10 h, mais ne j'ai pas pu. — **4** Je serai content quand cette leçon sera (est) terminée. — **5** Connaissez-vous [la] sténo anglaise ou française? — [les] deux.

---

3 *Je serai libre à partir du trente et un, notre société a fait faillite.*

I . . . . be . . . . from the . . . . . . - . . . . . ,

our . . . . has gone bankrupt.

4 *Merci d'avoir répondu aussi promptement à notre annonce.*

Thankyou for . . . . so . . . . to our

. . . .

5 *Sollicite le poste, assiste à l'entretien et tu auras le travail.*

. . . . the job, ... the interview, and

you'll . . . the job.

Hundred and thirty-second (132nd) Lesson

More about letters

1 Did you **no**tice how **sim**ple the style of the last **let**ter was?
2 In an **En**glish **let**ter, and es**pe**cially a **bus**iness **let**ter, it is **bet**ter to be as di**rect** as **pos**sible.
3 There are no frills or ex**trav**agant salu**ta**tions and the style is plain (**1**).
4 Our Miss **Wat**son could have **writ**ten* her life **his**tory or talked **about** her **bro**ther-in-law,
5 but she did not, and it worked. Sim**pli**city **al**ways pays.
6 In of**fi**cial corres**pon**dence, the **En**glish use many abbrevi**a**tions. "For ex**am**ple" is **writ**ten* "e.g." (**2**);
7 "That is to say" is **writ**ten* "i.e." (from the **La**tin *id est*).

PRONUNCIATION

1 **nôh**tïs ... staïl. — **2** es**pèsh**ëlï ... **bîz**nës. — **3** frïlz ... ëks**trav**ëgënt salou**té**shënz ... plén. — **5** sïmm**pli**sitï. — **6** ë**fish**ël ... ëbrîvï**é**shënz ... î djî. — **7** aï î.

Corrigé

1 reading - advertisement - that. — **2** Everybody/everyone - writing, except - out of. — **3** will - free - thirty-first - company/firm. — **4** replying - promptly - advertisement. — **5** Apply for - attend - get/have

Second wave: 82nd Lesson

Cent trente-deuxième leçon

Plus sur [les] lettres

1 Avez-vous remarqué comme le style de la dernière lettre était simple?
2 Dans une lettre anglaise, et surtout une lettre d'affaires, il est mieux d'être aussi direct que possible.
3 Il n'y a pas d'enjolivements ou de salutations extravagantes, et le style est clair.
4 Notre Mlle Watson aurait pu écrire l'histoire de sa vie ou parler de son beau-frère,
5 mais elle ne l'a pas fait, et ça a marché. La simplicité paye toujours.
6 Dans la correspondance officielle, les Anglais utilisent beaucoup d'abréviations : « Par exemple », est écrit : *e.g.*
7 « C'est-à-dire », est écrit : *i.e.* — du latin *id est* —

NOTES

(1) *Plain :* simple, sans décorations, uni (d'une chemise par exemple). *A plain girl :* une fille pas très jolie, commune.

(2) *e.g.* (du latin *exempli gratia*) : par exemple.

8 The **twen**ty-four hour clock is not **wid**ely (**3**) used in **Br**itain.
9 (It is used **main**ly on the **rail**ways, which might ex**plain** why the trains are so **of**ten late!).
10 So in**stead** **En**glish **pe**ople write* "a.m." to **in**dicate the **mor**ning and "p.m." (**4**) for the after**noon** and **e**vening.
11 e.g.: 10.00 a.m., 9.30 p.m. The abbrevi**a**tions are only **writ**ten*, **ne**ver **spo**ken*.
12 **O**ther abbrevi**a**tions you might find come* **a**fter **pe**oples' names, like "B.A." (**Bach**elor of Arts) or "M.Sc." (**Mas**ter of **Sci**ence) (**5**).
13 You could **al**so come* a**cross** "V.C." or "D.S.O." (**6**) or **a**ny of the **nu**merous **mil**itary or ci**vil**ian deco**ra**tions.
14 Twice a **ye**ar, the Queen draws* up an "**Ho**nours List" which **dec**orates **pe**ople who have **giv**en* **ser**vice to the **na**tion.

8 **ouaï**dlï. — 9 maït. — 10 ïn**stè**d ... é èmm ... **ïn**dïkét ... pî èmm. — 12 **batch**ëlë ... ahts ... **saï**-ënts. — 13 vî sî ... dî-èss-ôh ... **nï**oumërës ... dèkë**ré**shënz. — 14 drohz ... **o**nëz (n'aspirez pas le h).

NOTES (continued)

(**3**) *Wide* : large; *wide-spread* : répandu.

(**4**) *a.m.* (du latin *ante meridian*) et *p.m.* (*post meridian*) : avant et après-midi.

EXERCICES

1 You must never use abbreviations when speaking. — **2** She could have helped him, but she did not. — **3** You should have been more simple, it always works. — **4** Pastis is not widely drunk in England. — **5** If you want me to send you a post-card, you must buy me a stamp.

8 L'horloge de 24 heures n'est pas très utilisée (largement) en [Grande]-Bretagne.
9 (Elle est utilisée principalement dans (sur) les chemins de fer, ce qui pourrait expliquer pourquoi les trains sont si souvent en retard!).
10 Donc, à la place, les Anglais (gens) écrivent *a.m.* pour indiquer le matin et *p.m.* pour l'après-midi et le soir,
11 *e.g.* — par exemple — : 10.00 *a.m.*, 9.30 *p.m.* Les abréviations sont seulement écrites, jamais parlées.
12 D'autres abréviations, que vous pourriez trouver, viennent après les noms des gens; comme B.A. — bachelier d'arts — ou M.Sc — maître de science —.
13 Vous pourriez également trouver (venir à travers) V.C. ou D.S.O., ou n'importe laquelle des nombreuses décorations militaires et civiles.
14 Deux fois par an, la Reine rédige une « liste d'honneurs » qui décore les gens qui ont rendu service (donné service) à la nation.

NOTES (continued)

(**5**) Ce sont des licences d'université : *bachelor,* licencié; *master,* maîtrise.

(**6**) *V.C.* (Victoria Cross) : égale la Légion d'Honneur. *D.S.O.* (Distinguished Service Order) : la médaille militaire.

EXERCICES

1 Vous ne devez jamais utiliser [des] abréviations en (quand) parlant. — **2** Elle aurait pu l'aider mais elle ne [l']a pas fait. — **3** Vous auriez dû être plus simple, ça marche toujours. — **4** [Le] pastis n'est pas beaucoup (largement) bu en Angleterre. — **5** Si vous voulez [que] je (me) vous envoie une carte postale, vous devez m'acheter un timbre.

Fill in the missing words (and abbreviations):

1 *Vous êtes prié d'arriver à l'heure, c'est-à-dire 20 h 30.*

You are requested to arrive . . . . . . , . . 8.30 .

2 *Il y a de nombreuses décorations, par exemple la "Victoria Cross".*

There . . . . decorations, . . the Victoria Cross (V.C.).

3 *Quelle sorte de chemise voulez-vous? Unie ou rayée?*

. . . . of shirt do you . . . . ? . . . . . or striped?

Hundred and thirty-third (133rd) Lesson

REVISION AND NOTES

Notes à relire : 127e leçon : (4), (7) - **128e :** (3) - **129e** : (3), (8), (10) - **130e** : (1) - **131e** : (2), (3) - **132e** : (1).

1 To keep (garder). — *Please keep it, it is a present :* veuillez le garder, c'est un cadeau.

To keep : a aussi un sens de continuité : Personne? continuez d'essayer : *No-one? keep trying. I keep talking to myself :* je me parle sans cesse!

Également pour donner des ordres. *Keep quiet :* taisez-vous! *Keep out :* défense d'entrer.

Un journaliste américain a remarqué qu'en Irlande

4 *Quand vous aurez fini de rédiger le rapport, venez me voir dans mon bureau.*

When you . . . . finished . . . . the report, ... me in my office.

5 *Pendant que je faisais des courses, j'ai trouvé par hasard ce vieux fusil.*

. . . . . I . . . shopping, I . . . . this old gun.

Corrigé

1 on time, i.e. - p.m. — **2** are numerous - e.g. — **3** What sort - want? - Plain. — **4** have - drawing up - come and see. — **5** While - was - came across.

Second wave: 83rd Lesson

Cent-trente-troisième leçon

on n'écrit pas *Keep off the grass :* pelouse (herbe) interdite, mais *please keep on the footpaths :* veuillez respecter (gardez sur) les sentiers.

A keeper : un gardien (goal keeper : *gardien de but*).

2 **Might** and **may** (il se peut que...). — Dans la grammaire anglaise, *may* est le présent et *might* le prétérite du verbe *to be allowed to;* mais dans l'anglais courant on remplace *could* (conditionnel de *can*) à volonté. Il y a une légère nuance : *may* est plus **probable** que *might,* mais, à part ça, comme nous l'avons dit, on remplace *could* comme **conditionnel.**

A cause de l'étendue de l'anglais, la langue (chose

vivante) s'adapte et se simplifie tout en gagnant de nouveaux mots, aussi bien des mots étrangers que des néologismes. Lorsque nous vous donnons des indications comme celles ci-dessus, nous essayons de faciliter votre tâche tout en respectant l'essentiel de la langue; et sans se borner à des règles qui existent seulement dans l'anglais littéraire ou « mandarin ».

3 To make the bus stop. — Voici quelques exemples avec l'expression « faire » :

He makes me laugh : il me fait rire. Ils m'ont fait acheter quelque chose que je ne voulais pas : *they made me buy something I didn't want. We'll make him understand :* nous lui ferons comprendre.

Il s'est fait construire une maison : *he had a house built.* Faites réparer ma voiture : *have my car repaired.* Il fera repeindre sa salle de bains : *he'll have his bathroom repainted.*

Les premières phrases contiennent deux personnes, l'une faisant l'action à l'autre (vous me faites rire : *you make me laugh*) alors que, dans les suivantes, l'action dont on parle sera exécutée par quelqu'un d'autre (qui n'est pas dans la phrase, d'habitude). *He had a car built :* il s'est fait construire une voiture.

Pour le premier groupe, l'on dit *to make* + pronom + present (pas d's à la 3e).

Pour le second, on utilise *to have* + objet + participé passé. Relisez maintenant nos exemples.

4 Lettres. — Voici quelques conseils supplémentaires :

Tout d'abord la simplicité : je vous prie de bien vouloir agréer, etc. disparaît, et l'on termine dans les lettres d'affaires par *Yours faithfully* si l'on a commencé par *Dear Sir* et *Yours sincerely* si l'on débute avec *Dear Mr. ...* (la formule américaine *Yours truly* est utilisée pour éviter le carcan).

Dans une lettre familière, on peut terminer comme on veut : *yours, your friend, love from, best wishes,* etc. (et dans ces lettres on utilise les contractions). Dans les lettres on met son adresse en haut **à droite** et, dans une lettre d'affaires, l'adresse du destinataire **à gauche** en-dessous de la sienne.

32, Mount Drive
LONDON SE2

Messrs JOHNSON
31, Crescent Drive

Mais le mot clef pour rédiger une lettre est « la simplicité » (voir leçon 145).

5 To realise (se rendre compte). — *Do you realise what this mean? :* vous vous rendez compte de ce que ça veut dire? *I'm sorry, I didn't realise :* je m'excuse, je ne me suis pas rendu compte.

Réaliser se traduit selon le sens de la phrase; d'habitude on dit *to produce.* Un réalisateur (de cinéma) : *a (film) producer.*

6 Locutions à bien retenir. — 1 *Please don't turn on the television.* — 2 *We were expecting them at a quarter past two.* — 3 *Hello! I haven't seen you for ages.* — 4 *I feel lonely when she's away.* — 5 *He always puts it on inside out.* — 6 *We couldn't bear the thought of having him shot.* — 7 *I'm starved aren't you?* 8 *I couldn't care less.* — 9 *We gave him a lift to Bath.* — 10 *It wouldn't have been allowed, would it?* — 11 *I hope I may be granted an interview.* — 12 *Please confirm by return of post.*

7 Traduction. — 1 Je vous en prie, n'allumez pas la télévision. — 2 Nous les attendions pour 2 heures et

---

Hundred and thirty-fourth (134th) Lesson

A visit to England

1 Pierre has met* his English friend Tony, and they are drinking* beer together on the Champs Elysées.

2 — So, I hear* you've been to England recently. Tell* me about your trip.

3 — Well, as I had a long weekend (1), I decided to take* advantage of it (2).

4 I was going to travel by boat, but then I read* an advertisement for the hovercraft.

5 I'd (3) never taken* one before, so I thought* it would be an adventure.

PRONUNCIATION :

1 tôhnï. — 2 youv. — 3 dësaïdëd ... ëdvahntïdj. — 4 bôht ... hovë-krahft. — 5 ëdvèntchë.

quart. — 3 Bonjour, je ne vous ai pas vu depuis une éternité. — 4 Je me sens seul quand elle n'est pas là. — 5 Il le met toujours sens dessus dessous. — 6 Nous ne pouvions pas supporter l'idée de le faire tuer (d'un coup de feu). — 7 Je crève de faim, pas toi? — 8 Je m'en fiche. — 9 Nous l'avons accompagné jusqu'à Bath (en voiture). — 10 Ça n'aurait pas été permis n'est-ce-pas? — 11 J'espère que l'on m'accordera un entretien. — 12 Veuillez confirmer par retour du courrier.

Second wave: 84th (revision) Lesson

Cent-trente-quatrième leçon

Une visite en Angleterre

1 Pierre a rencontré son ami anglais Tony et ils boivent de la bière ensemble sur les Champs-Élysées.
2 Alors, on m'a dit que tu es allé (été) en Angleterre récemment. Raconte-moi ton voyage.
3 Bien, comme j'avais un long week-end, j'ai décidé d'en profiter.
4 J'allais voyager en bateau, mais alors j'ai lu une publicité pour l'aéroglisseur.
5 Je n'en avais jamais pris avant, donc j'ai pensé que ça serait une aventure.

NOTES

(1) Le pont (jeudi-lundi) n'est pas répandu en Angleterre. Pour le traduire, on dit : *a long weekend* (le pont d'Avignon : *Avignon Bridge*).

(2) *An advantage :* un avantage. *To take advantage of an opportunity :* profiter d'une occasion.

6 I went by train to Bou**logne.** At the **ho**verport (**4**), I bought* some **du**ty-free ciga**r**ettes.

7 Then the **ho**vercraft ar**ri**ved. It was **ve**ry im**press**ive. Like (**N. 1**) a huge **sea-mon**ster.

8 Not **o**nly does it **ca**rry **pa**ssengers (**5**), but **al**so cars, **coa**ches and **e**ven **lor**ries.

9 **Even**tually, when **ev**eryone was on board, the thing rose* up on a **cush**ion of air and set off.

10 You **cou**ldn't see* **any**thing through the **win**dows, be**cause** there was too much spray.

11 It was fan**tas**tic! In **o**nly half an hour we were in **Do**ver.

12 My first im**press**ions weren't **mar**vellous. It was **rai**ning!

13 As I got out of the **ho**vercraft and **head**ed for the **Cus**toms, I **sud**denly **re**alised that I was in a **fo**reign **coun**try.

14 **Ev**erything was in **En**glish and I **sud**denly be**gan*** to **pan**ic.

15 I went through the "**no**thing to de**clare**" lane (**6**) and got **on**to a coach to go to the **sta**tion.

16 I **had**n't **spo**ken* a word and **no**-one had **spo**ken* to me.

6 **ho**vë-poht ... **diou**tï frî. — **7** imm**prèsi**ïf ... hioudj. — **8** **pà**sëndjëz ... **kôh**tchëz ... **lo**rîz. — **9** ï**vèn**tchëlï ... onn bohd ... rôhz. — **10** frou ... spré. — **11** fann**tàs**tïk ... **dôh**vë. — **12** imm**prèsh**ënz ... **mah**vëlës. — **13** **hè**dëd ... **keus**tëmz ... **rî**-ëlaïzd. — **14** **pan**nïk. — **15** dï**klair** lén.

6 Je suis allé en train [jusqu'à] Boulogne. Au Hoverport, j'ai acheté des cigarettes hors taxes.
7 Puis l'aéroglisseur est arrivé. C'était très impressionnant, comme un énorme monstre marin.
8 Non seulement, il porte des passagers, mais aussi des voitures, des autocars et même des camions.
9 Finalement, quand tout le monde a été à bord, le machin s'est élevé sur un coussin d'air et s'est mis en route.
10 On ne pouvait rien voir à travers les fenêtres, parce qu'il y avait trop d'embruns.
11 C'était merveilleux! En (dans) une demi-heure seulement nous étions à Douvres.
12 Mes premières impressions n'étaient pas merveilleuses. Il pleuvait!
13 Comme je sortais de l'aéroglisseur et me dirigeais vers la (les) douane(s), je me suis rendu compte tout d'un coup que j'étais dans un pays étranger.
14 Tout était en anglais et j'ai commencé soudainement à paniquer.
15 Je suis passé par le couloir « rien à déclarer » et je suis monté dans un autobus pour aller à la gare.
16 Je n'avais pas dit (parlé) un mot et personne ne m'avait parlé.

NOTES (continued)

(**3**) Contraction de *had* et non *would*; pour distinguer, regarder le mot qui suit. Si c'est un participe passé, « -d » veut dire *had;* si c'est autre chose « -d » est la contraction de *would*.

(**4**) *To hover* veut dire planer, c'est-à-dire voler sans bouger. *A craft :* un embarquement. On ne traduit pas *hover-port*.

(**5**) Le *does* est pour insister sur le « non seulement..., mais aussi ». On peut dire : *it carries not only passengers, but also cars.* **Faites attention,** *a car ;* une voiture; *a coach :* un autocar.

(**6**) *A lane :* une allée, un petit chemin; ici, le couloir.

EXERCISES

1 He got out of the coach and **head**ed for the **Cus**toms **buil**ding. — 2 The **mon**ster rose up from the loch. — 3 You **cou**ldn't see **any**thing through the **win**dows be**cause** of the spray. — 4 Let's take ad**van**tage of the fine **wea**ther. — 5 We can go for a **pic**nic if you like.

Fill in the missing words :

1 *Après avoir acheté des cigarettes et avoir bu un café il monta dans le car.*

After . . . . . . some cigarettes and . . . . a coffee he . . . . the coach.

2 *Elle s'est remise de sa maladie et elle est partie en Suisse.*

She has . . . . her illness and . . . . to Switzerland.

3 *Non seulement il boit trop, mais il possède une brasserie !*

. . . . does he . . . ., but he . . . . a brewery !

4 *Finalement, quand tout le monde fut à bord, l'avion décolla.*

. . . ., when everyone was . . . ., the plane took . . .

5 *Ça ne fait rien, on peut prendre l'aéroglisseur, c'est plus rapide.*

Never . . . ., we can . . . . the . . . ., it's . . . .

EXERCICES

1 Il [est] sorti du car et [s'est] dirigé vers le bâtiment [de] la douane. — **2** Le monstre s'éleva du lac. — **3** Vous ne pouviez rien voir à travers les fenêtres à cause des embruns. — **4** Profitons (prenons avantage) du beau temps. — **5** Nous pouvons aller (pour un) pique-niquer si vous voulez (aimez).

Corrigé

1 buying - drinking - got into. — **2** got over - has gone. — **3** Not only - drink too much - owns. — **4** Eventually - on board - off. — **5** mind - take - hovercraft - quicker/faster.

Peut-être trouvez-vous les disques un peu rapides? Ils sont maintenant enregistrés à la vitesse de la conversation. Mais, quand vous avez le texte sous les yeux, vous saisissez très aisément. Il s'agit de vous habituer à comprendre sans lire.

Mais, n'oubliez pas, il vous arrive de ne pas comprendre un compatriote quand il parle un peu vite, ou bas : donc, pensez qu'il en est de même pour les Anglais. Alors ne craignez pas de **recommencer les auditions** *pour vous faire l'oreille.*

Second wave: 85 th Lesson

134th LESSON

Hundred and thirty-fifth (135th) Lesson

Arrival in London

1 On the train, I **man**aged (**1**) to re**lax** a **lit**tle and look at the **coun**tryside.
2 It's true (**2**) what they say, **Eng**land is **beau**tiful and green, **e**ven in the rain.
3 I **star**ted **rea**ding* my **guide**-book and **loo**king for ad**dres**ses of ho**tels** and "Bed and **Break**fasts".
4 The door of my com**part**ment **sud**denly **o**pened and a man in **u**niform said : "**Tic**kets, please".
5 The first words **some**one had **spo**ken* to me, and I had under**stood*** them!
6 I took* my **cou**rage in both hands and asked : "What time do we ar**rive** in **Lon**don?"
7 "**We**'ll be at **Cha**ring Cross in a**bout** an hour, sir". I still under**stood***.
8 I was now very ex**ci**ted. I had found* the ad**dress** of a cheap ho**tel**
9 and I **coul**dn't wait to ar**rive.**
10 **Cha**ring Cross is like any big **rail**way **sta**tion, big, **noi**sy and **crow**ded.
11 Out**side**, I found* a **ta**xi, **so**rry, a "cab" (**3**) and gave* the **dri**ver the ad**dress.**
12 **Dri**ving* in **Lon**don was **hea**ven com**pa**red to **Pa**ris.

PRONUNCIATION :

1 **man**nëdjd ... rïl**àks**. — **2** trou. — **3** **gaïd** bouk ... ëd**rè**sëz. — **4** **iou**nïfohm sèdd. — **6** **keu**rïdj ... ahskt. — **7** **ouîl**. — **8** ëk**saï**tëd ... tchîp. — **10** **noï**zï ... **kraou**dëd. — **12** **hè**vën.

Cent-trente-cinquième leçon

Arrivée à Londres

1 Dans le train, je suis arrivé à me détendre un peu et à regarder le paysage.
2 C'est vrai ce qu'on dit, [l']Angleterre est belle et verte, même sous (dans) la pluie.
3 J'ai commencé à lire mon guide-(livre) et à chercher des adresses d'hôtels et « pensions ».
4 La porte de mon compartiment s'est ouverte soudainement et un homme en uniforme a dit : « billets, s'il vous plaît ! ».
5 Les premiers mots que l'on m'avait dits et je les avais compris.
6 J'ai pris mon courage à deux mains et j'ai demandé : « A quelle heure doit-on arriver à Londres? ».
7 Nous serons à Charing Cross dans environ une heure, Monsieur ! ». Je comprenais toujours.
8 J'étais maintenant très excité. J'avais trouvé l'adresse d'un hôtel bon marché.
9 et j'étais impatient (je ne pouvais pas attendre) d'arriver.
10 Charing Cross est comme n'importe quelle grande gare de chemin de fer, grande, bruyante et encombrée.
11 Dehors, j'ai trouvé un taxi, pardon un « cab », et j'ai donné l'adresse au chauffeur.
12 Conduire à Londres était le paradis comparé à Paris.

NOTES

(1) *To manage* (d'où *a manager*) : diriger une société. Ici : arriver à, parvenir à. *He managed to improve his English in only three months :* il est arrivé à améliorer son anglais en seulement trois mois.

(2) *True :* vrai; *the truth :* la vérité. *Tell me the truth :* dites moi la vérité. *A truthful person :* quelqu'un qui dit la vérité.

(3) Les Londoniens disent plutôt *cab* pour le taxi noir.

Paris was built by the French for everybody whereas London was built by the English for themselves (Ralph Waldo Emerson).

13 **Ev**eryone was much more po**lite** and calm, but they were **dri**ving* on the wrong side of the road!

14 The ho**tel** I had **cho**sen* was in **Ken**sington, so I saw* quite a lot of **Lon**don from the cab.

15 At last, we ar**ri**ved at the ho**tel**. I paid the **dri**ver and gave* him a tip.

13 pëlaït ... kahm. — 14 **kèn**zïngtën. — 15 péd ... tïpp.

EXERCISES

1 I took my **cou**rage in both hands and said "No". — 2 Don't take a **ta**xi, it's too **crow**ded. — 3 Is it true what they say, it rains all the time?. — 4 **We**'ll be there in an a**bout** an hour. — 5 Pay the **dri**ver and give him a tip.

Fill in the missing words :

1 *Bien qu'il parlait très vite, je suis arrivé à le comprendre.*

. . . . he was speaking quickly, I . . . .

. . understand . . .

2 *Nous étions tous les deux très excités et ne pouvions pas attendre d'arriver.*

We were . . . . very . . . . and . . . .

wait . . . .

3 *Donnez l'adresse au chauffeur et laissez-lui la trouver.*

Give the . . . . . . the . . . . and . . . him

find . .

13 Tout le monde était beaucoup plus poli et calme, mais ils conduisaient du mauvais côté de la rue!
14 L'hôtel que j'avais choisi était à Kensington, donc j'ai vu une bonne partie de Londres du taxi.
15 Enfin, nous sommes arrivés à l'hôtel. J'ai payé le chauffeur et lui ai donné un pourboire.

4 *Je veux que vous me donniez l'adresse d'un hôtel bon marché.*

I want . . . to . . . . . . the address of a . . . . .

. . . . .

5 *J'en ai marre! Bien que l'Angleterre soit très belle, il pleut tout le temps.*

I'm . . . up! Although England . . very beautiful it

rains . . . .

EXERCICES

1 J'ai pris mon courage à (dans) [les] deux mains et [j'ai] dit « non ». — **2** Ne prenez pas un taxi, c'est trop encombré. — **3** Est-il vrai ce que l'on (ils) dit, [qu']il pleut tout le temps? — **4** Nous y serons dans environ une heure. — **5** Payez le chauffeur et donnez-lui un pourboire.

Corrigé

1 Although - managed to - him. — **2** both - excited - couldn't - to arrive. — **3** driver - address - let - it. — **4** you - give me - cheap hotel. — **5** fed - is - all the time.

Second wave: 86th Lesson

135th LESSON

Hundred and thirty-sixth (136th) Lesson

Conversions

1 The hotel was fine : small but comfortable and only six pounds a night with breakfast.
2 I checked in, put* my case in my room and set* out to discover London.
3 Tony interrupted : "You were lucky, you know. Six pounds a night is very cheap.
4 You could have paid (N. 2) up to twelve pounds—and for a small (N. 2) room, too".
5 "I know*", said Pierre, "but London is cheaper than Paris,
6 Except the tube; that's much dearer, and far less modern than our Métro.
7 I decided straight away to walk everywhere (1). I even bought* a pair of shoes.
8 That was a bit of a problem. The salesman asked: "What size do you take*? "
9 I had no idea. Fortunately he had a conversion table.
10 "You take* a size forty-two; that makes* you nine and a half.
11 We have a nice pair in the sales (2): only nine pounds reduced from seventeen pounds."
12 I got* a bargain. I put* my old (3) shoes in a bag and walked out in my new ones.

PRONUNCIATION :

1 faïn ... keumf'tëbël. — 2 tchèkt. — 3 inntëreuptëd. — 6 dîrë. — 7 strét ... èvrïouair. — 8 sélzmën ... saïz. — 9 aïdî-ëu ... kënveushën. — 11 rïdioust. —

Cent-trente-sixième leçon

Conversions

1 L'hôtel était très bien : petit mais confortable et seulement 6 livres la nuit avec petit déjeuner.
2 Je me suis inscrit, j'ai mis ma valise dans ma chambre et je suis sorti pour découvrir Londres.
3 Tony interrompit : « Tu as eu vraiment de la chance, tu sais. 6 livres la nuit est très bon marché.
4 Tu aurais pu payer jusqu'à 12 livres — et pour une petite chambre aussi.
5 Je sais, dit Pierre, mais Londres est moins cher que Paris,
6 sauf le métro; ça c'est beaucoup plus cher, et beaucoup moins moderne que notre métro.
7 J'ai décidé tout de suite d'aller partout. J'ai même acheté une paire de chaussures.
8 C'était assez problématique (un peu d'un problème). Le vendeur a demandé : « Quelle pointure (prenez-vous) faites-vous? »
9 Je n'en avais aucune idée. Heureusement, il avait une table de conversion.
10 « Vous faites un (taille) 42, cela vous fait un 9 1/2.
11 Nous avons une belle paire en solde : seulement 9 livres au lieu de (réduit depuis) 17 livres ».
12 J'ai fait une bonne affaire. J'ai mis mes vieilles chaussures dans un sac et je suis sorti (marché dehors) avec (dans) les nouvelles.

NOTES

(1) *Everywhere :* partout; *nowhere* [**nôh**-ouair]: nulle part.

(2) *To sell :* vendre; *a sale :* une vente. *The sales :* les soldes. Il n'y a pas de verbe pour « solder » en anglais. On doit dire vendre en soldes, ou vendre à prix réduit.

(3) *Old :* vieux, ou ancien. *My old school :* mon ancienne école.

13 I had no idea **Lon**don was so large. It took* me an hour to walk to Tra**fal**gar Square.
14 I **wan**ted to look at the **pain**tings in the **Nat**ional **Gal**lery.
15 I had a**no**ther nice sur**prise** : it was free.

13 lahdj .. trëfàlgë skouair. — **14 péntïngz.** — **15** sëpraïz.

EXERCISES

1 I like all the **pain**tings ex**cept** one. — **2** She should have walked a**round Lon**don. You see more. — **3** I **cou**ldn't re**mem**ber what size I took. — **4** I can't a**fford** de luxe ho**tels**, I have to stay in "Bed and **Break**fasts". — **5** There is a nice pair of shoes in the sales.

Fill in the missing words :

1 *Je n'ai aucune idée de la taille que j'ai. Peut-être un neuf.*

I have . . . . . . what . . . . I take. . . . . a nine.

2 *Ils n'avaient plus de chaussures en solde, j'ai dû me contenter de bottes.*

They had . . . . . . shoes . . . . . sales, I had to . . . . . . with boots.

13 Je ne pensais pas que Londres (avais aucune idée) était si grand. Il m'a fallu (pris) une heure pour marcher jusqu'à Trafalgar Square.
14 Je voulais voir (regarder) les tableaux dans la Galerie Nationale.
15 J'ai eu une autre bonne surprise : c'était gratuit.

---

3 *Nous avons eu de la chance, nous sommes entrés tout de suite.*

We . . . . , we went in . . . .

4 *Nous avons un léger problème : j'ai perdu mon portefeuille et mon passeport.*

We have a . . . of . problem: I've . . . . my . . . . . .

and my . . . .

5 *Vous auriez pu payer beaucoup plus que ça. Jusqu'à treize livres.*

You . . . . paid . . . . than

that. . . . . pounds.

EXERCICES

1 J'aime tous les tableaux sauf un. — **2** Elle aurait dû marcher dans (autour de) Londres. On (vous) [en] voit plus. — **3** Je ne pouvais pas [me] rappeler de la (quelle) taille que j'avais (je prenais). — **4** Je ne peux pas me permettre [des] hôtels de luxe, je dois prendre (rester dans) [des] "pensions". — **5** Il y a une jolie paire de chaussures en (dans les) solde.

Corrigé

1 no idea - size - Perhaps. — **2** no more - in the - make do. — **3** were lucky - straight away. — **4** bit - a - lost - wallet - passport. — **5** could have much (far) more - Up to thirteen.

Second wave: 87th Lesson

136th LESSON

Hundred and thirty-seventh (137th) Lesson

1 After an hour's **wal**king and an **hour**'s **cult**ure, I felt* **hun**gry (1).

2 I looked in vain for an **En**glish **res**taurant but there **was**n't one in sight.

3 I could have **ea**ten* **pi**zza, crêpes, **ham**burgers, but no **En**glish food.

4 So I went **in**to a pub and had a pint of **be**er and a **sand**wich (2).

5 Then I con**tin**ued my explo**ra**tions. One thing struck* me :

6 The **the**atres and **cin**emas were all **chea**per than at home.

7 A good seat in a **the**atre was **about** a pound and **e**ven the **cin**emas were not much more.

8 I made* up my mind to go and see a play be**fore** **lea**ving*.

9 My first day was exh**au**sting (3). I saw* so much that I can't re**mem**ber **ev**erything.

10 I **no**ticed how the **Lon**doners I saw seemed **cal**mer, **e**ven at five o'clock **du**ring the rush hour.

11 **Ano**ther thing, that im**pressed** me, was the **num**ber of parks :

PRONUNCIATION :

1 aou**ëz** **keul**tchë. — **2** vén. — **3** pîtsë... **hàm**beugëz. — **4** peub... païnt... **sànnd**ouïtch. — **5** èkspl**ëré**shënz ... streuk. — **7** sït. — **8** maïnd. — **9** èg**zoh**stïng. — **10** **nôh**tïst ... **leun**dënëz ... reush. — **11** imm**prèst**. —

Cent-trente-septième leçon

1 Après une heure de marche et une heure de culture, j'avais (sentis) faim.
2 J'ai cherché en vain un restaurant anglais mais il n'y en avait pas un en vue.
3 J'aurais pu manger une pizza, des crêpes, des hamburgers, mais pas de nourriture anglaise.
4 Donc je suis entré dans un pub et j'ai pris une pinte de bière et un sandwich.
5 Puis j'ai continué mes explorations. Une chose m'a frappé :
6 Les théâtres et les cinémas étaient tous moins chers que chez nous.
7 Une bonne place de théâtre était environ à 1 livre et même les cinémas (n'étaient pas) ne coûtaient pas beaucoup plus.
8 Je me suis décidé à aller voir une pièce avant de partir.
9 Ma première journée fut fatiguante. J'ai vu tellement [de choses] que je ne me rappelle pas de tout.
10 J'ai remarqué que (comme) les Londoniens que j'ai vus semblaient plus calmes, même à cinq heures pendant l'heure de pointe.
11 Une autre chose, qui m'a impressionné, était le nombre de parcs :

NOTES

(1) Synonyme de : *I was hungry.*

(2) *A sandwich* [**sànn**dovïtch], pluriel *sandwiches* [**sànn**douï-chëz]. Le mot vient probablement de l'Earl of Sandwich (1718-1792) qui a « inventé » cette façon de manger le pain.

(3) *To exhaust* [egz**ohst**], prononcer le « h » comme s'il était après les voyelles : épuiser. *She's exhausted :* elle est épuisée. *An exhaust pipe :* un tuyau d'échappement.

12 St **James**', Hyde Park, Green Park—and you were al**lowed** to walk on the grass (**4**).

13 I went to **Spea**ker's **Cor**ner (**5**) and **lis**tened to **some**body **tal**king a**bout** immi**gra**tion.

14 He said the **coun**try was full of **for**eigners, so I went a**way** quietly.

12 **djém**zïz, haïd ... ë**laoud**. — 13 **spî**këz ... **lï**sënd ... ïmï**gré**shën. — 14 **for**ënëz ... kou**aï**-ëtlï.

EXERCISES

1 I feel a bit ill. May I sit down please? — 2 I'm exh**au**sted, I have been **wal**king all day. — 3 What struck me was the **num**ber of parks. — 4 You can choose **ei**ther **pi**zza or **ham**burger, but not both. — 5 She likes **li**ving a**broad** : she meets many **dif**ferent **pe**ople.

Fill in the missing words :

1 *Il marche depuis une heure sous la pluie et il se sent fatigué.*

He . . . . walking . . . an hour . . the rain and he . . . . . tired.

2 *Elles cherchèrent en vain une cabine téléphonique, mais il n'y en avait pas.*

. . . . looked . . . . . . for a telephone box, but there . . . . . . one.

3 *Il a soupiré quand on lui a dit qu'il ne pouvait pas réserver ses places.*

He . . . . . . when . . . . told him he . . . . the . . . . .

12 Saint-James, Hyde Park, Green Park — et on pouvait marcher sur les pelouses (l'herbe).
13 Je suis allé au Speakers Corner et j'ai écouté quelqu'un qui parlait de l'immigration.
14 Il a dit que le pays était plein d'étrangers, donc je m'en suis allé doucement.

NOTES (continued)

(**4**) *Grass* (l'herbe) se dit pour *lawn* [lohn] (pelouse);

(**5**) *Speaker's Corner :* (le coin des orateurs), est un coin de Hyde Park où on peut faire des discours à qui veut bien les écouter !

EXERCICES

1 Je [me] sens un peu malade. Puis-je m'asseoir s.v.p. ? — **2** Je suis épuisé, j'ai marché (été marchant) toute [la] journée. — **3** Ce qui m'a frappé, était le grand nombre de parcs. — **4** Vous pouvez choisir soit [une] pizza, soit [un] hamburger, mais pas les deux. — **5** Elle aime vivre (vivant) à l'étranger : elle y rencontre beaucoup [de] gens différents.

---

4 *Les Londoniens sont calmes en général, mais les Londoniens que j'ai vus étaient bruyants.*

. . . . are . . . . calm, but . . .
Londoners I . . . were . . . . .

5 *Le « tube » est cher, donc prenez un taxi; ce ne l'est pas beaucoup plus.*

The tube is . . . . , so take a taxi; . . . . not . . . .

Hundred and thirty-eighth (138th) Lesson

1 I had changed my **mo**ney in **En**gland and had got a good rate (**1**) for my francs.

2 I did some **sho**pping and bought* all the tra**di**tional things that **tou**rists buy*.

3 **Shet**land **pul**lovers, a tweed (**2**) **jac**ket. I was **e**ven **go**ing to buy* a **di**nner-jacket (**3**),

4 but it would have been a **li**ttle too ex**trav**agant.

5 The night be**fore** I left* (**4**), I went to see a **mu**sical.

6 As you know*, we don't have **ma**ny in **Pa**ris, so I was **loo**king **for**ward (**N. 4**). to it very much.

7 I **thor**oughly en**joyed** it. The **ac**ting, the **sin**ging and the **cos**tumes were all so pro**fess**ional!

8 **Lea**ving* the **the**atre was like **co**ming* out **in**to a**no**ther world.

PRONUNCIATION :

1 tchéndjd ... rét ... frànnks. — **2** boht ... trĕ**dï**shnël. — **3** **shèt**lënd **poul**ôhvëz ... touîd ... **dï**nnë djakët. — **5** **miou**zïkël. — **6** **foh**ouèd. — **7** **feur**ëlï ènn**djoïd** ... **kos**tchoumz ... prĕ**fèsh**ënël. —

Corrigé

1 has been - for - in - feels. — **2** They - in vain - wasn't. — **3** sighed - they - couldn't book - seats. — **4** Londoners - generally the - saw - noisy. — **5** dear/expensive - it's - much more.

Second wave: 88th Lesson

Cent-trente-huitième leçon

1 J'avais changé mon argent en Angleterre et j'avais eu un bon cours pour mes francs.
2 J'ai fait des achats et j'ai acheté toutes les choses traditionnelles qu'achètent les touristes :
3 des pulls[en] Shetland, une veste en tweed. J'allais même acheter un smoking (veste de dîner),
4 mais ça aurait été un peu trop extravagant.
5 La nuit avant que je ne parte, je suis allé voir une [comédie] musicale.
6 Comme tu le sais, on n'en a pas beaucoup à Paris, donc j'attendais avec impatience de la voir.
7 Je l'ai vraiment aimée. Le jeu , le chant, et les costumes étaient tous si professionnels!
8 Quitter le théâtre était comme sortir dans un autre monde.

NOTES

(**1**) *A rate :* un taux. *The rate of exchange :* le cours du change (en anglais, rappelons-le, *change* veut dire : « la monnaie »).

(**2**) *Tweed* est un tissu écossais très fort. Le plus connu est le « Harris Tweed ».

(**3**) Comment les Français ont pu distiller le « smoking » est un mystère. *A dinner-jacket :* un smoking (aux USA, on l'appelle un *tuxedo*).

(**4**) Ou bien : *before leaving.*

9 I had a late **su**pper, this time, in an **ex**cellent Chi**nese** **res**taurant.

10 The next day, I packed my bags (**5**) and my souve**nir**s (**6**),

11 said good**bye** to **ev**erybody and strolled to the **sta**tion.

12 The **jour**ney back was less **plea**sant. I was un**ha**ppy to leave

13 and the **Chan**nel was **ve**ry rough (**7**) that day.

14 If you are in a boat on a rough sea, you roll;

15 but, in a **ho**vercraft, you go up and down as (**8**) in a lift.

16 **Se**veral **pe**ople were sick, so I had a large **bran**dy to **streng**then (**9**) my**self.**

9 **seu**pë. — **10** akt ... souvënî-ëz. — **11** strôhld. — **12** **plè**zënt ... eun**hap**ï. — **13** reuf. — **14** rôhl. — **16** **brann**dï ... **strèng**fën.

EXERCISES

1 I was in a bad mood be**cause** I had to leave. — **2** These souve**nir**s re**mind** me of my stay in **Eu**rope. — **3** It was such a rough day that the ship was **rol**ling. — **4** It would have been a**mu**sing to buy a **bow**ler-hat. — **5** Through**out** the **mu**sical the **ac**ting was su**perb.**

9 J'ai soupé tard, cette fois-ci, dans un excellent restaurant chinois.
10 Le lendemain (prochain jour), j'ai fait mes valises et [emballé] mes souvenirs,
11 [J'ai] dit au revoir à tout le monde et [j'ai] flâné jusqu'à la gare.
12 Le voyage de retour fut moins agréable. Je n'étais pas content de partir
13 et la Manche était mauvaise ce jour-là.
14 Si tu es dans un bateau sur une mer mauvaise, il y a du roulis (tu roules);
15 mais, dans un aéroglisseur, on descend et on monte comme dans un ascenseur.
16 Plusieurs personnes étaient malades, donc j'ai pris un grand cognac pour me fortifier.

NOTES (continued)

(**5**) *To pack :* faire ses valises. *Please pack these books :* veuillez mettre ces livres dans la valise. *Packaging :* le conditionnement.

(**6**) Le mot anglais *souvenir* veut dire un objet, tel un briquet avec l'Arc-de-Triomphe, etc. *Memories* sont les souvenirs de l'esprit.

(**7**) *Rough* [reuf] : rude, dur. Appliqué à la mer, veut dire « houleuse ». *A rough copy :* un brouillon.

(**8**) En comparant deux actions on dit : *as. He changes cars as I change my socks :* il change de voiture comme je change de chaussettes
En comparant deux choses, on dit *like. This meat is like rubber :* cette viande est comme du caoutchouc.

(**9**) *Strength :* la force. *To strengthen :* fortifier, renforcer.

EXERCICES

1 J'étais de (dans une) mauvaise humeur parce que je devais partir. — **2** Ces souvenirs me rappellent (de) mon séjour en Europe. — **3** C'était un jour tellement orageux que le bateau tanguait. — **4** Il aurait été amusant [d']acheter un chapeau-melon. — **5** Pendant toute [la comédie] musicale, le jeu était superbe.

Fill in the missing words :

1 *Elle n'aime pas prendre le bateau par mauvais temps.*

She doesn't .... the boat .. ... weather.

2 *Le jour avant mon départ, j'étais de très mauvaise humeur.*

The day ...... I ...., I was in a very ... .

3 *Le voyage de retour est toujours plus triste. Êtes-vous d'accord?*

The .... is always ...... Do you .....?

Hundred and thirty-ninth (139th) Lesson

Mothers

1 — My son **Tho**mas is **do**ing (**1**) very well on the stage.

2 He writes* and says that **e**very night he plays a **vi**llager, a **gy**psy and two **sol**diers,

3 where**as** the star of the play—a Mr **Ham**let—**on**ly plays one part.

---

4 A young man was **sit**ting* in the lounge of a large hot**el** **sip**ping a glass of punch (**2**).

PRONUNCIATION :

1 **to**mës ... stédj. — **2** sèzz ... **vi**līdjë ... **dji**psï ... **sol**djëz. — **3** ouè**raz**. — **4** laoundj ... peunch.

4 *Vous avez pris l'aéroglisseur! Comment est-ce?*

You've . . . . . the hovercraft! What's . . . . . . ?

5 *Je ne peux pas supporter les comédies musicales. — Moi non plus.*

I can't . . . . — Neither . . . . .

Corrigé

1 like taking - in bad/rough. — **2** before - left - bad mood. — **3** journey back - sadder - agree. — **4** taken - it like. — **5** stand musicals - can I.

Second wave: 89th Lesson

Cent-trente-neuvième leçon

Les mères

1 Mon fils Thomas réussit très bien sur la scène.
2 Il écrit que, chaque nuit, il joue un villageois, un gitan et deux soldats,
3 tandis que la vedette de la pièce — un certain M. Hamlet — ne joue qu'un rôle.

---

4 Un jeune homme était assis dans le salon d'un grand hôtel en train de siroter un verre de punch.

NOTES

(1) *To do well :* aller bien, se porter bien, se débrouiller, réussir. *Her new novel is doing well :* son nouveau roman est une réussite. Le contraire : *to do badly.*

(2) *A punch :* un coup de poing (on a vu *kick,* un coup de

5 A **li**ttle girl came* up to him and said: "What's your name?"
6 The young man told* her his name.
7 — Are you **ma**rried? she asked. — No, said the man.
8 The **li**ttle girl was **qui**et (**3**) for a **mo**ment, then she turned to a **wo**man **stan**ding* near**by** (**4**) and **shou**ted :
9 — What else did you tell* me to ask him, **Mu**mmy?

---

10 Young **Ji**mmy was **gree**dily (**5**) **ea**ting* a bar of **cho**colate.
11 His **fa**ther said **an**grily: "I've told* you not to eat* be**tween mea**ls. Did you ask Mum if you could have that **cho**colate?"
12 — Yes, said **Ji**mmy. — Come on, I want the truth.
13 A pause. — Yes I did, and she said "No".

14 "The man who is **ti**red of **Lon**don is **ti**red of life".

Dr **John**son (**6**)

7 marîd. — **8** nî-ë**baï** ... **shaou**tëd. — **9** èlls. — **10 dji**mï ... **grî**dïlï ... bah ... **tcho**klët. — **11** bï**touîn**. — **12** trouf. — **13** pohz. — **14 djon**sën.

EXERCISES

1 I **hear** he is **do**ing very well in his new job. — **2** What a **gree**dy **li**ttle boy! That is your fourth bar of **cho**colate. — **3** He might be an **ac**tor. I've seen him on stage. — **4** Try not to ask too **ma**ny **ques**tions. — **5** There is a church near**by.**

5 Une petite fille vint à lui et dit : « Quel est votre nom? »
6 Le jeune homme lui dit son nom.
7 Êtes-vous marié? demanda-t-elle — Non, dit l'homme.
8 La petite fille resta (fut) silencieuse pendant un moment, puis elle se tourna vers une femme qui était (debout) à côté et cria :
9 Quoi d'autre voulais-tu que je lui demande, maman?

---

10 Le jeune Jimmy mangeait une plaquette de chocolat avec gourmandise.
11 Son père dit, fâché : « Je t'ai dit de ne pas manger entre les repas. As-tu demandé à Maman si tu pouvais prendre ce chocolat?
12 Oui, dit Jimmy — Allons, je veux la vérité.
13 Une pause. Oui, (j'ai demandé) et elle a dit « Non ».
14 « L'homme qui est las de Londres est las de la vie ». Dr Johnson.

NOTES (continued)

pied); *to punch :* donner un coup de poing. Cependant, la boisson n'obtient pas son nom des résultats de sa consommation, mais du mot hindou « *panch* », qui veut dire « cinq », la boisson ayant, à l'origine, cinq ingrédients.

(3) *Quiet :* calme, et, aussi, silencieux. *Be quiet :* ne faites pas de bruit.

(4) *Near, nearby :* tout près . à côté

(5) *Greedy :* gourmand; *greedily :* d'une façon gourmande. Le « gourmet » étant gâté plutôt en France qu'en Angleterre, l'anglais garde le mot *gourmet* tel quel.

(6) **Doctor Samuel Johnson** (1709-1784), écrivain et lexicographe, publia son *Dictionary* en 1755. Sa biographie, faite par Boswell, est peut-être le meilleur exemple de cette forme en langue anglaise.

EXERCICES

1 J'entends (dire) qu'il réussit (fait) très bien dans son nouveau travail. — **2** Quel petit garçon gourmand! C'est ta quatrième plaquette de chocolat. — **3** Il se peut qu'il soit (un) acteur. Je l'ai vu sur scène. — **4** Essayez de ne pas poser trop de questions. — **5** Il y a une église tout près.

Fill in the missing words :

1 *Je serais très reconnaissant si vous pouviez me donner des renseignements.*

I . . . . . be very . . . . if you . . . . . give me some . . . .

2 *Est-ce que tu as demandé à maman si tu pouvais emprunter les ciseaux.*

Did you . . . Mum if you . . . . the scissors?

3 *De quoi d'autre a-t-on besoin?*

. . . . do we . . . . ?

4 *Je veux que tu me dises la vérité. Où as-tu mis l'échelle?*

I . . . . you . . . . . . me the . . . . . Where did you . . . the ladder?

Hundred and fortieth (140th) Lesson

REVISION AND NOTES

Notes à relire : 134ᵉ leçon : (3) - **136ᵉ : (1)** - **137ᵉ : (1) 138ᵉ :** (8).

1 As et like. — On peut comparer ou deux choses, ou deux personnes ou deux actions; le mot « comme », selon le cas, est :

En comparant deux choses : Londres, comme Paris, est une capitale : *London, like Paris, is a capital.* Sa

5 *Il s'est approché de moi et m'a demandé du feu.*

He . . . . me and asked me for a . . . . .

Corrigé

1 would - grateful - could - information. — **2** ask - could borrow. — **3** What else - need. — **4** want - to tell - truth - put. — **5** came up to - light.

Second wave: 90th Lesson

Cent-quarantième leçon

maison est comme un palais : *his house is like a palace.*

En comparant deux actions : Ils s'habillent comme on le faisait il y a 200 ans : *they dress as they did two hundred years ago.* Attention dans le deuxième cas, il faut qu'il y ait deux verbes dans la phrase. Il parle comme son père : *he talks like his father* (nous comparons deux personnes). Il parle comme parle son père : *he talks as his father talks* (nous comparons deux façons de parler).

Si vous doutez, utilisez *like.* Même si vous faites une faute de grammaire, le sens sera clair (*as* a déjà assez de sens !).

Aussi... que. Elle est aussi grande que sa mère : *she's as big as her mother.* Ils ne sont pas aussi importants que nous : *They are not as* (*so*) *important as us.*

2 J'aurais pu, j'aurais voulu, j'aurais dû, se disent : je pourrais avoir, je voudrais avoir, je devrais avoir. *He could have done it :* il aurait pu le faire (il en aurait été capable). *He might have done it :* il se peut qu'il l'aurait fait. *I can do it :* je peux le faire. *I may do it :* il se peut que je le fasse.

N'oublions pas que *could* est à la fois le prétérite **et** le conditionnel de *can.* S'il y a une confusion possible, on utilise *was able to* pour le prétérit. *He was able to do it* (*he could do it*) : il a pu le faire. Si « pouvoir » veut dire « avoir le droit de... » (comme à la leçon 137, ligne 12) on le traduit par *to be allowed to... Are we allowed to smoke* ? : Pouvons-nous fumer?

3 La préposition se rejette à la fin de phrase dans les questions et dans les propositions subordonnées. *What are you looking at? :* que regardez-vous? *Who did you buy it from? :* à qui l'avez-vous acheté? *I don't know what he has come for :* je ne sais pas pourquoi il est venu.

What should I do it with? : avec quoi devrais-je le faire? Bien que ceci ait été critiqué comme étant du mauvais anglais, il est maintenant tellement employé que c'est « correct ». L'usage fait la loi. L'un des défenseurs de cette formule n'était autre que Winston Churchill ! Allez-y donc sans souci !

4 Vous souvenez-vous du sens de ces verbes? (voir au paragraphe 8) :

I am looking forward to seeing you. — We thoroughly enjoyed ourselves. — We took advantage of the long weekend. — Please, make up your mind quickly. — He glanced over his shoulder. — You'll have to make do with tea.

5 Infirmités. — *Deaf* [dèf] : sourd; *dumb* [deum] : muet; *deaf and dumb* : sourd-muet; *blind* [blaïnd] : aveugle; *lame* [lém] : boiteux; *a cripple* [krïppël] : un infirme.

Un malade se dit *a patient* lorsqu'il est soigné et *a sick person* autrement. Un aveugle : *a blind person,* etc. (au pluriel, sens général, on dit *the sick* ou *the blind*).

6 Singulier ou pluriel? — Les mots suivants sont **pluriels** en anglais : *the trousers :* le pantalon; *the pyjamas :* le pyjama; *the stairs :* l'escalier; *the cattle :* le bétail.

Et ceux-ci sont **singuliers :** *The hair :* les cheveux (chevelure); *the news :* les nouvelles; *the information :* les informations; *the furniture :* les meubles.

7 If, whether [ouèvë] sont tous les deux « si ».

Le premier simplement dubitatif. *If he comes, tell him to meet me at ten :* s'il vient, dites-lui de me rencontrer à 10 heures.

Le second, *whether,* implique une alternative. *I don't know whether he will come :* je ne sais pas s'il viendra ou pas.

8 Traduction du paragraphe 4. — J'attends de vous voir avec impatience. — Nous nous sommes vraiment amusés. — Nous avons profité du long week-end. — Je vous en prie, décidez-vous vite. — Il jeta un coup d'œil par-dessus l'épaule. — Vous devrez vous contenter de thé.

9 Locutions à bien retenir. — 1 *Tell me about your trip.* — 2 *It carries not only passengers, but also cars and lorries.* — 3 *I managed to relax.* — 4 *I can't wait to arrive.* — 5 *England is beautiful, even in the rain.* — 6 *Driving in Paris is a bit dangerous.* — 7 *We gave the driver a tip.* — 8 *You can pay up to ten pounds a night.* — 9 *They walked everywhere.* — 10 *What size do you take?* — 11 *It took me an hour on foot.* — 12 *Did you listen to that man talking about politics?* — 13 *It would have been a little too extravagant.* — 14 *There was a tall woman standing nearby.*

Hundred and forty-first (141st) Lesson

Do you remember?

1 — Ask him if you can **bo**rrow the **lawn-mo**wer. — I did, and he said no.

2 — He told* me that he **nee**ded it to**day**. What could I say?

3 — You could have said that the grass **need**ed **cu**tting* (**1**). Well, **ne**ver mind.

PRONUNCIATION :

1 **lohn-môh**ë ... sèdd. — 2 koud. — 3 **keu**tïng.

10 Traduction. — 1 Racontez-moi votre voyage. — 2 Il transporte non seulement des passagers, mais aussi des voitures et des camions. — 3 Je suis arrivé à me détendre. — 4 Je suis impatient (ne peux pas attendre pour) arriver. — 5 L'Angleterre est belle, même sous la pluie. — 6 Conduire à Paris est un peu dangereux. — 7 Nous avons donné un pourboire au chauffeur. — 8 Vous pouvez payer jusqu'à 10 livres la nuit. — 9 Ils sont allés partout (à pied). — 10 Quelle est votre pointure? — 11 Il m'a fallu une heure à pied. — 12 Avez-vous écouté cet homme qui parlait de politique? — 13 Ça aurait été un peu trop extravagant. — 14 Il y avait une grande femme à côté (debout).

Second wave: 91st (revision) Lesson

Cent-quarante et unième leçon

Vous rappelez-vous?

1 Demandez-lui si vous pouvez emprunter la tondeuse. — Je l'ai fait et il a dit non.
2 Il m'a dit qu'il en avait besoin aujourd'hui. — Que pouvais-je dire?
3 Vous auriez pu dire que l'herbe avait besoin d'être coupée. Bien, ça ne fait rien.

NOTES

(1) Notez bien la formule : *the grass needs cutting* (l'herbe a besoin d'être coupée)
This house needs repairing : cette maison a besoin d'être réparée (on peut substituer *wants* à la place de *needs. Your hair wants cutting :* vos cheveux ont besoin d'être coupés).

4 I was struck* by the calm of the **Lon**doners I met* (**2**).

5 **Nel**son's **Col**umn is **ve**ry im**press**ive. The bronze **li**ons, at the foot, are made* from French **can**nons.

6 I like **pain**tings, and the **pain**tings (**3**) in the **Na**tional **Gal**lery were **mar**vellous.

7 I **har**dly (**4**) spoke* **a**ny **En**glish. Would you be**lieve** it? **Ev**eryone I met* was French.

8 He said he **cou**ldn't wait. He had an **ur**gent ap**point**ment and had to leave*.

9 She must have (**5**) left* be**cause** her car **is**n't in the **ga**rage.

10 If we had thought* of it **ear**lier, you could have come* with us.

11 He might have come* while I was out, but he would have left* a **mess**age.

12 I was **a**ble to under**stand*** **ev**erything they said, de**spite** the fact that most of them (**6**) had heavy **ac**cents.

5 **nèl**sënz **kol**ëm ... bronnz **laï**ënz ... **ka**nënz. — **6 mah**vlës. — **7 hah**dlï. — **8 eud**jënt. — **10 eu**lïë. — **11** maït ... **mè**sïdj. — **12** dë**spaït**. —

4 J'ai été frappé par le calme des Londoniens que j'ai rencontrés.

5 La colonne de Nelson est très impressionnante. Les lions de bronze, au pied, sont faits de canons français.

6 J'aime les tableaux, et les tableaux à (dans) la Galerie Nationale étaient merveilleux.

7 Je ne parlais guère d'anglais. L'auriez-vous cru? Tous ceux que j'ai rencontrés étaient Français.

8 Il a dit qu'il ne pouvait pas attendre. Il avait un rendez-vous urgent et a dû partir.

9 Elle a dû partir parce que sa voiture n'est pas au garage.

10 Si nous y avions pensé plus tôt, vous auriez pu venir avec nous.

11 Il se peut qu'il soit venu pendant que j'étais sorti, mais il aurait laissé un message.

12 J'ai pu comprendre tout ce qu'ils ont dit, malgré le fait que la plupart d'entre eux avaient de forts (lourds) accents.

NOTES (continued)

(2) Le calme des Londoniens : *the Londoners' calm;* **mais** lorsque le nom est qualifié par un relatif on utilise *of the* pour le possessif. *The wife of the man I was talking to :* la femme de l'homme à qui je parlais (voir leçon 140, n° 3).

(3) J'aime les tableaux (en général) : *I like paintings;* et les tableaux dans la Galerie Nationale étaient superbes : *and the paintings in the National Gallery were superb.* Parce qu'il s'agit de tableaux bien précis (ceux de la Galerie Nationale).

(4) *Hard :* dur; *hardly :* à peine, guère. *We hardly saw him :* on l'a à peine vu.

(5) **N'oubliez pas :** « il a dû », a deux sens : le prétérite de devoir, que l'on traduit par *he had to;* et le sens dubitatif, que l'on traduit par *he must have* (lignes 8 et 9).

(6) *Most people :* la plupart des gens; *most of them* la plupart d'entre eux.

13 You bought* so many souve**nirs.** You must have spent* a **for**tune!

14 She made* up her mind to study **med**ecine, de**spite** her **fa**ther's ad**vice.**

15 Tell him to come* straight a**way.** **We**'re late al**ready** and I don't want to miss the be**ginni**ng.

13 **foh**tchoun. — **14** **mèd**sïn ... ëd**vaïs.** — **15** strét.

EXERCISES

1 Would you like to come round for drinks this **eve**ning? — **2** I **har**dly **rec**ognised him dressed like that. — **3** They must have left: their coats have gone. — **4** The oil needs **chan**ging. — **5** What time do you want me to come?

Fill in the missing words:

1 *Tu aurais pu lui dire que l'herbe avait besoin d'être coupée.*

You . . . . . have . . . . that the grass . . . .

2 *Elle veut que nous nous dépêchions, elle n'aime pas attendre.*

She wants . . . . (up), she . . . . like . . . .

Second wave: 92nd Lesson

13 Vous avez acheté tellement de souvenirs. Vous avez dû dépenser une fortune!
14 Elle s'est décidée à étudier la médecine, malgré les conseils de son père.
15 Dites-lui de venir tout de suite. Nous sommes déjà en retard et je ne veux pas manquer le début.

---

3 *Ils ont dû le prendre, je ne le trouve nulle part.*

They . . . . have . . . . . it, I can't find it . . . .

4 *Si j'avais pensé à ça plus tôt, vous auriez pu partir avec nous.*

If I . . . . it . . . ., you . . . . left with . .

5 *Il se peut qu'elle soit venue hier soir, il n'y avait personne chez nous.*

She . . . . come last night, there was . . - . . . at . . . .

EXERCICES

1 Aimeriez-vous venir (autour) chez nous prendre un verre (pour boissons) ce soir. — **2** Je l'ai à peine reconnu habillé comme ça. — **3** Ils ont dû partir, leurs manteaux sont (ont) partis. — **4** L'huile a besoin [d'être] changée (changement). — **5** [A] quelle heure voulez-vous (moi) [que] je vienne (venir)?

Corrigé

1 could - told him - needed cutting. — **2** us to hurry - doesn't - waiting. — **3** must - taken - anywhere. — **4** had thought of - earlier could have - us. — **5** might have - no-one/nobody - home.

Hundred and forty-second (142nd) Lesson

En**glish** or **A**meri**can?**

1 It was **ei**ther **O**scar Wilde or George **Ber**nard Shaw who said that **En**gland and **Ame**rica are di**vi**ded by the same **lan**guage.

2 Who**ev**er it was ought to have said: "**Ame**rican and **En**glish **are** two **si**milar **lan**guages".

3 An **En**glishman can feel* more dis**o**rientated (**1**) in the **Uni**ted States than a **French**man or a **Ger**man.

4 For ex**am**ple, he will be told* he is **wal**king on a "**side**walk" in**stead** of a **pa**vement.

5 To go up to the third floor of his ho**tel**, he takes* the "**e**levator" and not the lift.

6 If he **wish**es (**2**) to **tra**vel **around** New **York** he must take* the "**sub**way" and not the **un**derground,

7 [where**as** in **Lon**don, the **sub**way is a **pass**age **un**der a **bu**sy street (**3**)].

8 He must **ne**ver ask for the **toi**let, but **al**ways the "**bath**room" or the "**rest**-room" (**4**).

9 In some **pub**lic **pla**ces he might **e**ven hear* it called the "**com**fort **sta**tion"!

10 To wash his hands he "**o**pens a **fau**cet" in**stead** of **tur**ning on a tap.

PRONUNCIATION

1 a**ï**vë **o**skë ouaïld ... **beu**nëd shoh ... dï**vaï**dëd. — **2** hou**è**vë ... **oht**ou ... s**ï**mïilë. — **3** diss**oh**riëntétëd ... stéts. — **4** **saïd** ouohk ïn**stèd** ... **pév**mënt. — **5** **è**lëvétë. — **6** **seub**oué. — **7** **pàs**ïdj. — **8** **toï**lët ... **bahf**roum ... **rèst**roum. — **9** **peub**lïk ... **keum**fët. — **10** **foh**sët.

Cent-quarante-deuxième leçon

Anglais ou américain

1 Ce fut soit Oscar Wilde, soit George Bernard Shaw qui dit que l'Angleterre et l'Amérique sont divisées par la même langue.
2 Qui que ce soit, [il] aurait dû dire : « l'anglais et l'américain sont deux langues semblables ».
3 Un Anglais peut se sentir plus dépaysé (désorienté) aux États-Unis qu'un Français ou qu'un Allemand.
4 Par exemple, on lui dira qu'il marche sur un *sidewalk* au lieu d'un *pavement* — trottoir.
5 Pour monter au troisième étage de son hôtel, il prend l'*elevator* et pas le *lift* — ascenseur.
6 S'il souhaite voyager dans New York, il doit prendre le *subway* et pas l'*underground,*
7 tandis qu'à Londres le *subway* est un passage sous une rue encombrée (occupée).
8 Il ne doit jamais demander les toilettes (la toilette) mais toujours « la salle de bains » ou le *rest room.*
9 Dans certains lieux publics, il pourrait entendre parler (appeler) de la « station de confort » !
10 Pour se laver les mains, il ouvre le *faucet* au lieu de tourner le robinet.

NOTES

(1) Il n'y a pas de mot pour « dépaysé » en anglais (peut-être les Anglais ne sont-ils pas dépaysés souvent). On dit *disorientated.* L'Anglais, cependant, peut avoir le mal du pays et dire : *I'm home sick.*

(2) *To wish :* souhaiter, désirer. *If you wish to leave, please tell me :* si vous désirez partir, veuillez me le dire.
To wish a aussi le sens de « j'aimerais que... ». On le trouve alors avec le conditionnel. *I wish you would hurry up :* j'aimerais que vous vous dépêchiez.
A wish : un vœu, un souhait.

(3) *Subway* (U.S.A.) : métro. *Subway* (G.B.) : passage souterrain.

(4) Il est considéré comme quelque peu « vulgaire » de demander the *toilet* aux États-Unis, ce mot étant remplacé par les euphémismes ci-dessus (*bathroom* étant le plus courant).

11 Thanks to the television, however, many English people, and especially teenagers (5), are familiar with these words.
12 Spelling (6), too, is different, thanks to a New York teacher called Noah Webster.
13 In eighteen twenty eight (1828) he published his "American Dictionary of the English Language".
14 Not all his reforms were adopted, but certain spellings were accepted and exist today.
15 English words that end in "-our" (e.g. neighbour, favour, honour) are written* without the "u" in American,
16 and words that end in "-re" (theatre, centre) are written* as they are pronounced (i.e. theater, center) in American.
17 For more details, see "Let's Start" and "Let's Get Better".

11 haouèvë ... tînédjëz ... fëmïlië. — **12** nôë ouèbstë. — **14** ëdoptëd ... ègzïst. — **15** nébë, févë, onë ... ëmèrïkën. — **16** sènntë ... prënaounst.

NOTES (continued)

(5) *Teens,* les années entre 13 et 20 ans (qui se terminent toutes en « -teen » : *fourteen, eighteen,* etc.). *A teenager :* un jeune, un adolescent.

EXERCISES

1 It is worth learning to speak American if you go to America. — **2** Thanks to the method "Let's Start", it is easy. — **3** Whoever wants to can be a pop-star. — **4** Take the lift up to the third floor and ask for room one-oh-one. — **5** Whose is this dictionary? I think it's David's.

11 Grâce à la télévision, cependant, beaucoup d'Anglais — et surtout les jeunes entre treize et vingt ans — connaissent (sont familiers avec) ces mots.
12 L'orthographe, aussi, est différente, grâce à un professeur new yorkais appelé Noam Webster.
13 En 1828, il édita son « Dictionnaire américain de la langue anglaise ».
14 Ses réformes ne furent pas toutes adoptées, mais certaines orthographes ont été acceptées et existent aujourd'hui.
15 Les mots anglais qui se terminent en « -our » — par exemple : voisin, faveur, honneur — sont écrits sans le « u » en américain,
16 et [les] mots qui [se] terminent en « -re » — théâtre, centre — sont écrits comme ils sont prononcés — c'est-à-dire : *theater, center* — en américain.
17 Pour plus de détails, voir *Let's start* et *Let's get better.*

NOTES (continued)

(**6**) *To spell,* vient du français épeler. *Spelling :* orthographe. *How do you spell that word? :* comment (orthographiez) épelez-vous ce mot?

EXERCICES

1 Cela vaut la peine [d']apprendre [à] parler [l']Américain si vous allez à (en) Amérique. — **2** Grâce (merci) à la méthode « Commençons », c'est facile. — **3** Quiconque (qui) veut (à) peut être vedette [de] pop. — **4** Prenez l'ascenseur [jusqu']au 3ᵉ étage et demandez (pour) [la] chambre 101. — **5** [A] qui est ce dictionnaire? Je pense [que] c'est [à] David.

Fill in the missing words:

1 *Malgré son conseil, nous ne devrions pas acheter ces actions.*

. . . . his advice, we . . . . buy these shares.

2 *Je réussis toujours à éviter de causer une dispute.*

I always . . . . . . to avoid . . . . an . . . .

3 *N'oubliez pas de fermer la télévision avant d'aller au lit.*

. . . . . forget to turn . . . the television before . . . . . to bed.

Hundred and forty-third (143rd) Lesson

1 When Pierre was in **Lon**don he had with him a list of **use**ful ex**press**ions. Let's have a look at them:

2 I beg your **par**don - I'm **sor**ry - Please ex**cuse** me.

3 I **won**der (1) if you could help me? - Could you tell* me...? - Would you re**peat** that, please?

PRONUNCIATION

1 **ious**fël. — 2 **pah**dën. — 3 oue**un**dë ... koud... ri**pît**.

4 *Vous n'auriez pas dû demander les toilettes (la toilette) mais la « salle de bains ».*

You . . . . . . not . . . . asked . . . the toilet but the

. . . .

5 *Est-ce que ça vaut la peine de prendre l'ascenseur. Il n'y a que deux étages.*

. . it . . . . the lift (elevator) . . . . .

. . . only two . . . . . .

Corrigé

1 Despite - should not. — **2** manage - causing - argument. — **3** Don't - off - going. — **4** should - have - for - bathroom. — **5** Is - worth - taking - There are - floors.

Second wave: 93rd Lesson

Cent-quarante-troisième leçon

1 Quand Pierre était à Londres, il avait avec lui une liste d'expressions utiles. Regardons-les :
2 Je m'excuse - Je suis désolé - Veuillez m'excuser.
3 Je me demande si vous pourriez m'aider? - Pourriez-vous me dire...? - Voudriez-vous répéter cela s'il vous plaît?

NOTES

(1) *To wonder,* nous l'avons vu, veut dire se demander. Il est très souvent employé pour les formules de politesse. *I wonder if you would mind... I wonder if you could tell me...* Bien sûr, dans ces cas, il n'a pas de sens; c'est surtout une formule bien polie.

4 **Thank**you, I'm very **gra**teful - That is very kind of you.

5 Would you mind...? - Is this seat **ta**ken*? - May I sit* down?

6 It **does**n't **mat**ter - It's not im**por**tant - I don't mind - Of course - Of course not.

7 I'm de**li**ghted to meet* you - Give* my re**gards** (**2**) to your wife.

8 What a **pi**ty - I'm **afraid** I won't be **a**ble to come* - I'd love to.

9 Did you have a good trip? - How was the **cross**ing (**3**)? - How was the **wea**ther?

10 Could you tell* me the way to...? - Is there a bank **ne**ar here? Where?

11 Could you tell* me the time please? - It's **ra**ther late - I seem to be **ear**ly (**4**).

12 Where do you come* from? - I'm from Lyons - We've just ar**ri**ved.

13 Do you know* a good **rest**aurant? - There might be one in **Ox**ford Street.

14 I'm **afraid** I can't help you, I'm a **for**eigner - I don't know* **Lon**don.

4 grétfël. — **5** sît **té**kën? ... mé. — **6 mat**të ... im**poh**tënt. — **7** dëlaïtëd. — **8** ëf**réd**. — **9 ouè**vë. — **10** koud. — **11 rah**vë ... **eu**lï.— **13 rès**tront ... maït. — **14** ëf**réd** ... **for**ënë.

EXERCISES

1 Let me intro**duce** you to **Pe**ter whose **fa**ther is a **far**mer. — **2** Do you mind if I bring my wife?—Of course not. — **3 Excuse** me, what did you say? It **does**n't **mat**ter. — **4** We are **look**ing **for**ward to **mee**ting you. — **5** It has been a long time since I last saw you.

4 Merci, je [vous] suis très reconnaissant - C'est très gentil de votre part.
5 Cela vous dérangerait-il...? - Cette place est-elle prise? Puis-je m'asseoir?
6 Ça n'a pas d'importance - Ce n'est pas important - Ça ne me dérange pas - Bien sûr - Bien sûr que non.
7 Je suis ravi de vous connaître - Mes hommages à votre femme.
8 Quel dommage - Je regrette mais je ne pourrai pas venir - Je veux bien.
9 Avez-vous fait bon voyage? - Comment était la traversée? - Quel temps faisait-il?
10 Pourriez-vous m'indiquer le chemin pour... - Y a-t-il une banque près d'ici? Où?
11 Pourriez-vous me dire l'heure s'il vous plaît - Il est assez tard - Il me semble que je suis en avance (tôt).
12 D'où venez-vous? - Je suis de Lyon - Nous venons d'arriver.
13 Connaissez-vous un bon restaurant? Il se peut qu'il y en ait dans Oxford Street.
14 Je crains de ne pas pouvoir vous aider, je suis (un) étranger - Je ne connais pas Londres.

NOTES (continued)

(**2**) A quelqu'un que l'on connaît plus intimement, ou entre jeunes, on dirait : *Give my love to...*

(**3**) *To cross :* traverser; *a cross :* une croix; *a crossing :* une traversée. *A level crossing :* un passage à niveau; *a zebra crossing :* un passage piétons (les rayures étant noires et blanches comme l'animal). *He's cross :* il est fâché.

(**4**) *Early* (tôt) a aussi le sens de : en avance.

EXERCICES

1 Laissez-moi vous présenter (à) Pierre dont le père est (un) fermier. — **2** Cela vous gênerait-il que (si) j'amène ma femme? — Bien sûr [que] non. — **3** Excusez-moi, qu'avez-vous dit? Ça ne fait rien. — **4** Nous attendons avec plaisir [de] vous rencontrer. — **5** Ça fait (a été) longtemps que (depuis) je vous ai vu [pour la] dernière [fois].

Fill in the missing words:

1 *Pourriez-vous m'indiquer le chemin de la banque la plus proche?*

. . . . . you . . . . me the . . . to the . . . . bank?

2 *J'espère que vous allez bien tous les deux, je ne vous ai pas vus depuis longtemps.*

I hope you . . . . well, I haven't . . . . you . . . a long time.

3 *D'où venez-vous? — De Marseille, nous venons d'arriver.*

. . . . . do you . . . .?—From Marseilles, we've . . . .

4 *Je travaille dur depuis un mois, mais je n'ai pas trouvé assez de renseignements.*

I . . . . working hard . . . a month, but I . . . . enough information.

Hundred and forty-fourth (144th) Lesson

In a bank

1 I'd like to change some **mo**ney. What is the rate to**day**?

PRONUNCIATION

bànnk. — **1** aïd ... tchéndj ... rét. —

5 *Est-ce que cette place est prise? — Non, Monsieur. — Puis-je m'asseoir?*

.. this seat .....? — No, sir. — ... I ...

....?

Corrigé

1 Could - tell - way - nearest. — **2** are both - seen - for. — **3** Where - come from - just arrived. — **4** have been - for - haven't found. — **5** is - taken - May - sit down.

Second wave: 94th Lesson

Cent-quarante-quatrième leçon

Dans une banque

1 J'aimerais changer de l'argent? Quel est le cours (du change) aujourd'hui?

2 **Twen**ty pounds in five-pound **no**tes (**1**) and ten in one-pound **no**tes.
3 Do you have **a**ny change? May I use my **cheque**-book?

In a post-**office**

4 I'd like to send* a **tele**gram. How much per word?
5 I need some stamps. How much is it to send* a **post**-card to France?
6 I'd like to cash (**2**) this **mo**ney-**or**der.

At the hotel

7 I'd like a **sin**gle room please. You only have a **dou**ble left (**3**)?
8 Does the room have a **show**er and a **toi**let?
9 If **any**one (**4**) calls while I'm out, could you take* a **mess**age?
10 Please pre**pare** my bill, I'm **leav**ing in the **mor**ning.

2 **nô**hts. — **3** iouz ... **tchèk**. — **pôhst**. — **4** **tè**lëgràm ... peur. — **5** stammps ... **pôhst** kahd. — **7** **sin**gël ... **deu**bël. — **8** **shaou**ë. — **9** koud ... **mè**sïdj. — **10** prï**pair**. —

2 Vingt livres en billets de cinq livres et dix en billets de une livre.
3 Avez-vous de la monnaie? Puis-je utiliser mon carnet de chèques?

Dans un bureau de poste

4 J'aimerais envoyer un télégramme. Combien par mot?
5 J'ai besoin de timbres. Combien est-ce pour envoyer une carte postale en France?
6 J'aimerais encaisser ce mandat.

A l'hôtel

7 J'aimerais une chambre pour une personne s'il vous plaît. Il ne vous reste qu'une double?
8 La chambre a-t-elle une douche et une toilette?
9 Si quelqu'un téléphone pendant que je suis sorti, pourriez-vous prendre un message?
10 Veuillez préparer la note, je pars ce matin.

NOTES

(1) Nous avons déjà vu les noms composés et, si vous vous souvenez, nous avons dit qu'il faut traduire le **second,** le premier servant d'adjectif. *A ten-pound note :* un billet de dix livres. *A four-star hotel :* un hôtel quatre étoiles (il n'y a pas de « -s » pluriel car les adjectifs ne s'accordent pas, n'est-ce pas?). Une pièce de monnaie se dit *a coin* [koïn], mais on parle d'un *fifty-pence piece, a ten pence piece.*

(2) *Cash :* les espèces. *Would you prefer a cheque or cash? :* Préférez-vous un chèque ou des espèces?
To cash : encaisser; *a cashier* [kashîë] : un caissier, une caissière; la caisse : *cash-desk.*

(3) Remarquez cette formule familière : *I've only got two cigarettes left :* il ne me reste que deux cigarettes. *How many do you have left? :* combien (pluriel) vous en reste-t-il?

(4) Pas *someone* puisqu'on veut dire « n'importe qui »; *someone* impliquerait quelqu'un de défini.

Shopping

11 I'm **afraid** I don't know* my size. Do you have **any**thing **sma**ller?

12 May I try it on (5)? It **does**n't fit very well. It **does**n't suit me.

13 I'll think* it **o**ver (6). It's a **lit**tle too ex**pen**sive.
I'll come* back **la**ter.

11 saïz ... smohlë. — 12 sout. — 13 ôhvë.

EXERCISES

1 Where can I change my **tra**vellers-cheques? — 2 **Hu**rry up, there are only five **min**utes left. — 3 I have been **wai**ting to be served for a **quar**ter of an **hour**. — 4 We ex**pect** you to pay your own bill. — 5 This **ja**cket **does**n't fit very well.

Fill in the missing words:

1 *Si tu veux l'acheter il faut que tu te décides, il n'en reste que cinq.*

If you . . . . to buy it you . . . . make . . your . . . ., there are only . . . .

2 *Réfléchissez-y et appelez-moi quand vous aurez pris votre décision.*

. . . . . it . . . . and . . . . me when you . . . . your decision.

3 *Je ne vous attendais pas avant deux heures. Avez-vous fait un bon voyage?*

I didn't . . . . . . you . . . . . . two o'clock. Did you have . . . .?

[Les] achats

11 Je regrette, je ne connais pas ma taille. Avez-vous quelque chose de plus petit?
12 Puis-je l'essayer? Ça ne me va pas très bien. Ça ne me va pas.
13 Je réfléchirai. C'est un petit peu trop cher. Je reviendrai plus tard.

NOTES (continued)

(**5**) *To put something on :* mettre quelque chose (vêtement, disque). Ici on a *to try :* essayer + on, l'idée de mettre. *To try a hat on :* essayer un chapeau.

(**6**) *Think it over :* réfléchissez-y, retournez la chose dans votre pensée. T.P.S.V.P. s'écrit *P.T.O.,* c'est-à-dire : *Please Turn Over.*

---

4 *Est-ce que quelqu'un a appelé pendant que j'étais sorti?*

Did . . . . . . call . . . . . I was . . .?

5 *Elle vient en Angleterre depuis quatre ans et elle ne connaît toujours pas sa taille.*

She has . . . . to England . . . four years and she . . . . . doesn't know . . . size.

EXERCICES

1 Où puis-je changer mes chèques [de] voyage? — **2** Dépêchez-[vous], il [ne] reste que cinq minutes. — **3** J'attends (ai été) [d']être servi depuis un quart d'(une)heure. — **4** Nous [nous] attendons [à ce que] vous payiez votre propre addition. — **5** Cette veste n'est pas de très bonne taille (ne va pas très bien).

Corrigé

1 want - must - up - mind - five left. — **2** Think - over - call/ring/phone - have taken/made. — **3** expect - before - a good trip? — **4** anyone/anybody - while - out. — **5** been coming - for - still - her.

Second wave: 95th Lesson

Hundred and forty-fifth (145th) Lesson

Signs and notices

1 Way In (**Ent**rance) - Way out (**Ex**it) - No admittance - **Pri**vate - Ad**miss**ion free - En**qui**ries.

2 No **smo**king - **Spit**ting Pro**hib**ited (**1**) - Do not lean out of the **win**dow.

3 **Pub**lic con**ven**iences (**2**) - Gents - **La**dies - House full.

4 The **Man**agement is not res**pon**sible for loss or **dam**age to guests' **pro**perty.

5 **Early Clo**sing Day (**3**) - Closed for lunch - Closed for re**pairs.**

6 One Way Street - Keep left - **Cul** de sac - No **U**-turns.

7 **Some**times, **no**tices are a waste (**4**) of time. This was George **Ber**nard Shaw's (**5**) o**pin**ion

PRONUNCIATION :

1 èntrënts ... **èg**zït ... ëd**mït**ënts - **praï**vët ... èn**kouaï**rîz. — **2** prë**hïbï**tëd ... lîn. — **3 peub**lïk kën**vîni**ënsëz - djènts - **lé**dïz. — **4 mànn**ëdjmënt ... **dàmm**ïdj ... gèsts. — **6 keul**dësak ... **iou**-teunz. — **7** ouést ... ë**pïni**eun.

Cent-quarante-cinquième leçon

Enseignes et écriteaux

1 Entrée - Sortie - Entrée interdite - Privé - Entrée libre - Renseignements.
2 Défense de fumer - Défense de cracher - Ne pas se pencher par la fenêtre.
3 W.C. publics - Messieurs - Dames - Complet (salle de spectacle).
4 La Direction n'est pas responsable pour les pertes ou dommages causés à la propriété de sa clientèle.
5 Fermeture - Fermé pour déjeuner - Fermé pour réparations.
6 Sens unique - Tenez [votre] gauche - Cul-de-sac - Demi-tour interdit.

7 Parfois les écriteaux sont une perte (gaspillage) de temps. C'était l'avis de George Bernard Shaw

---

NOTES

(1) *To prohibit :* interdire. *Prohibition :* la période, entre 1920 et 1933 aux États-Unis, quand la vente d'alcools fut interdite.
On dit également : *to forbid. Betting forbidden :* pari interdit.

(2) *Convenient :* commode; ici un euphémisme pour les toilettes.

(3) En Angleterre, tous les magasins ont le droit de fermer une fois par semaine un après-midi. Cette journée s'appelle *Early Closing Day.*

(4) *To waste* [ouèst] : gaspiller. L'adjectif *waste* s'applique aux déchets, par exemple : *waste-ground* (terrain vague); *waste-paper basket* (corbeille à papiers); *waste-pipe* (tuyau de dégagement). *To waste time :* perdre du temps.

(5) George Bernard Shaw (1856-1950), auteur et dramaturge irlandais, était connu pour ses propos péremptoires.

8 when he saw* a **fish**monger, out**side** his shop, **try**ing (**6**) to put* up a **no**tice.

9 On the board was **writ**ten* : FRESH FISH SOLD HERE. — Where can I put* it? There's no room (**7**).

10 — My good man, your sign is **use**less, said Shaw. — Why? en**quir**ed the **o**ther.

11 — FRESH : Would you sell* stale (**8**) fish? Shaw de**let**ed the word with a piece of chalk.

12 — FISH : one can see*—and smell—**per**fectly well that you do not sell* **ta**ble-cloths (**9**). The **sec**ond word was crossed out.

13 — SOLD : Since when has a **fish**monger **giv**en* **away** (**10**) his **mer**chandise?

14 And this last word is ri**dic**ulous; he said, **put**ting* a line through the word HERE.

15 — It is **ev**ident that you do not sell* your fish (**11**) else**where.** Good day, sir.

8 fishmeungë. — **9** bohd. — **10 ious**lës ... ènk**ouaï**-ëud. — **11** stél ... dìlîtëd ... tchohk.— **12 té**bël-klofs ... krost. — **13 meu**tchëndaïs. — **14** laïn frou. — **15 è**vïdënt ... èls**ouère.**

NOTES (continued)

(**6**) Si deux actions sont accomplies en même temps par le même sujet (ou si la seconde est nettement le résultat de la première), « en » ne se traduit pas. *He went*

EXERCISES

1 Whose is this watch? — I think it's hers. — **2** It's a waste of time in**vit**ing him. — **3** He gave **away** all his **mo**ney and be**came** a priest. — **4** You an**noy** me sir! Take your bad **man**ners else**where.** — **5** If the bread is stale, you can throw it **away.**

8 lorsqu'il vit un marchand de poisson, devant son magasin essayant de placer un écriteau.
9 Sur le panneau était écrit : « ICI ON VEND DU POISSON FRAIS ». Où puis-je le mettre? il n'y a pas de place.
10 Mon bon monsieur, votre enseigne est inutile dit Shaw. — Pourquoi? s'enquît l'autre.
11 FRAIS : Vendriez-vous du vieux poisson? Shaw biffa le mot avec un morceau de craie.
12 POISSON : on peut voir — et sentir — parfaitement bien, que vous ne vendez pas du linge de table. Le deuxième mot fut biffé.
13 VEND (vendu) : Depuis quand un marchand de poisson a-t-il fait cadeau de ses marchandises?
14 Et ce dernier mot est ridicule, dit-il en mettant un trait à travers le mot ICI.
15 Il est évident que vous ne vendez pas vos poissons ailleurs. Bonne journée, Monsieur.

NOTES (continued)

away laughing : il s'est éloigné en riant. *He cut himself shaving :* il s'est coupé en se rasant.

(**7**) *There's no room :* il n'y a pas de place. *Make room please :* faites de la place s'il vous plaît.

(**8**) *Stale :* vieux (appliqué à la nourriture). *Stale bread :* du pain rassis.
Une vieille chaussette : *an old sock. Rotten :* pourri.

(**9**) Attention à ne pas confondre *clothes,* les vêtements (un vêtement se dit : *a piece of clothing*), avec *a cloth :* un torchon, un chiffon. *Table cloth :* linge de table, nappe.

(**10**) *To give :* donner; *to give away :* faire cadeau de. *He gave all his money away became a priest :* il fit cadeau de tout son argent et devînt prêtre.

(**11**) *Fish* peut être singulier ou pluriel. *Five fish :* cinq poissons. *Your fish :* ou votre poisson **ou** vos poissons.

EXERCICES

1 [A] qui est cette montre? — Je pense [que] c'est [la] sienne. — **2** C'est une perte (gaspillage) de temps [de] l'inviter. — **3** Il a distribué (donna loin) tout son argent et devint (un) prêtre. — **4** Vous m'agacez, Monsieur! Emmenez (prenez) vos mauvaises manières ailleurs. — **5** Si le pain est rassis, vous pouvez le jeter.

Fill in the missing words:

1 *Doit-on payer pour entrer. — Non, regarde : « Entrée libre ».*

. . we . . . . . . pay . . go in? No, look: ". . . . .".

2 *Son revenu est beaucoup trop bas. — Au moins, c'était l'opinion de George.*

. . . . is much too . . . — At least that was . . . . opinion.

3 *La Direction n'est pas responsable de la perte de la propriété des clients.*

The . . . . is not responsible . . . the . . . . of . . . . property.

Hundred and forty-sixth (146th) Lesson

Our last lesson

1 You have reached the last **les**son, but not the end!

2 You can con**gra**tulate your**self** be**cause** the bulk (**1**) of the work has been com**ple**ted.

3 From now on, it will be "plain **sai**ling" (**2**).

PRONUNCIATION :

1 rîtcht. — **2** kën**gràt**ioulét ... beulk ... këm**plî**tëd. — **3** plén **sé**lïng.

4 *Assurez-vous que votre texte n'a pas de mots inutiles.*

. . . . that your text . . . . have any

. . . . words.

5 *Rien n'est permis. Regardez : « Défense de fumer », « Ne pas se pencher au dehors ».*

. . . . is . . . . Look : ". . . . .",

"Do not . . . . the window".

Corrigé

1 Do - have to - to - Admission free. — **2** His/Her income - low - George's. — **3** Management - for - loss - customers'/guests'. — **4** Make sure - doesn't - useless. — **5** Nothing - allowed/permitted - No smoking - lean out of.

Second wave: 96th Lesson

Cent-quarante-sixième leçon

Notre dernière leçon

1 Vous êtes parvenu à la dernière leçon, mais pas à la fin!
2 Vous pouvez vous féliciter parce que le plus gros de votre travail a été accompli (complété).
3 Désormais, ça sera facile (de la voile facile).

NOTES

(1) *Bulk :* vrac; *the bulk of the work :* le gros du travail; *a bulky parcel :* un colis gros, encombrant; *a bulk order : une commande importante.*

(2) *To sail :* faire de la voile (*a sail* : une voile); *plain sailing* indique un travail sans complications.

4 Of course, you **can**not ex**pect** to speak* like an **En**glishman **af**ter only a few months of **part**-time **stu**dy.

5 but now you know* **some**thing **about** the **coun**try and its **cus**toms;

6 If you went to **En**gland now, you could get by **fai**rly **eas**ily.

7 But re**mem**ber the **mo**tto of the "Méthode Assimil" : **dai**ly **prac**tice.

8 So, do not let* this book col**lect** dust at the back (**3**) of a shelf :

9 pick it up from time to time and read* a **par**agraph or an **an**ecdote.

10 Re**peat** them out loud, then do the "**sec**ond wave" **les**son; learn the ir**reg**ular verbs.

11 In short, keep* in touch (**4**)!

12 By **rea**ding* the **news**papers, **lis**tening to **rec**ords and the **ra**dio, by **ta**king* **ev**ery oppor**tun**ity to speak*,

13 and by not **be**ing a**fraid** of **mak**ing* mis**takes**,

14 you will feel* the **lan**guage and use it **na**turally.

15 We hope you have en**joyed** **us**ing this **me**thod, and that you will en**joy** **speak**ing* **En**glish, "**pain**lessly".

4 **steu**dï. — 5 naou ... nôh. — 7 **dé**li. — 8 deust. — 9 **pà**rëgrahf ... **à**nëkdôht. — 10 laoud ... ouév. — 11 teutch. — 12 **nious**pépëz ... **ré**diôh. — 13 **bî**-ïng. — 14 **lann**gouidj ... **nà**tchrëlï. — 15 **iou**zïng ... **pén**lëslï.

4 Bien sûr, vous ne pouvez vous attendre à parler comme un Anglais après seulement quelques mois d'études à mi-temps.
5 Mais, maintenant, vous connaissez quelque chose du pays et [de] ses coutumes.
6 Si vous alliez en Angleterre maintenant, vous pourriez vous débrouiller assez facilement.
7 Mais rappelez-vous de la devise de la « Méthode Assimil » : la pratique quotidienne.
8 Donc, ne laissez pas ce livre ramasser de la poussière au fond d'une étagère :
9 Prenez-le de temps en temps et lisez un paragraphe ou une anecdote.
10 Répétez-les à voix haute, puis faites la leçon de la deuxième vague, apprenez les verbes irréguliers.
11 En bref, gardez le contact!
12 En lisant les journaux, en écoutant des disques et la radio, en saisissant (prenant) chaque occasion de (pour) parler,
13 et en n'ayant pas peur de faire des fautes,
14 vous sentirez la langue et vous l'utiliserez naturellement.
15 Nous espérons que vous avez apprécié d'utiliser cette méthode, et que vous aimerez parler l'anglais, « sans peine ».

NOTES (continued)

(**3**) *At the back :* au fond; *at the front :* devant.

(**4**) *Keep in touch :* garder le contact.

EXERCISES

1 My **tail**or is still rich. — **2** From now on, you will be **a**ble to speak **En**glish. — **3** The bulk of the work has been com**ple**ted. — **4** Don't be a**fraid** of **ma**king mi**stakes**. — **5** I'm a**fraid** I had to **can**cel the ap**point**ment.

Fill in the missing words:

1 *Si vous alliez en Angleterre vous pourriez vous débrouiller assez facilement.*

If you . . . . . . England you . . . . fairly easily.

2 *En lisant les journaux et en écoutant la radio, vous devriez pouvoir faire des progrès.*

By . . . . the . . . . . . and . . listening . . the radio, you . . . . . . be able to make progress.

3 *Quand vous partirez, n'oubliez pas de rester en contact.*

When . . . . don't forget to . . . .

Après en avoir terminé avec la 2e vague, vous pourrez vous perfectionner avec :

« Histoires anglaises et américaines »

un livret humoristique (avec enregistrement sonore) qui vous permettra de compléter votre vocabulaire et de parfaire votre savoir dans la langue anglaise.

4 *Permettez-moi de vous féliciter de votre réussite, vous avez bien travaillé.*

. . . me . . . . you on your . . . . ,

you have . . . .

5 *Ne laissez pas ce livre ramasser de la poussière; lisez-le de temps en temps.*

Don't . . . . book collect . . . .; read it

. . . . to . . . .

EXERCICES

1 Mon tailleur est toujours riche. — **2** A partir de maintenant (en), vous pourrez parler [l']anglais. — **3** Le plus gros (masse) du travail a été fait. — **4** N'ayez (être) pas peur de faire [des] fautes. — **5** Je regrette [que] j'aie dû annuler le rendez-vous.

Corrigé

1 went to - could get by. — **2** reading - (news)papers - by - to - should. — **3** you leave (go) - keep in touch. — **4** Let - congratulate - success - worked well. — **5** let this - dust - from time - time.

Second wave: 97th Lesson

ET

LA PRATIQUE DE L'ANGLAIS

prolongement du « Nouvel Anglais sans peine », dont les leçons, plus longues, consistent en extraits de journaux et livres anglais, choisis tant pour leur vocabulaire que pour leur intérêt propre.

Principaux verbes irréguliers

Nous vous donnons pour chaque verbe l'infinitif, suivi du passé ou imparfait, et du participe passé. Ces trois formes sont parfois différentes : To do, did, done (I do, I did, I have done); *parfois deux d'entre elles sont semblables :* To come, came, come (I come, I came, I have come); *enfin, quelquefois les trois sont identiques :* To cost, cost, cost (I cost, I cost, I have cost). *Il importe de bien vous les graver dans la mémoire en répétant, au cours des leçons, les trois formes de chaque verbe marqué d'un astérisque. Vous apprendrez ainsi d'abord les plus usuels. Quand vous arriverez à la fin du cours, il sera bon de relire plusieurs fois la liste entière.*

To arise, arose, arisen .... *s'élever.*

To awake, awoke, awaked .... *s'éveiller.*

To be, was, been .... *être.*

To bear, bore, borne (**born** = *né*) .... *porter, supporter.*

To beat, beat, beaten .... *battre.*

To become, became, become .... *devenir.*

To begin, began, begun .... *commencer.*

To bend, bent, bent .... *courber.*

To bid, bade, bid *ou* **bidden** .... *ordonner, convier.*

To bind, bound, bound .... *lier ou relier.*

To bite, bit, bitten .... *mordre.*

To bleed, bled, bled .... *saigner.*

To blow, blew, blown .... *souffler.*

To break, broke, broken .... *casser, rompre.*

To breed, bred, bred .... *élever, engendrer.*

To bring, brought, brought .... *apporter.*

To build, built, built .... *bâtir.*

To burn, burnt, burnt *(ou burned)* .... *brûler.*

To burst, burst, burst .... *éclater.*

To buy, bought, bought .... *acheter.*

To catch, caught, caught .... *attraper.*

To choose, chose, chosen .... *choisir.*

To cling, clung, clung .... *se cramponner, tenir bon.*

To come, came, come .... *venir.*

To cost, cost, cost .... *coûter.*

To creep, crept, crept .... *ramper, s'insinuer.*

To cut, cut, cut .... *couper.*

To deal, dealt, dealt .... *agir, distribuer, s'occuper.*

To dig, dug, dug .... *creuser.*

To do, did, done .... *faire, accomplir.*

To draw, drew, drawn .... *tirer, dessiner.*

To dream, dreamt, dreamt *(ou dreamed)* . *rêver.*

To drink, drank, drunk .... *boire.*

To drive, drove, driven .... *conduire.*

To dwell, dwelt, dwelt .... *demeurer.*

To eat, ate, eaten .... *manger.*

To fall, fell, fallen	*tomber.*
To feed, fed, fed	*nourrir.*
To feel, felt, felt	*sentir, (éprouver).*
To fight, fought, fought	*combattre.*
To find, found, found	*trouver.*
To flee, fled, fled	*s'enfuir.*
To fling, flung, flung	*jeter.*
To fly, flew, flown	*voler (en l'air).*
To forbid, forbade, forbidden	*interdire.*
To forget, forgot, forgotten	*oublier.*
To forgive, forgave, forgiven	*pardonner.*
To freeze, froze, frozen	*geler.*
To get, got, got	*obtenir, devenir.*
To give, gave, given	*donner.*
To go, went, gone	*aller.*
To grind, ground, ground	*moudre.*

To grow, grew, grown .... *croître.*

To hang, hung, hung (1) .... *suspendre, pendre.*

To have, had, had .... *avoir.*

To hear, heard, heard .... *entendre.*

To hide, hid, hidden .... *cacher, se cacher.*

To hit, hit, hit .... *frapper, cogner.*

To hold, held, held .... *tenir.*

To hurt, hurt, hurt .... *blesser, faire mal.*

To keep, kept, kept .... *garder, conserver.*

To kneel, knelt, knelt .... *s'agenouiller.*

To knit, knit, knit .... *tricoter.*

To know, knew, known .... *savoir, connaître.*

To lay, laid, laid .... *poser.*

---

(1) En parlant du supplice, on dit *hanged* (**hà**gn'd) et non *hung*.

To lead, led, led .... *conduire, mener.*

To lean, leant, leant .... *s'appuyer.*

To leap, leapt, leapt .... *sauter.*

To learn, learnt, learnt .... *apprendre.*

To leave, left, left .... *laissèr, quitter.*

To lend, lent, lent .... *prêter.*

To let, let, let .... *laisser, permettre, louer.*

To lie, lay, lain (2) .... *être couché.*

To light, lit, lit .... *allumer.*

To lose, lost, lost .... *perdre.*

To make, made, made .... *faire, fabriquer.*

To mean, meant, meant .... *signifier, vouloir dire.*

To meet, met, met .... *rencontrer.*

To mistake, mistook, mistaken .... *se méprendre.*

To mow, mowed, mown .... *faucher.*

---

(2) *To lie,* dans le sens de mentir, est régulier : *he lied, he has lied (***laïd**').

To **pay, paid, paid**	*payer.*
To **put, put, put**	*mettre.*
To **read, read, read**	*lire.*
To **rid, rid, rid**	*débarrasser.*
To **ride, rode, ridden**	*aller à cheval, monter.*
To **ring, rang, rung**	*sonner.*
To **rise, rose, risen**	*se lever.*
To **run, ran, run**	*courir.*
To **saw, sawed, sawn (3)**	*scier.*
To **say, said, said**	*dire.*
To **see, saw, seen**	*voir.*
To **seek, sought, sought**	*chercher.*
To **sell, sold, sold**	*vendre.*
To **send, sent, sent**	*envoyer.*

---

(3) Ne pas confondre *I saw*, je scie, et *I saw*, passé de *I see*, qui a la même prononciation.

To set, set, set .... *poser, placer.*

To shake, shook, shaken .... *secouer.*

To shine, shone, shone .... *briller.*

To shoot, shot, shot .... *tirer, fusiller.*

To show, showed, shown .... *montrer.*

To shrink, shrank, shrunk .... *se rétrécir.*

To shut, shut, shut .... *fermer.*

To sing, sang, sung .... *chanter.*

To sink, sank, sunk .... *sombrer.*

To sit, sat, sat .... *s'asseoir, être assis.*

To sleep, slept, slept .... *dormir.*

To slide, slid, slid .... *glisser.*

To slit, slit, slit .... *fendre.*

To smell, smelt, smelt .... *sentir (une odeur).*

To sow, sowed, sown (4) .... *semer.*

---

(4) Ne pas confondre avec *to sew,* coudre, qui se prononce aussi *sôh,* et est régulier : *I sewed, I have sewed.*

To speak, spoke, spoken .... *parler.*

To spell, spelt, spelt (5) .... *épeler.*

To spend, spent, spent .... *dépenser.*

To spill, spilt, spilt (6) .... *renverser, répandre.*

To spin, spun, spun .... *filer.*

To spit, spat, spit .... *cracher.*

To split, split, split .... *fendre, se fendre, diviser.*

To spread, spread, spread .... *étendre, se propager.*

To spring, sprang, sprung .... *sauter, jaillir.*

To stand, stood, stood .... *être debout, se tenir.*

To steal, stole, stolen .... *voler, dérober.*

To stick, stuck, stuck .... *coller.*

To sting, stung, stung .... *piquer.*

To stink, stank, stunk .... *puer.*

To strike, struck, struck .... *frapper.*

---

(5) On dit aussi *spelled*.

(6) Ou : *spilled, spilled*.

To swear, swore, sworn .... *jurer.*

To sweep, swept, swept .... *balayer.*

To swell, swelled, swollen .... *enfler, s'enfler.*

To swim, swam, swum .... *nager.*

To swing, swung, swung .... *balancer.*

To take, took, taken .... *prendre.*

To teach, taught, taught .... *enseigner.*

To tear, tore, torn .... *déchirer.*

To tell, told, told .... *dire.*

To think, thought, thought .... *penser.*

To throw, threw, thrown .... *jeter, lancer.*

To tread, trod, trodden .... *marcher sur, fouler aux pieds.*

To understand, understood, understood . *comprendre.*

To upset, upset, upset .... *renverser.*

To wake, woke, woke (7) .... *réveiller.*

To wear, wore, worn .... *porter.*

To weep, wept, wept .... *pleurer.*

To win, won, won .... *gagner.*

To write, wrote, written .... *écrire.*

---

(7) Ou : *woke, woken.*

Notes

L'impression de ce livre
a été réalisée sur les presses
des Imprimeries Aubin
à Poitiers/Ligugé

Achevé d'imprimer le 5 juillet 1979
N° d'édition, 577. — N° d'impression, L 11539.
Dépôt légal, 3e trimestre 1979

Imprimé en France